CW00828827

## DU MÊME AUTEUR

*Aux Éditions Gallimard*

LE VIEIL HOMME ET LA MORT, 1996 (Folio nº 2972).

MORT D'UN BERGER, 2002 (Folio nº 3978).

L'ABATTEUR, 2003 (« La Noire » ; Folio policier nº 410).

L'AMÉRICAIN, 2004 (Folio nº 4343).

LE HUITIÈME PROPHÈTE OU LES AVENTURES EXTRAORDINAIRES D'AMROS LE CELTE, 2008 (Folio nº 4985).

UN TRÈS GRAND AMOUR, 2010 (Folio nº 5221).

DIEU, MA MÈRE ET MOI, 2012 (Folio nº 5624).

LA CUISINIÈRE D'HIMMLER, 2013 (Folio nº 5854). Prix Épicure.

L'ARRACHEUSE DE DENTS, 2016 (Folio nº 6434).

BELLE D'AMOUR, 2017.

LA DERNIÈRE FOIS QUE J'AI RENCONTRÉ DIEU, 2018.

*Aux Éditions Grasset*

L'AFFREUX, 1992. Grand Prix du roman de l'Académie française (Folio nº 4753).

LA SOUILLE, 1995. Prix Interallié (Folio nº 4682).

LE SIEUR DIEU, 1998 (Folio nº 4527).

*Aux Éditions du Seuil*

FRANÇOIS MITTERRAND OU LA TENTATION DE L'HISTOIRE, 1997.

MONSIEUR ADRIEN, 1982.

JACQUES CHIRAC, 1987.

LE PRÉSIDENT, 1990.

LA FIN D'UNE ÉPOQUE, 1993 (Fayard-Seuil).

FRANÇOIS MITTERRAND, UNE VIE, 1996.

*Suite des œuvres de Franz-Olivier Giesbert en fin de volume*

# LE SCHMOCK

FRANZ-OLIVIER GIESBERT

# LE SCHMOCK

roman

GALLIMARD

« Poser le Mal comme le contraire de la Vertu, c'est lui faire trop d'honneur. »

NOVALIS

## AVANT-PROPOS

Quand j'étais enfant, mon père, Américain vivant en France, marié à une Normande, m'emmena deux ou trois fois au volant de sa 4 CV retrouver la branche germanique de sa famille en Rhénanie, dans des réunions mortelles qui me rappelaient les goûters suivant les funérailles.

Mon père était un ancien GI qui avait débarqué en Normandie le 6 juin 1944 au matin, dans une des premières vagues. Un « héros » américain de la Deuxième Guerre mondiale, bardé de décorations, qui refaisait le monde avec ses tantes et oncles issus d'un pays qu'il avait combattu. Il n'instruisait pas leur procès mais tous avaient des têtes de condamnés, de tragédie.

Si mon père était venu avec un membre de la branche juive de la famille, sise aux États-Unis, je suis sûr qu'ils auraient fondu en larmes, tant la plupart se sentaient coupables. Scolarisé un temps en Rhénanie, il parlait un allemand parfait. Pour ma part, je ne comprenais à peu près rien de ce qui se disait mais je percevais un malaise entre une aïeule, réputée nazie, et son frère qui avait fait de la prison sous Hitler.

Je ne le jurerais pas, mais il me semble que c'est ce

dernier qui appelait Hitler le « schmock », un nom yiddish. C'était la première fois que j'entendais ce mot dans une autre bouche que celle de mon père, grand lecteur de Leo Rosten qui, dans *Les Joies du yiddish*[1], ouvrage de référence, le définit comme obscène, avec trois sens : pénis, con, salaud.

Autant vous dire que je ne partageais pas les affres de tous ces Giesbert. Je suis de sangs mêlés, normand, allemand, autrichien, juif, anglais, écossais, peut-être même antillais et amérindien, si l'on croit les légendes familiales. Quand on est de partout, on n'est de nulle part. Jeune, je ne me sentais donc pas concerné par l'histoire de mes lointains cousins de Germanie.

Après l'adolescence, mon inconscient m'inclina à lire beaucoup et même de manière compulsive sur le IIIe Reich, mais j'avais beau lire les plus grands auteurs, je n'arrivais pas à comprendre pourquoi tant d'Allemands « bien », respectables, avaient pris à la légère la montée du nazisme tandis que les Juifs tardaient étrangement à fuir. Quand on se penche sur le passé, il apparaît en effet que tout était écrit, programmé avant l'arrivée d'Hitler au pouvoir.

Ces questions-là n'ont plus cessé de me hanter. Par quelle aberration, à cause de quelles complaisances, quelles lâchetés, le nazisme fut-il possible ? Qu'était-il arrivé à l'Allemagne qui, avec l'Autriche, avait enfanté Jean-Sébastien Bach, Hildegarde de Bingen et Rainer Maria Rilke ? Comment cela a-t-il pu advenir ?

Il n'y a que les fous pour tenter de répondre à ce genre de questions, les fous ou les romans.

1. Calmann-Lévy, 1994.

## PROLOGUE

KARLSFELD, 1943. Il y avait du naufrage dans l'air. Le ciel était comme une mer démontée et la terre chavirait sous les vagues de pluie, vent, boue, feuilles, brindilles. On aurait dit le dernier jour de la fin du monde.

Le soir, en rentrant du travail, « Harald » Gottsahl se rendit d'abord à la grange, comme d'habitude, pour embrasser Lila. Après avoir décadenassé la porte, il alluma sa torche et se dirigea vers le tas de foin, vieux de deux ans, qui sentait toujours la boulange.

« Lila ? » cria-t-il.

Pas de réponse. Il eut un mauvais pressentiment. Ce n'était pas son genre : dès qu'elle entendait une voiture se rapprocher, Lila se cachait dans le foin. Même quand c'était la sienne, pourtant reconnaissable aux légers toussotements du moteur. Et, au premier appel, elle sortait de la meule, comme une sirène, couverte de graminées, en répandant une odeur de fournil, de caramel brûlé.

« Lila, es-tu là ? »

Peut-être y avait-il trop de tintouin dans le ciel pour qu'elle entendît la voiture arriver : la grange tanguait et craquait comme un bateau en perdition. Il eut beau s'époumoner, elle ne répondait pas. Il inspecta les recoins de la grange en continuant à l'appeler jusqu'à ce qu'il découvre que la porte arrière avait été défoncée. Il courut dehors en hurlant :

« Lila, où es-tu ? Tu es folle ! Reviens, je t'en supplie. »

Ses larmes s'ajoutaient à la pluie qui dégoulinait sur son visage. Pourtant, il n'aurait même pas pu dire qu'il connaissait bien cette jeune fille dont le vocabulaire était si pauvre, plein de mots yiddish qu'il ne comprenait pas.

Quand Lila était entrée dans sa vie, « Harald » Gottsahl vivait seul. L'avant-veille, il s'était fait larguer par Iwona, amante d'une semaine, une bonne qui venait de se faire licencier par ses maîtres, des fermiers d'Olching. Une fille joyeuse, bringueuse, à qui sa tristesse perpétuelle était insupportable.

« Pourquoi ne ris-tu jamais ? lui demanda-t-elle, un soir après l'amour.

— Parce que tu ris pour deux. »

Elle disait que la maison était éloignée de tout et le premier voisin à trois cents mètres. Un sourd-muet avec une barbe de père Noël. Un soir, quand « Harald » était rentré, elle avait disparu. Iwona était repartie comme elle était venue : avec sa valise. Sans un mot d'explication.

La veille, Iwona lui avait reproché son odeur.

« Quelle odeur ? s'était-il indigné.

— Tu sens tellement la mort que j'ai l'impression de mourir quand je suis avec toi. »

« Harald » détestait les disputes, les embrouilles. Il s'était contenté de répondre par une moue d'ennui.

« À force de fréquenter la mort, avait insisté Iwona, tu

as fini par l'attraper. Tu es mort mais tu ne le sais pas encore… »

« Harald » ne pouvait lui donner tort. Il ne songeait qu'à quitter son travail qui l'horripilait. Les cris, les clameurs, les gémissements à la sortie des wagons à bestiaux, les tirs à la mitraillette, les clabaudements des bergers allemands, il en avait eu son compte. C'était comme les remous d'une mer pleine de malheur…

Quelques jours plus tard, dans son jardin, était arrivée la jeune fille. Un ange tombé du ciel. Une beauté sale, affolée, transpirante, couverte de griffures, les vêtements déchirés, avec l'expression furibonde et plaintive d'un chaton affamé qui a cherché sa mère pendant toute une journée.

C'était Lila.

Elle avait dans les seize ans, une bouche à baisers, le regard sombre sous des cheveux noirs, des courbes généreuses. Coup de foudre. Tout arrivait en même temps. Les frissons, les suées, l'angoisse, l'extase des poumons, les battements de tambour dans la poitrine. Veuf d'une quarantaine d'années, replié sur lui-même, les yeux éteints, « Harald » avait fait partie, ces derniers temps, des personnes qui existent au lieu de vivre. Soudain, il était comme un aveugle qui recouvre la vue.

Il se dirigea vers la jeune fille, posa un genou à terre, puis, la tête baissée, l'invita à s'approcher d'un geste de l'index.

« Viens, tu n'as rien à craindre. »

La sauvageonne recula, les lèvres en O, prête à hurler. Après avoir tenté de la rassurer, il alla dans la cuisine chercher du pain, du fromage de brebis, un verre d'eau et les lui présenta sur un plateau. Tout s'achète ici-bas : quelques lichées de pain, de lait, et le monde est à vos pieds. Depuis la nuit des temps, c'est ainsi que s'apprivoisent les chats, les chiens abandonnés.

Elle huma sa nourriture à quatre pattes, comme un animal et, après l'avoir goûtée avec suspicion, l'engloutit de plus en plus vite, de plus en plus mal. « Harald » lui fit signe de ralentir.

« Tu vas t'étouffer. »

La jeune fille se goinfrait en regardant dans tous les sens. Elle était comme le chien qui craint qu'on ne lui retire l'écuelle ou bien qu'un congénère ne lui chipe sa part.

« Harald » pointa son doigt sur sa poitrine :

« Moi, "Harald"... "Harald"... Et toi ? »

Elle était trop occupée à manger pour répondre. Son assiette terminée, elle marmonna quelque chose en adressant un regard suppliant à « Harald » qui alla chercher un nouveau morceau de fromage et une boîte de sablés aux amandes.

Pour le remercier, elle murmura son prénom :

« Lila.

— C'est beau », dit-il avec une expression stupide.

Le festin touchait à sa fin quand, avec son sourire le plus engageant, « Harald » fit signe à Lila d'entrer dans sa maison. Il se doutait bien qu'elle était horrifiée par son uniforme. Comment une jeune Juive pourrait-elle avoir envie de pénétrer dans l'antre d'un officier nazi ? Soudain, une voix aiguë retentit dans la maison :

« Quand est-ce qu'on mange ?

— Mais non, il n'y a personne, s'écria "Harald" à l'adresse de Lila. C'est mon perroquet. »

Lila s'était déjà levée d'un bond et avait disparu dans les fourrés avec la boîte en fer et un morceau de pain.

« Harald » appela Lila toute la soirée et même jusqu'au

milieu de la nuit. Mais il se coucha sans trop d'inquiétude. Il savait bien que la faim la ramènerait chez lui.

Le lendemain avait été une journée célestielle. « Une journée à dire merci », comme disait « Harald ». Sauf qu'au travail il l'avait passée sans rien voir, il valait mieux, avec le sourire ahuri des grands amoureux. Que ses yeux fussent ouverts ou fermés, ils étaient remplis par Lila.

« Harald » travaillait dans le camp de Dachau, à quatre kilomètres de là. Au petit matin, avant de partir au travail, il appela en vain la jeune fille. À son retour, il retira son uniforme, sortit avec une casserole de bortsch rouge à l'ail et aux champignons, qu'il avait rapporté et venait de faire réchauffer. Lila ne tarda pas à s'approcher et, après quelques hésitations, se jeta sur la cuillère à soupe et avala le plat avec cet air cruel que donne souvent la faim. Il adorait les glougloutements de fontaine de sa bouche en action.

« Harald » avait posé la casserole sur la table du jardin et se tenait debout, non loin. De temps en temps, la jeune fille tournait vers lui son visage sanglant, maculé de jus de betterave, sans un sourire ni un regard aimable. Elle aurait beau faire, il l'aimerait toujours. Quand on croit qu'on aime trop, c'est parce qu'on n'aime pas assez ou pas du tout.

Pour le dessert, « Harald » avait acheté à la pâtisserie des strudels aux pommes et au miel. Il les apporta avec l'exemplaire du Talmud que lui avait donné son père quelques jours avant de mourir. Depuis, il l'avait emporté partout avec lui, dissimulé, pour ne pas avoir d'ennuis, sous une couverture cartonnée des œuvres complètes de

« ce vieux raseur de Goethe », comme il l'appelait. Transmis d'aîné à aîné, le livre était resté dans la famille depuis plusieurs générations mais il n'avait pas beaucoup servi, à en juger par son état.

« Harald » descendait d'une lignée de Juifs athées et insouciants où les circoncis étaient, comme les bar-mitsva chez les garçons ou les bat-mitsva chez les filles, à peu près aussi rares que les perles rondes dans les moules d'eau douce. Ils pouvaient passer quasiment toute leur vie sans jamais sentir l'encens d'une synagogue et, pour mieux se fondre dans la masse, n'épousaient généralement que des goys. Pardonnez l'expression, ils se déjuivaient à petit feu.

Le regard de Lila alla du Talmud à « Harald » qui finit par prendre le livre dans ses bras, très fort, comme si on avait cherché à le lui arracher, avant de poser un baiser sur la couverture. Il lui sembla que la jeune fille avait moins peur de lui. Il posa sa main sur son bras. Elle attendit quelques secondes avant de se dégager délicatement.

Quelqu'un dit, dans la pièce voisine :

« Quand fera-t-il jour ? »

Lila tressaillit et se leva.

« N'aie pas peur, c'est encore mon perroquet, il est très gentil », dit « Harald » en allant chercher l'oiseau parleur.

Lila recula de plusieurs mètres jusqu'à la porte, prête à fuir dans la forêt, avant qu'un sourire n'éclaire son visage quand le perroquet apparut au bras d'« Harald » qui fit les présentations :

« Lila… son nom est Novalis. »

Pourquoi avoir appelé son perroquet ainsi ? « Harald »

dit tout le bien qu'il pensait de Novalis qui méritait, selon lui, le titre de plus grand poète de tous les temps pour avoir écrit, entre autres, cette phrase que le perroquet se fit un plaisir de déclamer à sa demande : « L'amour n'est rien d'autre que la suprême poésie de la nature. »

L'oiseau avait massacré la formule. « L'amour n'est rien d'autre que de la nature », avait-il dit. « Harald » rectifia.

Il caressa la joue de la jeune fille qui, après un instant de surprise, répondit par un regard plein de douceur. C'est alors qu'il lui proposa de l'héberger dans la grange où elle serait plus en sécurité que dans la maison. Elle pourrait se cacher dans le foin, le grenier, sous des planches, derrière les machines agricoles.

Dans la grange, de surcroît, une colonie de quatorze chats la protégerait contre les rats, les souris, les nuisibles. Il suffirait d'attendre des jours meilleurs. Elle accepta la vie que lui proposait « Harald ». Tout, plutôt que continuer à errer dans la forêt ou au bord du lac de Karlsfelder, à la recherche de baies, racines, escargots ou grenouilles qu'elle mangeait vivants.

Le jour, enfermée dans le bâtiment, elle attendrait le retour d'« Harald », en tricotant, lisant, dessinant. La nuit, elle le laisserait dormir à côté ou même contre elle. Rien de plus, fors quelques caresses, effleurements, baisers volés. Tout ou presque était *verboten*, ce qui rendait leur amour encore plus fou, métaphysique, comme au temps de l'amour courtois, quand, au Moyen Âge, les amoureux restaient des nuits entières face au ciel étoilé à se conter fleurette en veillant bien à ne jamais se toucher.

La beauté est une injustice, et Lila trouvait « Harald »

injustement beau, trop beau pour elle, avec ses yeux verts, son nez grec, ses cheveux blonds frisottant et son air perpétuellement étonné. Comme beaucoup de femmes, elle avait décidé, longtemps auparavant, contre toute évidence, qu'elle était laide. Elle n'entendait pas changer d'avis.

Tendres furent les heures passées ensemble, toujours dans le noir pour ne pas éveiller de soupçons. Lila appelait « Harald » *zissele,* « mon chéri » en yiddish. Elle aimait jouer à cache-cache avec lui. Ou bien lui raconter des histoires drôles à voix basse. Elle lui récitait aussi des proverbes du genre : « Si tu ne fais pas ton malheur toi-même, les autres le feront pour toi. »

« Harald » amenait souvent à la grange son perroquet qui, pourvu d'un ego éléphantesque, monopolisait tellement la conversation qu'on finissait toujours par lui faire regagner la maison. Son maître chantonnait à Lila des airs de Brahms qu'il jouait parfois au violon : ainsi l'andante du *Sextuor à cordes n°1 en si bémol majeur.* Il lui lisait ou lui récitait des textes des poètes de son panthéon. Novalis : « Mon amour s'est transformé en flamme, et cette flamme consume peu à peu ce qui est terrestre en moi. » Hölderlin : « Que sont toutes les actions et les pensées des hommes durant des siècles contre un seul instant d'amour ? » Rilke : « Voici le premier pressentiment de l'éternité : avoir du temps pour l'amour. »

Ils avaient du temps, malgré les circonstances. « Harald » était convaincu qu'ils pourraient convoler au grand jour après la défaite d'Hitler qui, d'après lui, était inévitable. Mais la fatalité n'est pas nécessairement imminente. Elle peut prendre des siècles : l'Histoire se hâte toujours lentement, emprunte des chemins détournés, avec, parfois, de brusques accélérations dans les descentes. Cette attente leur pesait mais rien ne permettait de penser que Lila avait décidé, de son propre chef, de quitter son amoureux, le jour de cette maudite tempête. Il était arrivé quelque chose.

Après la guerre, « Harald » Gottsahl, qui ne s'était jamais appelé Harald ni Gottsahl, engagea un détective pour retrouver Lila qui ne portait plus ce prénom. Sans succès. Depuis, il pensait à elle tous les jours, son visage ne quittait plus son esprit.

# I

# LE JOUR OÙ FUT SACRÉ L'HOMME LE PLUS VIEUX DU MONDE

# 1

## *L'heure de gloire d'Élie Weinberger*

MUNICH, 2018. Si on n'avait pas le malheur de vieillir, vivre longtemps serait un grand bonheur. Le grand âge est une punition, j'allais dire une agonie infligée à ceux qui ne veulent pas mourir.

Il ne voulait pas mourir. C'est pourquoi il parlait sans cesse, pour se calmer, tuer le temps, penser à autre chose. Peu lui importait que son bavardage n'eût aucun sens, il avait perdu toute dignité.

« Coucou, señorita, Nichte vous salue bien, approche-toi que je t'embrasse, heil, Hitler, je veux une banane, Dieu n'est pas avec les SS, amen. »

À quatre-vingt-trois ans, il sombrait de plus en plus dans la confusion mentale et devenait un sujet de plaisanterie. Que l'on parlât de démence sénile à son propos, il n'en avait rien à battre : le surmoi n'était pas son fort.

Il savait déjà beaucoup de choses et parlait trois langues et demie (l'allemand, l'espagnol, le portugais, un peu l'italien), quand, en 1943, il avait été adopté par Élie Weinberger, le médecin qui allait fonder un jour la célèbre chaîne de restaurants « Mondo ».

Enfin, adopté, n'exagérons rien. Un cacatoès rosalbin, ça s'achète, il y a des magasins pour ça, mais c'est toujours lui qui vous possède. Jaloux, charmeur, manipulateur, c'est un humain en pire. Avec ça, égocentrique et dominateur. Il détestait le premier nom que lui avait donné son maître : Novalis. Après la guerre, Élie Weinberger l'avait rebaptisé Nietzsche. Ça lui allait mieux : ce perroquet symbolisait l'élan vital cher au philosophe allemand. Il mourrait vivant, sans doute en blablatant, puisqu'il ne savait pas s'arrêter de parler.

« Nietzsche est très nerveux, en ce moment, dit Élie Weinberger. Je crois qu'il se doute de quelque chose.

— Tu te fais des illusions sur l'intelligence des perroquets, soupira Adrian. Ce ne sont que des machines à répéter. »

Élie haussa les épaules.

« Arrête tes bêtises. Les perroquets ne nous imitent pas. Ils parlent comme toi et moi, ils comprennent tout ce qu'on dit, Adrian. Une chercheuse de l'université Harvard l'a démontré scientifiquement.

— Tu me l'as déjà dit », marmonna Adrian.

Habillé d'un blazer assorti d'une cravate mauve, Élie Weinberger était un petit homme sec qui flottait dans un sac de peau crevassée, un peu grand pour lui. Il semblait toujours se sentir de trop et s'excuser d'exister. C'est pourquoi il inspirait confiance. Les femmes l'adoraient.

Certes, sa tête semblait moulée dans la cire, sans un poil sur le crâne ni à l'emplacement des sourcils, et ses sourires étaient affreux. Mais ses grands yeux verts sauvaient tout. Ils étaient pleins d'amour, d'humour, de bienveillance.

Quand elle fait des embardées, l'Histoire ne respecte rien, c'est une saloperie qui écrase tout sur son passage, tue à l'aveuglette, change les noms, les destins. Une fable absurde racontée par une sadique amnésique.

Ne comptez pas sur l'auteur pour vous apporter dès à présent les réponses aux questions que vous pouvez vous poser sur Élie et Harald, à savoir s'il s'agit ou pas de la même personne : il vous faudra mériter la vérité en lisant ce roman jusqu'au bout. Elle est cachée sous le couvercle que nous allons maintenant soulever ensemble.

« L'Histoire est une suite de mensonges sur lesquels tout le monde est d'accord », disait Napoléon. Même si 14-18 fut pas mal dans le genre, la Deuxième Guerre mondiale reste l'une des plus grandes mystifications de tous les temps. Dire cela ne ressuscitera pas les soixante millions de personnes mortes pour la patrie, pour une idéologie ou pour rien, sur le front, par accident, mais il est bon de se rafraîchir la mémoire.

Nul besoin d'être devin pour comprendre qu'Élie Weinberger se sentait coupable d'avoir survécu à ce chaos. « J'ai quand même eu beaucoup de chance, disait-il.

— Ne dis pas ça, grandpi, protestait Adrian. La chance, c'est le mot qu'on utilise pour expliquer la bonne fortune des gens qu'on n'aime pas.

— J'espère que tu auras autant de chance que moi, petit. Parce que la bête revient, je te l'annonce. Sous une autre forme, certes, mais c'est toujours elle. Je reconnais son souffle, je la sens dans le regard des gens. Elle est comme le Diable, tu sais. Elle se déguise et elle reviendra sur terre aussi longtemps qu'elle n'aura pas fini sa besogne.

— Je crains que ce ne soit l'âge qui te fasse dire ça.

Il fait voir l'avenir en noir. C'est même à ça qu'on le reconnaît.

— Au cours de l'Histoire, le Juif a toujours été l'ennemi public. Des chrétiens, des populistes, des socialistes de gauche, de la vieille droite, des nazis, des musulmans. Tu dois te préparer à une nouvelle flambée d'antisémitisme. Espérons que cette fois ne sera pas celle de notre disparition. »

Assis à côté de lui sur le canapé du salon, Adrian Weinberger était l'arrière-petit-fils d'Élie. Un beau gosse aux lèvres charnues, dont la légende disait que sa mère lui donnait encore le sein à l'âge de quatre ans. Longtemps après, il suçait tout ce qu'il pouvait trouver. Un crayon, un trombone, un cigare éteint. Tiré à quatre épingles, il eût été une caricature de cadre conformiste si une balafre violacée ne lui avait barré la joue droite. Le souvenir d'une bagarre qui avait mal tourné un soir de cuite, à Munich, pendant la fête de la bière.

Élie observait Adrian avec une admiration apparemment non feinte.

« Une chose est sûre, mon garçon : tu es un vrai génie. »

Un silence, puis Élie reprit :

« Sais-tu au moins ce qu'est un génie ? Un type moyen en tout qui a une mère juive ! »

Un grand éclat de rire et une tape sur la cuisse d'Adrian. Il est probable qu'Élie riait déjà quand il était dans le ventre de sa mère. L'arrière-petit-fils, qui connaissait la blague, pouffa avec politesse.

« Merci de rire, dit Élie. Je sais que c'est une blague à deux balles mais tu as vu l'âge que j'ai… »

À trente-sept ans, Adrian, responsable de la filiale suisse, avait été promu grand patron de la chaîne de restaurants Mondo après que le patriarche eut décidé de limoger Cyrus, son propre fils, un octogénaire fantasque, égocentrique, allergique au téléphone, qui refusait de laisser sa place.

Le jour de son éviction, Cyrus tweeta sur son compte officiel : « Certes, je ne suis plus tout jeune. Mais quand je me compare, je me console. La vieillesse est un naufrage. »

Dans un courriel adressé aux administrateurs, avant la réunion du conseil, Élie répliqua en annonçant un audit sur la gestion de son fils et notamment, exemples à l'appui, sur ses notes de frais qu'il jugeait « pharaoniques, insensées, amorales ». Il n'acceptait pas l'idée, concluait-il, que l'entreprise familiale, fondée par lui, fût condamnée à péricliter à cause d'un géronte dispendieux qui avait à peu près l'âge de son cacatoès : « Et encore, Nietzsche me paraît bien plus vif, bien plus frais que mon propre fils. »

Cyrus répondit dans une lettre ouverte tellement violente qu'elle fit les gros titres de la presse. Qu'il comparât son père à Caligula, Volpone ou Louis II de Bavière, passe encore. Mais à Hitler, Élie ne pouvait le supporter. Son fils alla même jusqu'à prétendre qu'Hitler et son père avaient été proches. « Il faut que vieillesse passe, concluait son fils dans ce texte assassin, et rien ne sert de s'y accrocher quand on est mort depuis si longtemps. »

La haine épuise quand elle ne provoque pas des cancers, des ulcères. C'est aussi une perte de temps. Mais, dans bien des cas, elle peut prolonger la vie en lui donnant un sens.

Élie jouissait à la lecture du feuilleton des « notes de frais » de Cyrus qui fit les choux gras des médias pendant plusieurs semaines, et il ressentit un grand vide quand la mort de son fils l'arracha à sa détestation. Un anévrisme foudroyant. Élie constata que ce décès lui avait fait perdre de la force, de l'appétit.

« Ce n'est pas grave, avait dit Élie à Adrian. Il reste, dans ce monde, tant de choses à haïr… »

Élie était increvable. Après la victoire des Alliés, il avait abandonné l'urologie, sa spécialité, pour devenir médecin de quartier. Un saint. Joignable jour et nuit, oubliant souvent de se faire payer, il se donnait à son travail avec une ferveur mystique. Fagoté comme l'as de pique, toujours sur le pont du malheur, les ongles noirs, les dents gâtées, il travaillait tout le temps : « Les maladies, disait-il, ne prennent jamais de vacances. Moi non plus. » Ses patients le voyaient comme une réincarnation de saint Vincent de Paul.

Il aimait tant son métier de médecin qu'il ne supporta pas, après plusieurs recours, d'être mis à la retraite en 1987 par le Bundesärstekammer, l'ordre fédéral des médecins allemands, à l'âge de quatre-vingt-cinq ans, sous prétexte qu'il était trop vieux. « Je m'ennuie, disait-il. Et quand on s'ennuie, c'est qu'on est prêt à mourir. Je ne veux pas mourir. » Au bout de quelques mois, Élie lança, à Munich, son premier restaurant Mondo, un petit établissement de trente couverts, avec un concept révolutionnaire. Le succès fut immédiat et l'entreprise commença à essaimer.

Mondo devint vite une chaîne où étaient servies toutes les cuisines du monde : libanaise, chinoise, japonaise, française, italienne, indienne, espagnole, américaine, arménienne, etc. Son slogan : « La planète dans votre assiette. » Un festival de houmous, nans, salade de méduses, aubergines au miso, gaufres belges, crêpes bretonnes, et cetera. Le client avait le choix entre cinq entrées, plats, desserts, et la carte changeait toutes les semaines.

Après deux décennies et demie de croissance forte, la chaîne connut une sérieuse baisse de forme après que le fils eut succédé au fondateur. Cyrus fit à peu près le contraire de son père : il s'occupait de tout et ne déléguait jamais rien, fourrant son nez partout. Monopolisant la parole pendant les réunions, il était rétif à toutes les innovations dès lors qu'elles n'étaient pas de lui. L'ego est un poison qui tue tout. L'amour, l'amitié, les familles, les entreprises.

Quand, après plusieurs mauvais exercices, le fondateur finit par virer Cyrus, il n'était pas en âge, à plus de cent ans, de reprendre les rênes. Sautant une génération, il jeta son dévolu sur Adrian Weinberger, un arrière-petit-fils fantasque au parcours foutraque : ancien élève de la Harvard Business School, il avait fait le tour du monde, écrit un roman étrange qui faisait parler les poissons entre eux avant de devenir second violon de l'orchestre symphonique de Munich.

Élie Weinberger leva l'index pour signifier qu'il allait dire quelque chose d'important.

« J'ai une appréhension, Adrian. Je ne suis pas sûr que ce soit une si bonne idée de faire cette conférence de presse. »

L'arrière-petit-fils regarda sa montre.

« C'est vraiment trop tard pour annuler, dit Adrian. Les médias attendent déjà dans le jardin pour rencontrer l'homme le plus vieux du monde.

— La célébrité attire toujours les ennuis : dès qu'on est en vue, les journalistes vous cherchent des poux dans la tête. Je crains d'avoir tout à perdre dans cette histoire.

— Notre entreprise a tout à gagner, grandpi. Ça nous fera des millions de publicité gratuite.

— Jusqu'à présent, je m'en tenais à ma devise : "Vivons heureux, vivons cachés." Ça m'a toujours réussi. »

Adrian se leva, fit quelques pas, retourna en direction d'Élie.

« Qu'est-ce que tu crains ?

— Rien.

— On dirait que tu as toujours peur de quelque chose.

— J'ai peur du passé, Adrian. Tu verras, plus il est long, plus on en a peur : à un moment donné, on ne se souvient plus de ce qu'il y a dedans. J'ai peur aussi de la presse, qui mélange tout et a tôt fait de transformer les victimes en bourreaux. Il y a des photos d'Hitler avec moi. Même si j'ai essayé de l'être, je n'ai pas été un homme parfait et j'ai du sang sur les mains. On pourra toujours me chercher noise. »

Comme saisi d'une soudaine inspiration, Élie respira très fort.

« Oh, j'oubliais. Il faudra éloigner Nietzsche. S'il commence à divaguer sur les nazis, ça nous fera de la mauvaise publicité…

— Tu as raison. »

Adrian prit par l'anneau la cage du cacatoès et appela la gouvernante pour qu'elle le descende dans la cuisine. Le perroquet protesta avec véhémence :

« T'es con ! »

Quand son arrière-petit-fils se fut rassis sur le canapé, Élie Weinberger marmonna, les yeux baissés, avec l'expression d'un enfant pris en faute :

« J'ai bien réfléchi, Adrian. Il ne faut pas que je fasse cette conférence de presse. Je ne la sens pas. Trouvons un prétexte…

— Ce n'est même pas la peine d'y penser.

— On peut dire que je viens de faire un malaise. À mon âge, c'est normal, on a tous les droits…

— Tu le paierais cher. Les journalistes se déchaîneraient contre toi. Certains viennent de loin.

— De toute façon, ils se déchaîneront. Ces gens-là cherchent toujours le sang, ils en vivent. »

Commencée avec vingt minutes de retard, la conférence de presse se déroula aussi bien que possible. Un panneau publicitaire pour les restaurants Mondo avait été disposé derrière Élie Weinberger : le nom de la marque allait faire le tour du monde.

Après que les représentants du Livre Guinness des Records eurent confirmé qu'Élie Weinberger, âgé de cent seize ans, était l'homme le plus vieux du monde, le héros du jour répondit sur un ton laconique, non dénué d'humour, aux questions des journalistes. Une fausse note : un instant d'hésitation après qu'une grand reporter du *Daily Telegraph* lui eut demandé s'il avait rencontré Adolf Hitler.

« Je n'en ai pas le souvenir », finit-il par déclarer.

C'était la réponse que lui avait soufflée, la veille, son arrière-petit-fils, et qui pouvait servir pour toutes les questions difficiles. Tous les avocats du monde vous conseilleront cette phrase quand les juges d'instruction, ces cousins des journalistes, commencent à vous cuisiner.

« Mais je l'ai souvent rencontré, avait protesté Élie.

— On s'en fout. On dira qu'à ton âge il est normal de ne plus se souvenir. »

Élie Weinberger avait préparé une autre formule qui allait avoir un grand succès, les jours suivants :

« La vie est une catin qui, un jour, vous laisse en plan. Avec moi, apparemment, elle ne se lasse pas. »

Lorsqu'un grand reporter de CNN l'interrogea sur les recettes de sa longévité, il mit aussi les rieurs de son côté en déclarant :

« Un œuf cru le matin, un verre de rouge à midi et deux carrés de chocolat avant de me coucher. De temps en temps, je me lâche : je prends trois carrés ! »

Le lendemain, la conférence de presse d'Élie Weinberger ouvrait la plupart des journaux télévisés de la planète et son visage faisait la « une » de la presse mondiale.

# 2

# *L'odeur de cerf du docteur new-yorkais*

NEW YORK, 2018. Lili Mayflowers avait souvent vu des gens mourir. À Ravensbrück, par terre, dans leurs déjections ; à Miami et New York, où elle vécut longtemps, dans des chambres d'hôpital qui sentaient la rose.

Mais jamais elle n'avait senti la mort en elle. Au réveil, avant d'ouvrir les yeux, elle la voyait désormais assez régulièrement : une grosse tache noire de forme rectangulaire, sur un fond jaunâtre, qui grandissait à gauche de son champ de vision avant de l'occuper tout entier. Après quoi, elle disparaissait.

La tache dévorait tout, comme ces trous noirs qui, dans les galaxies, engloutissent la matière du cosmos. Au moins la mort ne prendrait-elle pas Lili en traître. Ce matin-là, quand elle apparut, l'ancienne déportée eut si peur qu'elle se leva d'un bond, le cœur battant, en poussant un cri.

Quelques heures plus tard, quand elle entra dans le bureau du docteur Schmerck, au Langone Medical Center de New York, l'un des meilleurs hôpitaux du monde, Lili comprit que sa vision matutinale avait été prémonitoire. L'oncologue avait une tête d'enterrement.

« Il y a un problème », dit-il, les yeux baissés, en lui faisant signe de s'asseoir.

Quand il leva enfin les yeux sur elle, Lili lui adressa un regard inquiet et il hocha la tête à deux reprises, avec un sourire douloureux.

« La biopsie a confirmé le scanner, dit-il.

— Je le savais ! »

C'était comme un cri de victoire. Lili trouvait toujours le moyen de se féliciter des mauvaises nouvelles.

« Il ne faut pas se raconter d'histoire, reprit le docteur Schmerck. Le cancer du pancréas est l'un des plus vicieux de tous. On va se battre comme des chiens pour le détruire, mais quand on l'a repéré, c'est souvent trop tard. »

Matt Schmerck était l'un des oncologues les plus réputés de Manhattan. Grand, baraqué, la quarantaine hâlée, un visage d'aventurier et un regard d'enfant de chœur. Mélange de violence et de bienveillance, ce grand chasseur, terreur des forêts canadiennes, était une incarnation vivante de la contradiction ontologique des chevaliers du Moyen Âge, luttant contre le Mal sans être sûrs de faire le Bien. C'était ce déchirement que Lili aimait chez lui.

« Quelle espérance de vie me donnez-vous ? demanda-t-elle, la bouche sèche.

— Votre tumeur n'est pas opérable, elle s'est déjà répandue autour du pancréas. Mais vous avez une forte constitution. Vous pouvez compter sur moi, Lili. Je vais faire tout ce que je peux pour vous maintenir le plus longtemps possible. Je pense que vous avez encore un an et demi d'espérance de vie.

— À mon âge, c'est une éternité ! »

Soudain, Lili éprouva pour le docteur Schmerck une forte montée de fruition qui se traduisit par de la tremblote, la chair de poule, une dilatation des prunelles. Elle avait conscience du ridicule de la situation mais, à près de quatre-vingt-dix ans, elle n'était pas du genre à réfréner ses élans. Il eût fallu être aveugle pour prétendre qu'elle aimait davantage son désir que l'objet de son désir.

Lili brûlait de sauter sur Matt et de se baigner dans son eau fraîche. Détends-toi, fleur de mon cœur, laisse-toi faire, la vie est un chagrin dont le plaisir nous délivre, prends mes grosses fesses, mes mamelons frémissants, mes boutons de rose, je te donne tout si tu me catapultes au-delà des étoiles. Je suis ta biche de l'Ontario allongée, au cou offert, qui attend le couteau.

Son médecin aurait lu dans ses pensées, il ne se serait pas levé pour poser sa main sur son épaule.

« Ça ira, dit-il.

— J'espère bien. »

Lili marmonna très vite, comme si elle ne voulait pas qu'il comprenne :

« Ça ne m'ennuie pas de mourir, je connais déjà mon tombeau, je suis rassurée de penser que j'y retrouverai mon mari mort, mais je ne veux pas souffrir, vous comprenez, docteur. »

Le docteur Schmerck tomba dans le piège. N'ayant rien entendu, il baissa la tête et, sur le ton qu'il aurait employé pour un enfant retardé, demanda à Lili de répéter ce qu'elle venait de dire. La bouche de l'oncologue était maintenant à sa portée, entrouverte.

Pendant qu'elle répétait ses appréhensions d'une voix douce, pour qu'il ne s'éloigne pas, les lèvres de Lili tremblaient sous l'effet de l'amour, de la panique, de l'avidité. Il s'en fallut de peu qu'elle ne cédât à la tentation de l'embrasser. Au lieu de quoi, elle prit le bras de Matt et le serra vivement.

Mettant le geste de Lili sur le compte de la peur, Matt se dégagea doucement.

« Je vous donne ma parole, Lili : vous ne souffrirez pas.

— C'est tout ce que je veux. Pour le reste, j'attends sereinement la fin. J'ai eu une belle vie.

— Malgré Ravensbrück ?

— Grâce à Ravensbrück. Après les camps, on s'accroche à la vie avec la même fièvre que les enfants à leurs jouets. La preuve, les déportés ont du mal à mourir, ils meurent souvent à plus d'âge. »

Soudain, Matt Schmerck donna une grande tape sur son bureau.

« Qu'y a-t-il ? s'inquiéta Lili.

— Une araignée. »

Le médecin regarda sa paume avec tristesse.

« Je l'ai ratée.

— Il ne faut pas tuer les araignées, professeur. Ça porte malheur. Avez-vous conscience de tout ce qu'elle a enduré pour survivre dans ce milieu hostile avec la climatisation, la moquette, les aspirateurs, les produits nettoyants ? »

Retourné à son bureau, Matt Schmerck resta sans rien dire, le front plissé, avant d'expliquer à Lili Mayflowers comment il allait l'accompagner jusqu'à sa dernière heure. Alors qu'il égrenait d'une voix monocorde la liste des soins, des contrôles, des médicaments à prendre, elle l'imaginait nu, transpirant sur le lit défait, en train de la besogner.

Viens, étoile de ma vie, je te fais don de ma personne. À dater de ce jour, je t'appartiens corps et âme et tu peux disposer de moi comme tu l'entends, selon ton bon plaisir. C'est avec joie et fierté que je t'offrirai chaque fois que tu le désireras ma chair et mon sang qui, déjà, t'appartiennent.

Sers-toi, fleur de printemps, tout ici est à toi. Par pitié, ne prends pas de précautions. Arrache, griffe, mords, brigande-moi. Comme on dit chez nous, l'amour est la meilleure des affaires, il nous est donné pour rien, profitons-en pendant qu'on est vivants.

Depuis combien de temps n'avait-elle pas fait l'amour ? Plus d'un quart de siècle. C'était quelques semaines après la mort de son mari, dans un hôtel miteux de Brooklyn, avec un chauffeur de taxi en instance de divorce. Il n'avait plus le cœur à rien, même pas à lutiner. Il se forçait. Lili aussi. Il sentait si mauvais que, de retour dans son appartement, elle avait pris un grand bain bouillant. Après cette expérience, ç'avait été le calme plat.

À cet instant, c'était plus fort qu'elle, Lili voulait passer à l'acte. Son cou, ses joues rougeoyaient, et un grand frisson la parcourut quand le docteur Schmerck se leva de nouveau et s'approcha d'elle. Ce qui l'intéressait, ce n'était pas sa bouche tendue vers le venir d'un baiser, mais ce qui était tatoué au-dessus de sa poitrine.

« Feld-Hure, A125 6...

— Mon souvenir de Ravensbrück, dit-elle. Mon surnom est gravé à vie : "Pute des champs." Et puis mon numéro de matricule... »

Le docteur se pencha sur le tatouage.

« Il manque deux chiffres. Vous ne m'avez jamais dit pourquoi...

— La tatoueuse travaillait vite et bien, avec une sorte de poinçon à aiguille courbe, rempli d'encre, dont les piqûres formaient les chiffres. Elle a été interpellée par la police du camp alors qu'elle n'avait pas fini son travail. Je ne sais pas ce qu'elle avait fait, on m'a dit que c'était une résistante, mais je suis sûre qu'elle a été tuée…

— Pourquoi n'avez-vous jamais songé à faire disparaître ce tatouage ?

— J'en suis fière. L'humanité n'a pas de mémoire. Je veux être sa mauvaise conscience jusqu'à ma mort. Ensuite, je ne me fais pas d'illusion. Le monde retournera à ses affaires, à ses pogroms.

— Qu'est-ce qui vous fait penser que vous ennuyez le monde avec ces histoires de camp d'extermination ? »

Elle rit d'un rire jaune, guttural.

« Allons, vous connaissez la réponse. Parce que nous posons des questions existentielles sur la nature de l'homme, sur l'infini de haine dont il est capable, nous emmerdons nos contemporains tous les jours que Dieu fait. Nous sommes des casseurs d'ambiance. »

## 3

## *L'amour est un roman qu'on n'écrit jamais soi-même*

NEW YORK, 2018. Le lendemain, Lili Mayflowers se leva plus tard que d'ordinaire et d'humeur plus chafouine encore. Pour renaître à la vie, il lui fallait toujours attendre la fin de la matinée. « Si j'étais riche, plaisantait-elle, je dormirais tout le temps. »

Mais Lili ne manquait de rien et dormait très mal. Après une nouvelle mauvaise nuit, il n'était pas loin de midi quand elle se prépara pour l'événement de la journée : son thé du matin.

Elle tourna longtemps la cuillère en argent dans sa tasse, pour en écouter le délicieux tintinnabulement plutôt que pour s'assurer de la dissolution, toujours rapide, du sucre blanc. Après avoir bu quelques gorgées de thé, elle alla chercher le journal qui avait été déposé devant sa porte.

De retour dans la cuisine, elle déploya le quotidien sur la table et ressentit un choc en découvrant la photo qui faisait la « une » du *New York Times* : aucun doute, c'était un portrait de l'officier nazi de Dachau, son grand amour de Karlsfeld en Bavière. Il ne s'appelait pas « Harald » mais Élie Weinberger, comme l'indiquaient le titre et la légende. Étroit et légèrement courbé à l'extrémité, le nez ne pouvait pas tromper. Il n'y en avait pas deux comme ça sur cette planète.

Elle observa qu'il manquait aussi un morceau de chair au sommet de la bordure du pavillon de l'oreille du personnage du jour. Une déchirure qui rappelait celle des chiens de combat ou des veaux après qu'ils se sont pris la tête dans des barbelés. Sans parler d'une cicatrice étoilée, en haut du front.

Les mains tremblantes, Lili partit à la recherche d'informations sur la Toile. Après avoir lu la fiche Wikipédia d'Élie Weinberger et consulté les photos à son nom, elle s'abandonna à l'avalanche de sons, d'images qui lui tombait dessus. Les terreurs nocturnes, les sourires enfantins, les coassements des grenouilles, les longs silences entre eux quand il la regardait manger.

La bouche de Lili était pâteuse, sa langue collée au palais, quand elle appela Élie au numéro qu'elle avait obtenu en se faisant passer auprès de la standardiste de Mondo pour un membre de la famille Weinberger qui voulait le joindre d'urgence. Une voix féminine et autoritaire répondit, une voix qui avait beaucoup fumé.

« De la part de qui ?

— Lili, pardon, Lila.

— Vous n'avez pas de nom ?

— Ça suffira.

— Il est plus de dix-huit heures. Franchement, c'est un peu tard pour appeler Herr Doktor.

— Tard ? Je ne comprends pas.

— C'est l'heure des soins.

— Pardonnez-moi. Je téléphone de New York.

— Soit. Je vais voir si Herr Doktor peut vous répondre. »

Après un long moment, Lili Mayflowers entendit un frottis puis un petit souffle, comme un halètement de chaton, le dernier spasme d'une brise mourante.

« Tu m'as manqué, murmura-t-elle. Il y a si longtemps que je te cherchais.

— Moi aussi. »

On aurait dit que tout s'était arrêté, le temps, le vent du monde, le battement des cœurs.

Après une trentaine de secondes, Lili reprit :

« J'ai tout essayé. Je me suis ruinée en détectives. Mais j'avais un mauvais nom et un prénom erroné.

— J'en ai changé après la guerre.

— Alors, tu t'appelles Élie maintenant... J'aimais bien Harald...

— Je te raconterai. C'est une longue histoire.

— Tu t'es judaïsé, on dirait.

— Oui.

— Moi, après la guerre, j'ai fait le contraire : après avoir émigré à New York, je me suis tout de suite mariée avec un goy charmant, cultivé, généreux, qui était professeur d'université.

— Est-ce pour lui que tu as toi aussi changé de prénom ?

— Non, c'était pour m'américaniser, pour recommencer de zéro. Il avait trente ans de plus que moi mais avec lui, je n'ai jamais senti le temps passer. Nous n'avons pas eu d'enfant. Il est décédé il y a longtemps et je ne me suis pas remise de sa mort. Et ta vie à toi ? »

Élie se racla la gorge pour gagner du temps.

« Un champ de ruines. Je n'aime pas me retourner pour la regarder. Je pourrais la résumer ainsi : après l'assassinat de ma femme par les nazis, j'ai passé mon temps à quitter des femmes que j'aimais pour d'autres que j'aimais aussi, comme si je voulais rester libre. »

Lili chantonna un air de Brahms.

« Tu te rappelles ?

— Le *Sextuor à cordes.* Je l'écoute souvent. »

La voix d'Élie trembla avant d'émettre un petit chuintement.

« Tu pleures ? demanda-t-elle.

— Avec l'âge, on devient plus sensible, moins pudique... On ne se retient plus... Je pleure le temps perdu. Sache que j'ai remué ciel et terre pour te retrouver, sans succès. J'ai pensé à toi tous les jours que Dieu a faits... »

Sa voix s'étrangla. Le silence qui suivit était si intense que Lili crut entendre les sauts de leur cœur dans leur cage.

« Dire que nous n'avons jamais consommé..., soupira-t-il.

— Je n'attendais que ça, *zissele.*

— Tu aurais pu me le dire avant. »

Elle laissa échapper un pouffement qui finit en toussotement.

« As-tu toujours ton perroquet ? demanda-t-elle.

— Oui, et il est de plus en plus farfelu. Il ne s'appelle plus Novalis, mais Nietzsche qu'il prononce *Nichte.* Il est à côté de moi. Il te salue.

— Quel âge a-t-il maintenant ?

— Celui où on ne compte plus. C'est certainement l'un des perroquets les plus vieux du monde.

— Félicitations pour ton record à toi, dit Lili.

— Aujourd'hui, c'est tout ce que je peux faire, des records de vieillesse.

— As-tu été marié ?

— Oui, une fois, comme tu sais.

— Jamais remarié ?

— Non. Je suis toujours veuf. J'ai trois enfants, neuf petits-enfants et trente et un arrière-petits-enfants.

— Souvent, murmura Lili, je regrette de n'avoir pas eu d'enfants. Mais il m'arrive aussi de m'en féliciter. Je n'ai pas d'obligations. J'ai toujours détesté les réunions de famille, bien que, depuis la guerre, je n'aie plus de famille.

— Nous étions faits l'un pour l'autre et ça nous a fait peur, soupira Élie. Te souviens-tu de notre première rencontre ? Nous étions tétanisés, toi surtout...

— J'ai eu beau essayer, aucun mot ne sortait de ma bouche à part *a dank*, "merci" en yiddish. Merci, merci, merci, c'était tout ce que je savais te dire.

— C'est sans doute le plus beau mot qui soit. Il s'applique à tout : Dieu, l'amour, le ciel, le bien, la beauté, la littérature, la peinture.

— Depuis notre histoire, murmura Lili, je t'appelle : *a dank*.

— J'aime bien. Mais pourquoi es-tu partie ?

— Partie ? »

La voix de Lili se brisa.

« Comment as-tu pu le croire ? protesta-t-elle. Ton voisin sourd-muet a voulu me violer. Il est entré dans la grange et il m'a poursuivie dans la forêt.

— Est-il arrivé à ses fins ?

— Oui, et je l'ai tué à coups de bûche. Je ne pouvais donc pas revenir chez toi, tout près des lieux du crime. Si la police m'avait arrêtée, ç'aurait été la peine de mort. J'ai marché, marché. La Gestapo m'a repérée loin de Karlsfeld et déportée dans le camp de Ravensbrück.

— Comment as-tu survécu là-bas ?

— J'aime mieux ne pas y penser, *zissele.* »

Elle adopta le ton exagérément mielleux des journalistes ou des policiers qui cherchent à arracher des aveux.

« J'ai vu des photos de toi avec Hitler...

— Je l'ai vu quatre ou cinq fois.

— Quel genre d'homme était-ce ?

— Un personnage triste, complexé. On ne se méfie jamais assez des gens complexés. Il n'avait aucun humour. Le rire nettoie tout, la bêtise, la méchanceté, mais il les gardait en lui. C'est sans doute pourquoi il sentait si mauvais. Il avait l'haleine, la sueur infectes. Autour de lui, l'air était irrespirable, les personnes sensibles faisaient des malaises. Je te raconterai, j'ai pris des tas de notes sur cette période. Je te les montrerai. »

La conversation dura quelque temps encore et tourna au radotage, puis ils décidèrent de se rappeler le lendemain.

# 4

## *Un coup de foudre qui a duré soixante-dix ans*

NEW YORK, 2018. Lili Mayflowers se replongea dans l'article du *New York Times.* Deux informations la troublèrent. Le quotidien évoquait le passé nazi du « père adoptif » d'Élie, Karl Gottsahl, un homme d'affaires qui avait plus ou moins fricoté avec Hitler. Ensuite, il indiquait incidemment, dans les dernières lignes, qu'Élie avait fini la guerre au camp de Dachau avant d'être libéré par l'armée américaine.

Comment le fils adoptif d'un crypto-nazi avait-il pu être envoyé, comme elle, dans un camp réservé aux Juifs et aux Tziganes ? Ne le comprenant pas, elle songea à le rappeler avant de décider, quand la sonnette retentit, de le lui demander de vive voix, lorsqu'elle l'aurait rejoint à Munich.

Lili ouvrit la porte : Rashona Washington se tenait dans l'embrasure. Elle roulait des yeux étonnés.

« Mais qu'est-ce qui se passe, ma chérie ? s'exclama la visiteuse. On dirait que tu es catastrophée !

— Au contraire, je me sens très heureuse. Je viens de retrouver l'homme que je recherche depuis plus de soixante-dix ans. L'amour de ma vie. Mon *zissele.* »

L'information ne sembla pas intéresser Rashona qui dit d'une voix neutre :

« C'est bien, Lili. Mais parle-moi d'abord de ton rendez-vous médical. Ça s'est bien passé ?

— Plus que bien.

— Yeaaaah ! Il faut fêter cette nouvelle ! »

Tous les jours, vers quatre heures de l'après-midi, Lili Mayflowers avait rendez-vous avec Rashona Washington, son *coach*, pour une demi-heure de danse, de gymnastique, d'étirements. C'était le moment où, après sa sieste, elle commençait à retrouver le sourire.

Rashona Washington était une Afro-Américaine de vingt-deux ans, mesurant 1,99 m, coiffée à la diable, très portée sur le R'n'B, l'étiopathie, la spiritualité, la nourriture asiatique. Elle lisait beaucoup. Ces temps-ci, elle se passionnait pour Épicure et Schopenhauer.

Elle parlait souvent en citations. Ce jour-là, par exemple, avant de commencer la séance, Lili s'étant plainte de douleurs articulaires et de la fin qu'elle sentait proche, Rashona lui avait rappelé la maxime d'Épicure : « Chacun de nous quitte la vie avec le sentiment qu'il vient à peine de naître.

— À qui le dis-tu ! approuva Lili. Nous autres, Ashkénazes, nous avons l'un des plus beaux proverbes qui soient. Mon père me le répétait tout le temps : “La vie n'est qu'un rêve. Alors, ne me réveille pas.” Surtout, ne me réveille jamais, ma petite Rashona.

— Je ne me permettrais pas. »

L'âge apprend à bannir les fâcheux de votre champ de vision : à un moment donné, la vie devient trop courte pour la perdre avec eux. La mort avait accompli une partie du travail et Lili l'autre, en cochant des noms : le temps avait fait le vide autour d'elle.

La petite Rashona n'entrait pas dans cette catégorie. Souvent précédée d'un irrésistible rire de gorge, elle apportait la vie, la joie, une certaine folie aussi. Il suffisait à Lili de la voir pour se sentir jeune et belle. Elle lui avait déjà proposé de l'embaucher comme dame de compagnie, mais la jeune fille tenait à garder sa liberté, sous prétexte que sa vie personnelle était « très active ».

La formule avait intrigué Lili qui l'imaginait avec cinq ou six amants. Il est vrai qu'elle attirait l'amour. Il y a des beautés sèches, avares. Celle de Rashona était joyeuse, rayonnante.

Difficile de ne pas tout aimer chez Rashona. Notamment la bouche conçue pour l'art du baiser et les grandes dents, prêtes à mordre, d'une insolente blancheur. Sans oublier les mains comme des pelles de jardin. Ne parlons pas des fesses qui, à cet instant, semblaient les plus appétissantes du monde.

Lili faisait ses étirements en écoutant Rihanna chanter *Love on the Brain*, et cet air était si entraînant qu'il y avait quelque chose d'inhumain à suivre les instructions de Rashona : la vieille dame ne pouvait s'empêcher d'ébaucher des mouvements de danse en se tortillant l'arrière-train.

« Cette Rihanna est l'un des plus grands génies de tous les temps », dit Lili en étirant la jambe gauche et en fermant les yeux, puis elle murmura avec un air mystérieux :

« Elle est la preuve que la fin de l'homme est arrivée. Depuis des millénaires, il dominait tout. Quand tu penses qu'il n'a pas été foutu de laisser une petite place à une seule prophète femme ! Entre Moïse, Bouddha, Jésus, Mahomet, on aurait quand même pu avoir la nôtre, hein, avec un beau cul, des gros seins et une tripotée de moutards. Même pas !

— Je crois que notre tour est arrivé, dit Rashona avec gravité.

— Les mâles n'ont qu'à bien se tenir. Avant de nous occuper du reste, nous commençons notre conquête par la chanson. Dans ce domaine comme dans d'autres, l'avenir appartient aux femmes, ma petite Rashona.

— Quelque chose me dit que Rihanna n'est pas sympa.

— Et alors ? Crois-tu que Beethoven et Schubert étaient des rigolos ? »

Certes, toujours en pétard, Rihanna avait une tête de cul, une bouche de mauvaise coucheuse, mais dès qu'il en sortait un son, elle séduisait. Lili se mit à danser à sa façon, en veillant à ne pas trop bouger.

La séance terminée, Lili proposa à Rashona d'ouvrir une bouteille de champagne. Elles en burent un quart à petites gorgées en trinquant à plusieurs reprises.

« À ton grand amour ! disait Rashona.

— À ta vie, à ta jeunesse ! » répondait l'autre.

Le champagne va chercher les sentiments au fond de vous pour les libérer. Une flûte et demie plus tard, Lili Mayflowers sentit monter en elle une telle tristesse qu'elle éprouva le besoin de sortir.

« Ma carte bleue a pris un coup de froid. Si on allait la chauffer, ma petite Rashona ? »

Elles allèrent écumer les grands magasins de Manhattan, Hermès, Gucci, Banana Republic, Victoria's Secret. Elles finirent chez Macy's. Il était près de vingt et une heures quand elles regagnèrent l'appartement. Rashona, qui portait la plupart des sacs, semblait la plus épuisée.

« Veux-tu rester dormir ? proposa Lili.

— Non. Quelqu'un m'attend.

— Tu prendras bien un frichti. »

Rashona accepta sans hésiter. Comme toujours, elle avait une faim de loup et Lili se rinça l'œil à regarder la jeune fille manger avec la sensualité empressée qu'elle mettait en toute chose.

Elle engloutit plusieurs tranches de saumon gravlax avec les restes d'une salade de courgettes râpées au yaourt et aux noix.

« Es-tu vraiment sûre que tu dois épouser Élie ? interrogea la jeune fille.

— Je le veux, ma petite Rashona. »

Lili posa sa main sur celle de Rashona puis déclara :

« J'aimerais que tu viennes avec moi. »

La jeune fille hocha la tête. Lili se leva, prit Rashona dans ses bras et posa sa tête au creux de ses seins.

Quand elle partit, Lili constata que, depuis son échange avec Élie Weinberger, elle n'avait pas songé un instant à son rendez-vous avec le docteur Schmerck et aux résultats de la biopsie. Elle avait oublié son cancer. Tels sont les effets de l'amour, même quand on a dépassé l'âge où les humains reposent sous des pelletées de terre.

## 5

## *Les braises de l'attente*

MUNICH, 2018. Élie Weinberger était survolté. Dans son fauteuil roulant, il donna pendant toute la matinée des instructions contradictoires aux domestiques qu'il avait convoqués.

« Vous mettrez douze bouquets de douze roses rouges dans l'entrée pour lui dire tout mon amour et puis non, dans le salon, ça sera bien mieux, on en profitera davantage. Prenez aussi d'autres couleurs… oh ! finalement, non, ça risquerait de brouiller le message. Bon, des roses rouges ! »

Le majordome s'inclina légèrement pour signifier qu'il avait compris. Élie se tourna vers ses cuisiniers, une Japonaise, un Sénégalais et un Espagnol.

« Pour le repas, je veux du bortsch avec des betteraves de premier choix, des pommes de terre au four avec beaucoup d'ail et des oignons, du caviar d'aubergine à la façon yiddish en faisant brûler la peau, ça donne un petit goût de fumé. »

Il s'interrompit et resta un moment la bouche ouverte.

« Autant que je me souvienne, reprit-il, elle a un appétit d'oiseau, du bortsch suffira avec du houmous et des cornichons aigres-doux. Très important, les cornichons, elle en raffole. »

Élie Weinberger n'était plus qu'un tremblement. Les lèvres, les paupières, les mains, chaque partie de son corps n'en faisait qu'à sa tête. Inquiète, Hildegarde, sa gouvernante-infirmière, avait tenté de lui administrer un calmant mais en vain. Il voulait être en forme pour les retrouvailles.

Son portable sonna. Hildegarde fouilla dans la poche de sa veste, regarda le numéro d'appel et colla l'appareil contre l'oreille du vieil homme. C'était Lili.

« Nous venons d'atterrir. J'arrive, mon amour.

— Je suis… telle… ment… heu… reux. »

Il n'arrivait pas à parler mais il y avait longtemps qu'il ne s'était pas senti aussi jeune. Élie Weinberger était porté par un élan fort comme la mort. Rien ne pourrait plus lui résister. L'homme peut peu, c'est l'amour qui peut tout.

Il paraît que le mauvais temps aiguise, amplifie les passions tristes. L'impatience serait ainsi plus vive sous un ciel bas, le ressentiment plus aigre, la jalousie plus grande, la colère plus violente. Fadaises ! C'est le manque d'amour qui gâche la vie. Voilà ce qu'il se disait, plein de joie, en regardant, depuis la fenêtre, sa canopée de chênes gigoter sous les coups de fouet du vent du Nord, tandis que se produisaient, dessous, une infinité de catastrophes minuscules, bris de branches, effondrements de terriers, noyades de vermisseaux.

Devant les éléments déchaînés, il se sentait ragaillardi. Quant à sa voix, elle ne monta plus comme auparavant dans les aigus lorsqu'il dit à l'infirmière, debout derrière le fauteuil roulant, les mains sur les poignées :

« J'ai envie de faire chambre commune avec Lili dès ce soir. Pensez-vous que c'est déraisonnable, ma petite Hildegarde ?

— À ce stade, ça me paraît prématuré, sinon dangereux, Herr Doktor.

— Je suis arrivé à un âge où l'on ne peut plus se permettre d'attendre. »

Elle poussa un soupir sifflant.

« Il faut vous ménager.

— J'aurai tout le temps de me ménager quand je serai mort.

— Par pitié, évitez de provoquer le destin. Quand on lui en demande trop, le corps se venge, vous le savez. Depuis que cette femme s'est manifestée, vous êtes dans tous vos états, vous me faites peur. Herr Doktor, je dois prendre votre tension. »

Raide, longiligne, les cheveux coupés court au cordeau, Hildegarde portait des petites lunettes à verres ronds, cerclés d'or. Fleur sèche, rétive à l'idée de servir de récipient à péché, elle ressemblait à une de ces concierges d'étage hiératiques, qui sévirent sous le communisme, et qui pouvaient passer, parfois, pour d'anciennes actrices mises au rancart. Pourquoi la trouvait-il séduisante ?

Quand le résultat de la tension d'Élie s'afficha sur le cadran, Hildegarde le gourmanda sur un ton de maîtresse d'école :

« J'avais raison : 16, 7 c'est très mauvais, Herr Doktor. Surtout à votre âge. Je vais vous donner quelque chose pour vous relaxer.

— Inutile. J'ai un coup de mou. »

Souvent, entre le malheur et le bonheur, nos corps ne savent pas faire la différence. Ils réagissent de la même façon, avec la sensation de saigner de l'intérieur : quelque chose coule en eux, des gouttes de vie qui s'en vont. C'est comme une grande fatigue avec des suées, des tremblements, des papillotements dans les yeux, les mêmes que les bêtes qui agonisent, la gorge tranchée.

Élie tourna la tête vers Hildegarde.

« C'est étrange. J'éprouve le même sentiment que le jour de mon coup de foudre pour Elsa, ma première femme, ou pour Lila avec laquelle je n'ai jamais couché. Une affreuse envie d'aller dormir.

— L'émotion vous fait peur, dit la gouvernante-infirmière qui se piquait de psychanalyse et citait souvent Freud. Le réel vous angoisse, vous voulez fuir l'amour en vous. »

Il secoua la tête.

« Je suis trop ému. C'est l'attente que j'ai du mal à supporter. »

D'autres angoisses tourmentaient Élie. L'âge avait-il amoché Lila ? Lui trouverait-elle encore du charme après tant d'années ? Était-il resté quelque chose de son visage d'ange ? L'aimerait-elle comme au premier jour ?

« J'ai envie, murmura-t-il, de passer le reste de ma vie avec Lila. Vous me direz, ça ne sera pas long. »

Il rit.

« Ne vous racontez pas d'histoire, monsieur, dit Hildegarde. Tant d'années ont passé, vous n'allez pas la reconnaître. Elle a forcément beaucoup vieilli.

— Entre nous, il y aura toujours la même différence d'âge. Pour moi, à près de quatre-vingt-dix ans, elle reste une jeune fille. »

Nouveau rire.

« Avec beaucoup d'imagination, tout est possible, ironisa Hildegarde.

— La vie m'a appris qu'une femme qu'on a trouvée belle un jour le sera toujours. »

Il posa sa main droite sur le cœur.

« J'ai des palpitations.

— De la tachycardie ?

— Non, des palpitations. Ce n'est pas médical, ma petite Hildegarde. C'est l'amour.

— Voilà bien la preuve que l'amour n'est pas une bonne chose.

— Au début, quand la passion met tout sens dessus dessous, elle peut mettre notre santé en danger. Ensuite, le corps se calme et ça devient une bonne chose. Nous n'en sommes pas encore à ce stade, Lila et moi. Il faudra penser à mes petites pilules bleues. Sinon, je ne pourrai pas sortir mon pistolet d'amour.

— Vos pilules sont dans la boîte sur la table de chevet. Mais n'en abusez pas, monsieur, je vous en conjure. Vous vous souvenez de la dernière fois… »

Il avait la bouche ouverte, comme s'il allait dire quelque chose, puis il s'endormit d'un coup. Un quart d'heure plus tard, il se réveilla en sursaut et ses battements de cœur s'accélérèrent quand une voiture passa sur la route, peu fréquentée, qui menait à sa résidence. Fausse alerte, elle continua et disparut derrière la haie.

Le vent était parti ailleurs, laissant le ciel plat comme une mer de lait. Luisants et fatigués, les chênes s'ébrouaient comme des chiens qui sortent de l'eau. Élie Weinberger resta longtemps à regarder le paysage avec une expression d'enfant repu avant de tomber de nouveau dans le sommeil.

## 6

## *La demande en mariage*

MUNICH, 2018. Depuis le début du voyage, Lili Mayflowers était comme en lévitation.

« Ce qu'il y a de bien dans l'amour, c'est qu'il procure un sentiment d'éternité. Je me sens éternelle…

— Enfin, corrigea Rashona, soyons réalistes, éternelle jusqu'à la fin du monde. »

Rashona était convaincue que l'histoire de l'humanité touchait à sa fin : d'ici plusieurs décennies, un astéroïde comme Bennu d'un diamètre de cinq cents mètres pourrait croiser la trajectoire de la Terre, et son impact mettre en péril notre espèce et les autres. « Dommage pour Homère, Shakespeare et Molière, plaisanta Lili. C'est moins embêtant pour moi : j'ai toujours pensé que je ne laisserais rien sur cette Terre !

— Tous ces chapeaux à plumes, tous ces paons décorés comme des sapins de Noël, dit Rashona, ce serait peut-être bien qu'ils prennent conscience, un jour, qu'ils finiront comme les dinosaures, noyés sous des tonnes de poussière ! L'espèce humaine est condamnée à disparaître mais elle ne le sait pas. »

La voiture venue les attendre à l'aéroport de Munich,

une Tesla dernier cri, ralentit, tourna et entra dans un parc planté d'arbres dont le plus jeune avait cent ans.

« C'est bête, dit Lili, mais j'ai l'impression de vivre la plus belle histoire d'amour de tous les temps.

— C'est ce que croient tous les amoureux, du moins au début. »

Au bout de l'allée se dressait le manoir d'Élie Weinberger, l'une des plus belles résidences de Bogenhausen, le quartier chic de Munich, sur la rive droite de l'Isar. Le maître de maison, soutenu par sa gouvernante-infirmière, les attendait au pied du perron.

La Tesla s'arrêta devant Élie qui ouvrit cérémonieusement la portière à Lili avec l'aide décisive d'Hildegarde.

Lili sortit lentement, le visage si maquillé qu'il semblait repeint, soutenue par le chauffeur et par Rashona, avant de tomber comme un sac dans les bras de l'homme le plus vieux du monde. Hildegarde, qui se tenait derrière Élie, faisait contrefort. Ils restèrent un long moment, collés l'un contre l'autre, en pleurs.

« *Zissele* », répéta Lili en bécotant son cou.

Puis elle murmura : « J'étais née et j'ai survécu tout ce temps pour vivre ce jour-là, amour. »

Une phrase trop belle, songea Élie, pour n'avoir pas été préparée. Sur le perron, il refusa avec une expression d'horreur le fauteuil roulant que lui présenta Hildegarde. Il repoussa aussi son bras. Feignant d'avoir retrouvé ses jambes d'antan, il ne trompait cependant personne. S'appuyant sur une canne, il avait en marchant l'air constipé de l'acrobate de cirque qui, au centre de la piste, cherche à garder l'équilibre avec un collègue au-dessus et un autre au-dessous.

« Pourquoi des bouquets de douze roses ? interrogea

Lili d'une voix chantante en entrant dans le salon. Mon Dieu, s'agirait-il d'une demande en mariage ? »

Élie hocha la tête et Lili rit, d'un rire qui dévoilait des dents refaites avec goût : leur dissymétrie donnait l'illusion du naturel. Les deux amoureux se laissèrent asseoir côte à côte sur le même canapé et on s'éloigna.

« Ne traînons pas, insista Élie. Il faut décider.

— Je propose, murmura-t-elle, que nous parlions de tout cela quand nous serons seuls, mon *zissele*. Mais auparavant j'ai quelque chose d'important à te dire. »

Rashona poussa un cri en découvrant la montre que portait Élie.

« Mon père me l'a vendue sur son lit de mort, dit-il.

— Arrête de faire ton Woody Allen », rigola Lili.

Le temps efface tout, sauf l'amour, la beauté, la nostalgie. Même si ses traits avaient épaissi, Élie retrouvait la jeune fille de Karlsfeld, le même air changeant, émerveillé ou effarouché, c'était selon. Il adora son expression de tendresse quand elle ouvrit son sac à main et en sortit un paquet qu'elle lui tendit.

« C'est un pendentif Ana Bekoach en or, dit-elle après qu'il eut ouvert le paquet. La prière de la Kabbale est écrite dessus. Je suis sûre que tu ne la connais pas. Elle est facile à apprendre. On la récite sept fois en répétant chaque mot sept fois : ana… ana… ana…

— Moi aussi, mon amour, j'ai un cadeau pour toi. Il est dans notre chambre.

— Notre chambre ?

— Oui, la nôtre. Ne me dis pas que tu veux des préambules. Je crains que nous n'ayons pas le temps…

— Pour ton âge, tu es en bien meilleure forme que je l'aurais cru.

— Et tu n'as pas tout vu », ironisa-t-il.

Quand il lui proposa de passer à table, Lili secoua la tête.

« Je n'ai pas faim.

— Il y aura du bortsch.

— Oh ! ça change tout.

— Il vaut mieux prendre des forces. Après, on fera une petite sieste, si tu veux bien. »

Le repas fut expédié. Ils n'attendirent même pas les desserts, gâteaux de nouilles ou au fromage, pour monter avec Hildegarde dans l'ascenseur qui les amena dans la chambre.

Avant de prendre congé, Hildegarde montra à Lili les bips ou les boutons rouges disposés sur le dessus ou la tête de lit.

« N'hésitez pas à m'appeler en cas de problème. »

# 7

## *Élie et Lili sont dans un lit*

MUNICH, 2018. Dès qu'Hildegarde fut sortie, Élie offrit son cadeau à Lili, une bague de fiançailles, en lui demandant à voix basse :

« Que voulais-tu me dire ?

— Je vais bientôt mourir, amour.

— Moi aussi, ironisa-t-il.

— J'ai un cancer en phase terminale. Un cancer du pancréas.

— Le cancer, je suis contre, plaisanta-t-il. On le tuera ensemble. Moi, après tout ce que j'ai vécu, j'ai plus peur des hommes que du cancer.

— Moi aussi. »

Lili s'allongea à côté de lui, Élie Weinberger se redressa sur le coude, prit la main de l'aimée, embrassa le dessus, la paume, le poignet, caressa quelques doigts, suça son index et son pouce, puis remonta le bras jusqu'à l'épaule avant de se jeter, la bouche la première, sur ses lèvres.

Il y avait quelque chose de juvénile dans ce baiser. Lili semblait émoustillée quand il se dégagea.

« Avant toute chose, dit-elle en se redressant à son tour, pourquoi n'arrêtais-tu pas de zieuter Rashona ?

— Ah bon ?
— Tu n'as pas arrêté.
— Tu ne vas pas me faire une crise de jalousie. Si je la regardais, c'est parce qu'elle est très belle.
— Tu aimes les femmes noires maintenant ?
— Elle est irrésistible. »
Lili caressa les joues d'Élie.
« Je suis jalouse, il faudra t'y faire, *zissele.* Essaye de ne jamais refaire ça, si tu peux, ça m'énerve tellement. En attendant, il me semble que nous devrions parler, apprendre à nous connaître. Je suis vieux jeu, tu sais. J'aime savoir qui j'aime et embrasse. Toi, même si j'ai plein de choses à t'apprendre sur moi, tu sais à peu près qui je suis. Une Juive, une survivante. Mais toi, amour ? Qui es-tu ? Je ne le sais pas. Un Juif ? Un goy ? Un *mèshègas*[1] ? Un *mentsch*[2] ? Un funambule ? Un as de l'embrouille ?
— Un peu tout cela à la fois.
— Finalement, dis-moi, *zissele,* t'appelles-tu Élie ou Harald ?
— Les deux, Lila. Et je suis sérieux.
— Lili, corrigea-t-elle.
— Ah, ces Juifs qui changent tout le temps de noms, de prénoms », ironisa-t-il.
Elle haussa les épaules puis demanda, sur un ton dégagé :
« Es-tu juif ou pas ?
— Je le suis devenu pendant la montée du nazisme. Je n'avais pas le choix. Avant, je me sentais un peu juif, c'est tout. Sans renier ses origines, mon père n'a pas élevé ses enfants dans le judaïsme, d'autant que ma mère

1. Un fou.
2. Une personne respectable.

était goy. C'est le nazisme qui a fait de moi un Juif, un vrai. Je le suis devenu non par moi-même mais dans le regard des autres… »

Un silence passa. Lili s'allongea de nouveau, les mains derrière la tête, et murmura d'une voix grave :

« Quand tu es né, tu avais du sang et un nom juifs. Donc tu étais juif, amour.

— Apparemment. Même si mon père ne s'en cachait pas, c'était un Juif qui se croyait allemand. Un Juif assimilé, selon l'expression consacrée. Comme Felix Mendelssohn, Gustav Mahler.

— Pourquoi as-tu décidé, à un moment donné, de te débarrasser de cette identité ?

— Je ne pouvais pas faire autrement.

— Harald Gottsahl est donc un nom d'emprunt, bien aryen, que tu as utilisé pour passer inaperçu sous le III$^{e}$ Reich ? »

Élie Weinberger ferma les yeux.

« Comment pouvais-je faire autrement ?

— Pourrais-tu éviter de répondre par une question à chacune de mes questions ? C'est lassant, à la fin.

— On dit que c'est un travers juif.

— La preuve que tu es juif, amour. Un Juif qui a essayé de se faire passer pour un goy, tu n'auras pas été le premier, mais à la fin, tu le sais, la judéité le rattrape toujours. »

Sa voix grimpa dans les aigus.

« Non, Lili. Je suis un Juif qui a été élevé comme un goy ou, si tu préfères, un goy à qui on a appris, un jour, qu'il était juif.

— Un Juif honteux ?

— Tu n'as pas le droit de dire ça ! »

Il avait interrompu Lili d'une voix qui montait très haut, une voix de castrat.

« J'ai été élevé comme un Allemand fier d'appartenir à la patrie de Bach, Brahms, Novalis et Nietzsche. »

Il prit une photo encadrée, posée sur sa table de chevet, et la mit devant les yeux de Lili.

« Voilà mes parents. Helmut et Magdalena Weinberger. Deux belles personnes, allemandes, heureuses et confiantes. Elles n'ont rien compris à ce qui nous est arrivé. »

Il riait et pleurait en même temps.

« C'est une aventure incroyable, reprit-il. Mille et une nuits ne me suffiraient pas pour te la raconter. Pour que tu comprennes qui je suis, je demanderai à un écrivain de faire un livre avec notre histoire. J'en connais un, un cousin éloigné, moitié américain, qui vit en France, Antoine Bradsock. Il est à la ramasse, ses livres ne se vendent plus, je suis sûr qu'il acceptera ma proposition. »

# II

# COMME UNE BÊTE TAPIE DANS L'OMBRE

# 8

## *Les lumières de Nice*

NICE, 1901. Où est née la Bête qui allait défigurer le XXe siècle ? Au cœur de notre vieux continent. En Allemagne, ça ne fait aucun doute, mais aussi au Royaume-Uni, et surtout dans la douce France où elle a fait des étincelles, des succès de librairie.

Vingt-deux ans, grand, sportif, belle gueule, les cheveux blonds, le visage épanoui, pourléché d'amour maternel, Helmut Weinberger était un Allemand francophile fasciné par l'esprit français, son théâtre, sa littérature, son goût du bon mot. Un cosmopolite, ce qui, à l'époque, n'était pas bien porté…

Trois années de suite, jusqu'à la naissance d'Élie, son premier enfant, il passa son mois de juillet à Nice, à l'hôtel Westminster, avec sa femme Magdalena dont il était éperdument amoureux. Chaque jour, il écrivait pour elle un poème qu'il pliait dans une enveloppe toujours posée dans un endroit différent quand il ne la cachait pas.

Ce matin-là, après que Magdalena eut longtemps cherché l'enveloppe, il lui apporta le poème qu'il avait dissimulé sous la poubelle de la salle de bains. Magdalena lut à haute voix :

*Je suis né sur les lèvres*
*de notre premier baiser*
*Nous mourrons dans l'onde claire*
*De nos deux bouches bées*

Ce n'était pas fameux mais la voix de Magdalena se brisa et Helmut serra sa femme dans ses bras. Elle ne tarissait pas d'éloges sur ses vers depuis le début des vacances. Il est vrai que Nice inspire. C'est dans cette ville, où il séjourna cinq hivers, de 1883 à 1887, que Friedrich Nietzsche écrivit une partie de son plus grand livre, *Le Gai Savoir*. L'inspiration lui avait été donnée par « la plénitude de la lumière » dont il célèbre « l'action quasi miraculeuse » sur lui. « Nous avons besoin du Sud à tout prix, observe-t-il, d'accents limpides, innocents, joyeux, heureux et délicats. » Capable de se promener pendant huit heures dans la cité ou les collines, il prétend avoir entendu sonner dans l'air « quelque chose de vainqueur », une voix qui lui disait : « Ici est ta place. »

C'est pendant l'un de ses séjours sur la Côte d'Azur, en 1901, qu'Helmut Weinberger fut confronté pour la première fois de sa vie à un antisémitisme dont la violence le laissa pantelant. Le jeune couple se trouvait dans un restaurant du Vieux-Nice, célèbre pour son estocaficada, quand il entendit une diatribe contre les Juifs à la table d'à côté. L'homme qui pérorait était un personnage gras, hirsute, au nez surmonté de bésicles, avec deux grosses lippes comme des limaces qui gigotaient au milieu de sa barbe poivre et sel. C'était Édouard Drumont.

L'estocaficada venait d'être servie et, même si l'envie les en démangeait, les Weinberger aimaient trop ce plat pour s'intéresser vraiment aux éructations de leur voisin. C'est l'une des grandes recettes de la cuisine niçoise où la délicatesse se marie souvent à l'art d'accommoder les restes. En l'espèce, des restes de tomates, de pommes de terre. Concassé et relevé par une cuillerée à soupe de cognac, le tout vous donne la sensation que le bon Dieu en culotte de velours descend, en personne, dans votre estomac. Il paraît qu'en commençant à le déguster, les athées les plus endurcis peuvent se mettre à croire, tomber à genoux, faire le signe de croix.

Ce n'est qu'après avoir savouré ce plat déifique, comme on disait à la Renaissance, que les Weinberger retrouvèrent l'ouïe et furent à nouveau scandalisés par les insanités que proférait, avec des gerbes de postillons, l'auteur de *La France juive*, l'une des grandes ventes en librairie de la fin du XIX^e, la bible de l'antisémitisme français.

Comme tant d'autres gloires de son temps, Édouard Drumont pensait que la France se mourait et que les fourriers de son agonie étaient les Juifs, ces ennemis de l'intérieur, qu'il traitait, ce jour-là, de cafards, de mites, de doryphores, de charançons. Après s'être essuyé les lèvres, Helmut se leva et se dirigea vers sa table, le teint rouge brique, les mains tremblantes.

« Môssieur, dit-il dans un français parfait mais avec un rude accent allemand, fous tenez des propos teutalement honteux, répugnants, à fomir ! Je fous prie de fous taire. »

Édouard Drumont se redressa et s'écria en faisant de grands moulinets :

« Je ne vous permets pas. Si j'en juge par votre accent ridicule, vous êtes boche et, en plus, à voir votre gueule tordue, votre nez obscène, on dirait un pénis au repos, vous êtes juif ! Boche et juif ! Les deux en un ! Vous n'avez pas de leçon à donner à un Français de souche, saperlotte ! Vous n'avez pas votre place sur cette terre, vous y êtes de trop comme tous vos coreligionnaires. Retournez d'où vous venez, du ventre pourri de la terre ! »

Député d'Alger depuis quelques mois et fondateur de la Ligue antisémitique de France, Édouard Drumont dirigeait le journal *La Libre Parole*, dont le sous-titre était tout un programme : « La France aux Français. » À l'Assemblée nationale, il présidait le groupe antijuif qui comptait une trentaine de députés. C'était un orateur médiocre et un piètre organisateur, mais on lui prêtait du style, du panache, une verve littéraire. Il était adulé par tous les vénéneux de la politique, des ultras de la droite chauvine comme Maurice Barrès à ceux de la gauche socialiste comme Jules Guesde, ce qui faisait beaucoup de monde.

Accouru aux premiers éclats de voix, le patron du restaurant, un petit chauve sans menton, prit le parti d'Édouard Drumont et, avec son maître d'hôtel, enjoignit aux Weinberger de décamper après avoir payé la note.

*

L'après-midi même, Helmut Weinberger acheta *La France juive* chez un libraire de Nice, place Masséna, et en commença la lecture sur son lit, tandis que Magdalena se dorait au bord de la mer. Dès les premières pages, il eut la sensation d'être un enfant qu'on aurait sorti d'un bain de mer pour le jeter dans une décharge publique. Horrifié par ce tissu de sottises, de vilenies, d'abjections, il se sentit de plus en plus juif au fil des chapitres. Bien avant la fin, il l'était même devenu entièrement.

Édouard Drumont dénonçait les Juifs sur tous les plans, personnel, économique, religieux, avant d'avancer d'un ton de prophète méconnu :

> Mon livre, j'en ai peur, ne sera bien compris que lorsque sera venu ce *grand soir* dont parlent mystérieusement les sociétés secrètes dirigées par les Juifs, ce *grand soir* qui doit envelopper des ombres de la mort et plonger dans le silence de la solitude les ruines de ce qui aura été la France.

Et, plus loin :

> Je n'ai prétendu entreprendre qu'une œuvre de bonne volonté, montrer par quel oblique et cauteleux ennemi la France avait été envahie, corrompue, abêtie, au point de briser de ses propres mains tout ce qui l'avait faite jadis puissante, respectée et heureuse.

Édouard Drumont n'apportait jamais aucune preuve à ses dires, la rechercher eût été une perte de temps. Il affirmait à la manière du bûcheron, à grands coups de hache. Il accusait les Juifs de s'adonner au rite du sang et au culte de Moloch, c'est-à-dire de pratiquer des sacrifices d'enfants et de vierges, en s'indignant qu'ils osent s'en défendre « avec l'aplomb qui les caractérise ». Il revenait, s'appuyant sur une gravure évocatrice d'un certain Sadler, sur le cas du prétendu assassinat d'un enfant de Munich qui provoqua, en représailles, un massacre de Juifs, en 1285 : « La malheureuse victime avait été portée au milieu de la synagogue, attachée à une grande table et, là, avait été exposée à la fureur d'une troupe immonde qui, le stylet à la main, s'était acharnée sur son corps. Les yeux avaient été arrachés, le corps couvert de blessures et les enfants, s'associant à cette horrible scène, avaient réclamé l'honneur de recueillir le sang qui jaillissait. »

À en croire Drumont, les Juifs n'avaient jamais étanché leur soif de sang chrétien pour leurs fêtes religieuses. Et de citer un article du correspondant à Constantinople du *Moniteur de Rome*, publié le 15 juin 1883 : « Il y a quelques années, à Smyrne, un petit enfant appartenant à une des premières familles grecques de la ville fut volé à l'approche de la Pâque juive. Quatre jours après, on retrouva, au bord de la mer, son cadavre percé de mille coups d'épingle. »

L'article faisait état d'abominations du même genre au pays des Ottomans, à Galata ou à Balata, le ghetto de Constantinople. Pourquoi le scandale n'éclatait-il pas au grand jour ? Parce que, prétendait Drumont, les Juifs réussissaient presque toujours à étouffer ces affaires en subornant la police, la justice. Rien ne pouvait arrêter leur envie de sang d'enfant ; ils récidivaient toujours.

Pour balayer les derniers doutes du lecteur, Édouard Drumont n'hésitait pas à citer l'extrait d'une brochure antisémite d'un certain docteur Justus, « Le Jeu des Juifs », qui se présentait comme une étude du Talmud :

> Verser le sang d'une jeune fille non juive est un sacrifice aussi saint que celui des plus précieux parfums, en même temps qu'un moyen de se réconcilier avec Dieu et d'attirer ses bénédictions.

Au bout d'un certain temps, Helmut se contenta de survoler *La France juive*, une lecture attentive eût été au-dessus de ses forces. Après avoir posé le livre au pied du lit, il resta allongé, perdu dans ses pensées, regardant le plafond de sa chambre d'hôtel, jusqu'à ce que Magdalena rentre de la plage, belle, grave, solaire.

« Que se passe-t-il ? » demanda-t-elle après l'avoir embrassé sur le nez comme elle aimait le faire.

Il lui tendit l'ouvrage.

« Ce livre est un appel au meurtre, Magda. Sa logique est de faire sortir les Juifs de leurs maisons, de leurs cachettes, de leurs ghettos, pour les exterminer.

— Je comprends que tu prennes ça à cœur mais, mon chéri, tu n'es pas juif et nous ne vivons pas en France mais en Allemagne. »

Un rougissement des joues attesta qu'elle regrettait la bêtise qu'elle venait de proférer.

« Mes grands-parents paternels sont juifs, observa Helmut.

— Si peu.

— Beaucoup. »

Elle prit le livre et le feuilleta.

« Ne me dis pas, soupira-t-elle, que tu découvres la connerie humaine.

— Ce Drumont est considéré par les Français comme un grand intellectuel du niveau de Kant ou d'Hegel.

— Il n'y a pas plus bêtes que les gens intelligents. »

Magdalena s'assit sur le lit.

« Nous autres, Allemands, dit-elle, nous avons aussi beaucoup donné dans l'antisémitisme. N'est-ce pas Luther qui disait que ces "maudits Juifs" n'étaient pas dignes de lire la Bible et que la seule qui pouvait leur convenir et qu'il les appelait à bouffer était celle qui sortait de l'anus des truies ? »

La culture de son épouse était sans limite. C'était une des raisons de son admiration pour elle.

« Luther a dit tellement d'idioties », soupira Helmut qui pensait à autre chose.

Il était en pâmoison devant le derrière de Magdalena. Le plus beau de Bavière, voire d'Europe, aimait-il dire. Une œuvre d'art qui aurait pu être signée Bernin ou Michel-Ange. Sans un mot, Helmut fit basculer sa femme sur le lit et se jeta sur elle, la bouche la première, avant de lui retirer son corsage et le reste.

Les Weinberger s'aimèrent comme ils ne s'étaient pas aimés depuis longtemps : gravement, j'allais dire religieusement. Ce jour-là, la peau de Magdalena avait un goût de sel, c'était comme s'il copulait avec la mer.

Chez elle, Helmut aimait tout. Les épaules. Les pieds. Les seins. Les oreilles. Les yeux qui se voilaient et les ronronnements de chatte heureuse quand ils faisaient l'amour. Il était aussi fasciné par les dents de son rire. « C'est toujours celle qui rit qu'il faut épouser », disait-il volontiers. L'esprit de sérieux n'était pas son fort.

C'est ce jour-là que fut conçu Élie, le premier des Weinberger depuis deux générations à porter un prénom juif. Il naîtrait au printemps 1902.

# 9

## *Ce pitre d'Houston Chamberlain*

MUNICH, 1911. Royaume des maisons de poupées et des châteaux pâtissiers, la Bavière cache une inquiétude existentielle derrière son sens de la fête et ses éclats de rire. À la manière de Louis II, son monarque zinzin, elle croit toujours vivre une « époque épouvantable » et a un besoin vital de refuges poétiques pour se protéger du monde.

La maison des Weinberger valait le détour. Sur sa façade vert pomme étaient peintes des scènes, souvent amusantes, de la vie agricole. Ils habitaient le Munich chic, tout près de l'Englischer Garten, le plus grand parc paysager du monde, non loin de l'Isar qui se la coulait douce avant de se jeter dans le Danube.

Les Weinberger cessèrent de partir en vacances sur la Côte d'Azur. Ils prétendirent qu'ils boudaient la France à cause de l'antisémitisme qui y régnait mais c'était une mauvaise excuse : en vérité, Magdalena et Helmut préféraient maintenant rester en famille à Munich qui, chaque été, se transformait en paradis émollient, sous la haute protection des cimes embuées des Alpes.

Quand on s'étonnait qu'ils fussent devenus si

casaniers, Helmut citait Novalis, son écrivain préféré : « Nous rêvons de voyager à travers l'univers ; l'univers n'est-il pas donc en nous ? » Tout allait bien pour les Weinberger, une année poussait l'autre, la famille s'agrandissait tranquillement, l'horizon semblait dégagé, malgré les bruits de bottes qui montaient, sur le vieux continent.

C'est en 1905, la veille de ses vingt-six ans, que se produisit l'événement qui allait changer la vie d'Helmut Weinberger. En sortant du service militaire, il avait été embauché par le cabinet de l'avocat Karl Gottsahl, son aîné de quatre ans. Considéré malgré son jeune âge comme le ténor du barreau de Munich, cet homme très cultivé gagnait toujours ses procès, même quand les causes semblaient perdues.

Sa technique, efficace, était toujours la même : il embrouillait son monde en faisant le procès des victimes. Préparant des dossiers personnels contre les parties adverses, Helmut Weinberger fut pour beaucoup dans les succès de son patron qui, sur un coup de tête, décida un jour de changer de métier et de relancer, avec le soutien des banques, LL (Lasch-Lamar), une grande entreprise de vêtements qui périclitait.

« Quand la vie devient ennuyeuse, disait Karl Gottsahl, il faut la recommencer : on n'en a qu'une. » La propriétaire de LL, une relation de ses parents, en avait fait son légataire universel. À quatre-vingt-douze ans et à l'article de la mort, la vieille dame voulait simplement assurer la pérennité de la maison familiale ; elle avait pensé qu'il était l'homme de la situation.

C'était bien vu. Karl Gottsahl avait une nature de chef et, à l'aise dans tous les milieux, il pouvait s'adapter à toutes les situations. La nature de l'eau importait peu ; il y serait toujours comme un poisson. Quand il lui proposa de le suivre comme bras droit dans cette nouvelle aventure, Helmut Weinberger n'hésita pas une seconde. Il avait pour lui une vénération que partageait Magdalena, pourtant bien plus sévère que lui sur la gent humaine.

« Pourquoi vous contentez-vous de faire de l'argent ? lui avait-elle dit un jour. Vous seriez capable de tellement mieux.

— Parce que je mets la barre trop haut. Je sais que je ne serai jamais Bach ni Hegel. »

Toujours calme et droit, jamais un mot plus haut que l'autre, Karl Gottsahl était une incarnation de la Vieille Allemagne orgueilleuse. Rien à voir avec celle, casquée et vaniteuse, de l'empereur Guillaume II, personnage maladroit, collectionneur d'uniformes, handicapé du bras gauche, coq de basse-cour, astiqueur de moustache, sans cesse entre deux accès d'autoritarisme.

Physiquement, Karl Gottsahl était l'avatar de Johannes Brahms tel qu'il apparaît sur une photo où le compositeur a la trentaine : le regard clair, le front haut, le menton volontaire, de longs cheveux blonds ramenés en arrière, les bras légèrement croisés, avec le petit sourire blessé des grands romantiques. Une beauté éclatante, à réveiller les femmes mortes.

Ingrid Gottsahl, son épouse, avait la discrétion ostentatoire des grandes décideuses. Un tyran domestique qui veillait à tous les détails, le choix des napperons, les sorties culturelles, le temps de cuisson, l'éducation des enfants, la rapidité et l'ardeur au travail des employées de maison.

Le moindre des talents d'Ingrid n'était pas de savoir organiser des dîners où se retrouvaient à la même table, avec les meilleurs vins, un peintre, un homme d'affaires, une poétesse, un jeune politicien, une courtisane, un vieil intellectuel sans le sou. C'est ainsi qu'à l'automne 1911 les Gottsahl invitèrent les Weinberger à un dîner autour du célèbre essayiste Houston Stewart Chamberlain [1] et de sa femme Eva, la fille de Richard Wagner. Un couple très en vogue dans la haute société : il avait la réputation de fréquenter la cour du Kaiser au château de Berlin, le mari ayant entretenu une abondante correspondance avec l'empereur allemand.

*

Imbu et péremptoire, Chamberlain arriva très en retard au dîner où il tenta, dès son arrivée, de monopoliser la parole. Il se tenait la tête en arrière, le menton en avant, agitant les bras, comme un oiseau qui veut fuir d'urgence la médiocrité ambiante.

Les Weinberger furent frappés par ses oreilles miniatures mais, surtout, par ses yeux pleins d'effroi. Les raisons de cette panique existentielle étaient sans doute le péril juif, son fonds de commerce intellectuel, mais aussi la maladie qui commençait à s'emparer de ses jambes, de ses bras, et qui finirait par l'amener, à brève échéance, sur un fauteuil roulant jusqu'à la paralysie complète.

1. Hormis le patronyme, il n'a rien à voir avec Neuville Chamberlain, Premier ministre britannique, cosignataire des accords de Munich avec Hitler en 1938.

Citoyen britannique, élevé en France, plus allemand qu'un Allemand, converti au pangermanisme, Chamberlain était devenu le grand chantre de la « race aryenne » ou indo-européenne. Certes, elle avait essaimé partout en Europe et en Asie, mais il n'y avait qu'en Allemagne, selon lui, qu'elle était restée à l'état pur : c'était donc la nation teutonne qui pouvait sauver le monde.

Attraction du dîner, il tint ses promesses en évoquant avec brio toutes sortes de sujets : Goethe, Wagner, Kant sur lequel il venait de publier un livre. Sans oublier d'assurer que Shakespeare était un écrivain… allemand, incarnation de l'esprit teuton. Parmi les convives, il y avait un gros banquier au propre comme au figuré avec sa très jeune et très jolie femme, ainsi que deux immenses peintres expressionnistes, Edvard Munch et Franz Marc, de grandes gueules qui ne purent pourtant en placer une.

Ingrid mit tout son talent à éviter que fût abordée la question juive, ce qui, avec Chamberlain, n'allait pas de soi. Mais elle y parvint, lançant sans arrêt de nouveaux sujets de conversation dès qu'elle sentait le danger approcher.

À propos du tsar russe, Magdalena avait cité, pour faire la maligne, un mot du poète Heinrich Heine : « Il faut pardonner à ses ennemis mais pas avant de les avoir pendus. »

« Heine est juif, non ? demanda Chamberlain avec l'air d'avoir bu du vinaigre.

— Bien sûr », répondit Ingrid en ouvrant derechef un débat sur la situation en Russie qui, depuis le « Dimanche rouge » de 1905, était devenue la proie des extrémismes révolutionnaires.

« Tous des Juifs », dit Chamberlain qui embraya sur les méfaits commis par le Juif Disraeli en Grande-Bretagne. « Je ne la reconnais plus, déclara-t-il. Depuis son passage au pouvoir le pays est au service de Mammon, de la cupidité, du matérialisme, autant de symptômes de la peste juive à l'œuvre aux États-Unis, nation qui a aussi peu d'avenir que de passé. »

Magdalena tenta une diversion :

« Messieurs Munch et Marc, j'ai tant d'admiration pour vos œuvres et vous n'avez encore rien dit. Parlez-nous de l'expressionnisme…

— C'est une école de peinture assez intéressante, répondit Chamberlain, mais qui doit prendre garde à la tentation de la décadence. Ce sont des sujets comme celui-là que nous évoquons souvent, le Kaiser et moi. Il est temps de nous réarmer moralement et d'en finir avec toutes les menaces que font peser sur nous les comploteurs du judaïsme, les Tartares russes, les Jaunes, les hordes de nègres qu'il ne faut pas hésiter à exterminer comme a su le faire avec courage Guillaume II lors des massacres de 1904, en Afrique, contre les peuples Herero et Namaqua. »

L'avait-elle fait exprès ? D'un geste maladroit, Magdalena renversa son verre de vin du côté de Chamberlain, son voisin de table, qui passa ses mains sur son pantalon avant de sourire victorieusement : il n'était pas mouillé.

« L'empereur est d'accord avec moi, reprit-il. Nous ne devons pas nous laisser déraciner ! »

Les convives penchaient la tête sur leurs assiettes. Après le dîner, les Gottsahl leur distribuèrent des exemplaires dédicacés du « classique » d'Houston Chamberlain, *La*

*Genèse du* XIX*e siècle*, publié douze ans plus tôt par un éditeur munichois, et on ne tarda pas à s'en aller.

Dans la voiture, Magdalena laissa éclater sa colère.

« Comment les Gottsahl ont-ils osé nous inviter avec ce pitre de Chamberlain ?

— Ils l'ont invité au dernier moment, répondit Helmut en lui faisant signe de baisser le ton. Le banquier voulait le rencontrer, et comme il est en train de nous aider à élargir le capital de LL, ni Karl ni moi n'avons rien à lui refuser…

— Mais ton banquier est juif, non ? »

S'il avait fait jour, Magdalena aurait vu une expression de gêne traverser le visage d'Helmut qui répondit :

« Il voulait voir la bête de près pour savoir si elle était dangereuse.

— Elle l'est, il n'y a aucun doute.

— Allons, corrigea Helmut, il n'en appelle pas à l'extermination du peuple juif, comme Drumont. On ne peut pas comparer. C'est plus compliqué…

— Qu'en sais-tu ? Tu ne l'as pas lu. »

Elle avait raison.

« As-tu renversé exprès ton verre de vin sur cette saucisse de Chamberlain ? demanda Helmut.

— Je m'en veux d'avoir si mal visé. »

Helmut embrassa sa femme sur chaque joue, avec l'expression solennelle de celui qui remet une décoration. Quand ils se couchèrent, l'indignation de Magdalena contre Chamberlain n'avait pas faibli et ça la rendait plus belle, plus désirable. Submergé de bouffées d'amour, Helmut la prit avec tant de délicatesse qu'elle pleura de bonheur.

Le lendemain matin, un poème d'Helmut l'attendait dans le tiroir à couverts :

*Ta langue est la vague qui m'emporte*
*Le cheval blanc qui me transporte*
*L'ouragan qui fait sauter les portes*
*L'infini du monde qui m'exhorte*

Quelques jours plus tard, alors que les deux familles se retrouvaient pour un déjeuner dominical dans la résidence secondaire des Gottsahl, à Starnberg, au bord du lac, Magdalena avait demandé des explications à Karl :

« Qu'est-ce qui t'intéresse chez Chamberlain ?

— Rien. C'est un crétin prétentieux, pardonne-moi l'euphémisme. Je n'ai aucune estime pour lui mais je pense que nous devons l'écouter. Sur le fond, je lui préfère mille fois Karl Kraus, à mes yeux le plus grand penseur vivant, qui est juif, qui est mon ami et qui lui a ouvert les colonnes de sa revue, *Die Fackel*[1].

— En tant que juif, s'indigna Magdalena, comment Karl Kraus ne se rend-il pas compte qu'il creuse ainsi sa propre tombe ?

— Parce que, pour lui comme pour Chamberlain, il y a deux antisémitismes. Celui, vulgaire, de la populace pour qui on est juif par le sang, et l'autre, sophistiqué, pour qui on l'est par la pensée, la judéité étant un état d'esprit acquis par la fréquentation des milieux juifs, dont on peut aisément s'affranchir. Cosmopolite et assimilationniste, Karl Kraus n'est pas horrifié par cet antisémitisme-

1. « La Torche. »

là. La prochaine fois qu'il sera à Munich, je vous inviterai à dîner avec lui. »

Helmut et Magdalena se promirent de lire sans tarder Karl Kraus pour avoir un jour un débat sur l'intellectuel autrichien, cet ultraconservateur révolutionnaire, malpensant, ennemi des mensonges journalistiques, des corruptions langagières ou financières. Les mois passèrent et ils n'y pensèrent plus.

Chamberlain avait ainsi été à l'origine du premier petit froid entre les deux familles. Il passa. Les épouses, qui auraient pu être rivales, avaient beaucoup de points communs. Deux passionnées de littérature, musique, jardinage, éducation, pâtisserie : Magdalena Weinberger était la reine des entremets aux framboises, fraises, et cetera ; Ingrid Gottsahl, des *schmalznudels*, abominables beignets avec une fine couche de pâte palpitant au milieu, frits au lard et saupoudrés de sucre, très prisés par les enfants. Chaque fois qu'elles se retrouvaient, les deux femmes faisaient des concours de citations, d'anecdotes, de recettes.

Quant à leurs fils aînés, Élie et Harald, qui avaient le même âge, ils étaient devenus inséparables. Tous deux élèves au lycée Guillaume de Bavière, le plus célèbre et le plus ancien de Munich, fondé en 1559 par l'ordre des Jésuites, ils dormaient régulièrement l'un chez l'autre. Ils aimaient la nature, la forêt, l'école, les plaisirs simples, les fêtes du solstice d'été qui consacrent la victoire du soleil.

Quand l'un avait des notes nettement supérieures, ils pouvaient être fâchés pendant plusieurs semaines, et un troisième larron, généralement choisi par le moins bon des deux, s'ajoutait au tandem pour faire le lien. Mais ça ne durait pas longtemps. N'excellant pas dans les mêmes matières, ils avaient tôt fait de prendre leur revanche, Harald en histoire, anglais et sciences, Élie en mathématiques, lettres, français.

Les deux aînés des deux amies se ressemblaient à un tel point qu'on ne pouvait douter qu'ils eussent les mêmes parents. Très sportifs, ils se défiaient au judo, à la course à pied, au canoë-kayak. À en juger par leurs sourires de vainqueurs, ils donnaient l'impression d'avoir l'avenir pour eux.

Un jour, ils s'étaient juré de se retrouver, pour leurs études supérieures, à la Ludwig-Maximilians-Universität. Ils avaient décidé de devenir médecins, métier qu'ils considéraient comme « le plus beau du monde ».

# 10

## « *Ce sera une guerre courte* »

CHIEMSEE, 1914. À la tombée du soir, au pied des Alpes et au bord d'un lac immense qu'on appelle la « mer bavaroise », Élie et Harald, inscrits à un camp d'été, achevaient la construction d'une cabane en bois quand ils furent convoqués avec les autres élèves par le directeur adjoint du lycée Guillaume de Bavière. C'était le 3 août.

Vieux pachyderme aux oreilles grises et décollées, ce dernier fumait même quand il parlait ou mangeait. Sa gorge, disait-on, était aussi noire que l'intérieur d'une cheminée et sa voix rauque semblait provenir d'une mine de charbon. Glorieux comme un pet, il annonça que l'Allemagne avait « enfin » déclaré la guerre à la France, deux jours après l'avoir déclarée à la Russie.

Comme la plupart des élèves, Élie et Harald ne savaient pas s'il fallait se réjouir de cette nouvelle. Le directeur adjoint poursuivit, le menton levé, en s'épongeant le front avec un mouchoir sale :

« Dans une guerre, il faut savoir prendre l'initiative. C'est ce qu'a fait notre empereur, la conscience tranquille, parce que nous sommes en situation de légitime défense. “On nous presse, l’épée à la main”, a déclaré à juste titre le Kaiser. Il fallait donc réagir sans attendre. Dans quelques semaines, vous verrez, nous aurons vaincu et nos soldats pourront rentrer à la maison. »

À son invitation, les élèves entonnèrent, même s’ils n’en connaissaient pas tous les paroles, l’hymne au Kaiser : « Dieu protège, Dieu sauve notre empereur et notre pays. » Il y avait sur les visages beaucoup de joie et un peu de gravité, proportion qui s’inverserait au fil du temps.

Après quoi, le directeur adjoint poussa un cri de victoire et alluma une clope. Huit jours plus tard, de retour à Munich, les deux garçons eurent le sentiment, alors que la ville était en fête, qu’un grand deuil avait frappé leur maison : réservistes versés dans la Landwehr après leur service militaire, leurs pères avaient été rappelés sous les drapeaux. Celui d’Élie était parti en Belgique ; celui d’Harald dans l’est de la France. Les mères faisaient semblant de croire, les yeux rougis, qu’ils reviendraient sans tarder.

« Ce sera une guerre courte, promit Magdalena à Élie, son fils aîné. Ton père, qui a eu des informations de bonne source, m’a assuré qu’il serait revenu avant Noël. »

Au cours des quatre années suivantes, Élie et Harald passèrent beaucoup moins de temps ensemble. À la déclaration de guerre, ils n’avaient que douze ans mais ils étaient vite devenus, par la force des choses, des chefs de famille, c’est-à-dire des hommes mûrs. Quand elle ne les tue pas, la guerre vieillit prématurément les jeunes, même ceux qui sont restés à l’arrière. Les deux garçons se voyaient surtout au repas de famille, le dimanche, chez Magdalena Weinberger ou chez Ingrid Gottsahl, alternativement. Ils essayaient l'un comme l'autre, sans grand succès, de rendre le sourire à leurs mères.

Contrairement à Ingrid qui avait forci, Magdalena n'était plus que l'ombre d'elle-même. Amaigrie, elle s'habillait en noir des pieds à la tête comme une veuve.

« Mais enfin, votre mari n'est pas mort ! protestait-on.

— Je m'y prépare à tout hasard, répondait-elle, mais dès qu'il sera rentré de la guerre, je mettrai des couleurs plus vives, plus joyeuses. »

Le soir, Magdalena Weinberger avait instauré un rite auquel elle ne dérogeait plus : une conversation d'à peu près une demi-heure avec Élie dans le salon-bibliothèque, autour d'une bouteille de Kräuterlikör, un spiritueux à base d'herbes, épices, racines. Ses deux sœurs n'étaient jamais conviées. « Elles sont trop petites, prétendait-elle. Elles ne comprendraient pas. »

Il est vrai que Magdalena abordait tous les sujets avec son aîné, le moindre n'étant pas Helmut, son mari, pour qui elle avait si peur et sans qui elle n'imaginait pas vivre.

« Ça me fait tellement de bien de te parler de notre amour, lui dit-elle un soir, peu après qu'elle eut inauguré ce rite. Tu verras, il y a des baisers grâce auxquels on touche l'éternité. C'est le cas des baisers de ton père.

— Ne t'en fais pas, maman, il reviendra.

— Même s'il revient, je ne sais ce qui se passera après la guerre. Les gens sont en train de devenir fous. Ne sens-tu pas monter partout une haine ? »

Élie opina en songeant qu'il avait moins peur pour son père que pour sa mère rongée par le chagrin.

« J'ai peur pour les Juifs », dit-elle.

Magdalena garda la bouche ouverte, comme si elle hésitait à continuer, puis elle murmura :

« Il est temps que tu le saches, Élie. Ton père est juif.

— Je m'en doutais, maman. On m'a souvent traité de sale Juif à l'école. Et toi, es-tu juive ?

— Non. Je suis blanche et blonde, une Aryenne de race pure, comme aiment les antisémites.

— Mais papa aussi est blanc et blond !

— Il est juif et, avec ses origines, il a tout à craindre. Mais il a décidé de ne rien savoir, au point qu'il ne lit plus les journaux. "Quand les nouvelles ne sont pas bonnes, dit-il, mieux vaut les supprimer." La vermine antisémite est en train de proliférer partout dans l'Empire, chez tous ces *völkisch* pangermanistes qui ont le mot peuple plein la bouche, jusque dans notre quartier, chez nos voisins. C'est comme une épidémie, Élie. »

Magdalena connaissait le sujet. Depuis le dîner avec Houston Chamberlain, quelques années plus tôt, elle s'était beaucoup informée sur l'antisémitisme. Elle avait lu le « grand » livre de l'ami du Kaiser, offert par les Gottsahl, *La Genèse du* XIX*e siècle.* Elle avait été sidérée par sa folie purificatrice qui, comme celle d'Édouard Drumont, appelait, malgré les dénégations des uns ou des autres, à l'éradication des Juifs. Une question de vie ou de mort pour la civilisation indo-européenne qui, selon lui, était de plus en plus « infectée de sang juif ».

Dans un style universitaire, avec un grand étalage d'érudition dévoyée, Houston Chamberlain entendait démontrer que les Juifs avaient ourdi depuis longtemps un complot pour soumettre l'Europe à une race pure, la leur, les autres communautés n'étant à leurs yeux que des ramassis d'individus inférieurs et dégénérés, physiquement, mentalement, moralement.

Par un travail de sape permanent, les Juifs, affirmait-il, s'étaient employés, à travers les siècles, à détruire les Aryens. D'abord, en fondant l'Église catholique et romaine, une religion judaïsée qui, honte à elle, refusait son aryanité au Christ alors que la Galilée était habitée, à l'époque, par des tribus païennes, non juives. Ensuite, en inventant la démocratie, incompatible avec l'âme aryenne, le capitalisme, machine à ruiner les Aryens, et le socialisme, destiné à détourner l'attention des catastrophes perpétrées par les Juifs de la finance.

Houston Chamberlain allait jusqu'à prétendre sérieusement que les Juifs avaient inventé la civilisation chinoise qu'il honnissait et qui, comme la leur, assurait-il, était rétive à la culture. Face au méphistophélique peuple juif, le salut ne pouvait venir que de la race allemande, héritière des Teutons. À condition qu'elle ne mégote pas sur les moyens d'en finir. Il appelait à la révolution antijuive et à une lutte à mort contre la race ennemie…

« Quand je pense que j'ai été obligée de serrer la main molle de cet olibrius ! » s'indignait Magdalena.

Chamberlain était le grand prophète de la déferlante antisémite qui ravageait tout, à commencer par la littérature. Les romans populaires présentaient souvent les Juifs comme des antihéros veules et cupides. Dans le genre, *Le Paysan de Büttner* de Wilhelm von Polenz, un grand succès de librairie, paru en 1895, était un modèle. Il racontait l'histoire d'un paysan qui s'était endetté auprès d'un Juif et qui, pour retrouver sa mise, avait vendu sa ferme sur laquelle serait construite une usine. La morale de tout cela : victime de la société industrielle, incarnée par le Juif, le paysan finissait par se pendre, les yeux fixés sur son terrain perdu.

Pour se réaliser, disaient ces néo-nationalistes, il fallait être en symbiose avec sa terre natale. Tel était l'un des principes fondateurs de la pensée *völkisch* ou populiste qui, à la fin du XIXe siècle, était devenue la doxa sous l'influence de théoriciens précurseurs comme Wilhelm Heinrich Riehl. Ce serait en se repliant sur soi que le peuple résisterait à l'internationalisation, à l'industrialisation, autant de menaces incarnées désormais, aux yeux de Chamberlain et d'autres penseurs, par le Juif.

« Que va-t-on devenir ? »

Les lèvres de Magdalena Weinberger tremblèrent comme si elle allait pleurer, mais elle réussit à se retenir. Il était tard et elle demanda à son fils de s'approcher, de l'embrasser, avant de le serrer très fort dans ses bras en lui soufflant à l'oreille :

« Je serais rassurée si ton père avait peur au lieu d'être aussi insouciant. Je suis convaincue qu'un jour il faudra partir. »

Le lendemain, à la récréation, quand Élie Weinberger évoqua les angoisses de sa mère avec Harald Gottsahl, ce dernier haussa les épaules.

« Les Juifs sont des Allemands comme les autres. Il ne peut rien leur arriver.

— Sais-tu que j'ai du sang juif ? demanda Élie.

— Mon père m'a toujours dit que ça n'avait pas d'importance. Quand on t'informe que quelqu'un est juif, m'a-t-il appris, il faut répondre : "Et alors ?" »

# 11

## *Le petit caporal*

NORD DE LA FRANCE, 1914. Affecté en septembre au 16e régiment d'infanterie bavarois de l'armée impériale, le lieutenant Karl Gottsahl n'avait pas le profil d'un héros. Était-ce l'effet des quarante ans qui approchaient ? Il y avait chez lui un flegme et une sérénité qui plaisaient à ses supérieurs. Il rassurait.

Cette guerre était idiote et, contrairement à beaucoup d'Allemands, Karl Gottsahl, qui avait l'intelligence des situations, en devina l'issue dès le premier jour. Mais il ne s'en ouvrit à personne. C'était un homme double ou triple, d'humeur égale, qui pouvait dire, sans que cela se vît, le contraire de ce qu'il pensait.

Après avoir participé, près d'Augsbourg, non loin de Munich, à une formation de combat, son régiment avait été chargé dans trois trains, en direction du front de l'Ouest, pour être jeté le 29 octobre 1914, près d'Ypres, à la lisière des Flandres, dans une bataille qui faisait rage contre les Britanniques, alliés des Français. C'est là qu'il découvrit, sous un ciel noir, ce qui serait son quotidien pendant quatre ans : la danse des obus, les mugissements des arbres, les morsures de barbelés, les pluies de mottes de terre, les hurlements des mourants, les chevauchées dans les champs, le crépitement des fusils-mitrailleurs, les dégueulis de gadoue.

Au bout de quatre jours, après avoir gagné quelques lopins de terre sur les Britanniques, le 16e régiment avait perdu plus des deux tiers de ses hommes. Son colonel, Julien List, figurait sur la liste des morts. Après une telle hécatombe, le lieutenant (*Leutnant*) Gottsahl pensait qu'il serait promu capitaine (*Hauptmann*). Au lieu de quoi, il fut seulement appelé, en raison de la pénurie d'officiers, à diriger sa compagnie.

À partir de là, les armées en guerre s'enterrèrent dans des boyaux boueux, protégés par des barrières de mines, de fils de fer, et il ne se passa plus grand-chose. Ce fut comme une agonie qui s'éternisait. Les nations en conflit étaient appelées à verser chaque jour leur ration sanglante au dieu Guerre dont la soif ne faiblissait jamais : « Du sang ! Du sang ! » s'époumonait-il avant d'ajouter : « Et du frais, s'il vous plaît ! » Pendant quatre ans, il serait bien servi.

Paul Valéry a dit que la guerre, ce sont des gens qui ne se connaissent pas et qui s'entretuent parce que d'autres gens qui se connaissent très bien ne parviennent pas à se mettre d'accord. Jamais sa formule ne fut plus vraie qu'en 1914 : petits-fils de la reine Victoria, George V, roi d'Angleterre, et l'empereur Guillaume II étaient cousins germains et, en plus, se ressemblaient comme deux gouttes d'eau. Quant au tsar de Russie Nicolas II, il avait aussi du sang royal anglais. Cela ne les empêcha pas de se livrer à un carnage inouï.

*

Le régiment List n'avait rien à voir avec un corps d'élite. Composé surtout de supplétifs, il souffrit, pendant des mois, d'une pénurie de matériel. Faute de casques à pointe, beaucoup de ses soldats durent se contenter de couvre-chefs en toile cirée grise, provoquant contre eux des tirs d'autres unités allemandes qui les prenaient pour des Britanniques.

Tout en sachant se faire aimer et respecter de sa compagnie où se côtoyaient grandes gueules et bras cassés, Karl Gottsahl s'entendait bien avec sa hiérarchie qui le tenait en haute estime. C'est pourquoi il ne fut pas pour rien dans la promotion d'un soldat blême, de nature solitaire, artiste peintre dans le civil, qui répondait au nom d'Adolf Hitler.

Âgé de vingt-cinq ans, cet Hitler était un personnage étrange, embarrassé, pas causant. Tout, sur son jeune visage, pendouillait comme du vieux linge : les paupières, le menton, les moustaches taillées comme celles du Kaiser mais à l'envers. Il se tenait rarement droit et sa tête avait tendance à pencher sur son épaule gauche.

Karl Gottsahl s'était intéressé à lui après avoir appris qu'avec un autre soldat Adolf Hitler avait « sauvé » le lieutenant-colonel Philipp Engelhardt, le successeur de List à la tête du régiment. Les deux hommes avaient fait un rempart de leur corps pour protéger leur chef contre les tirs britanniques, alors qu'il était en mauvaise posture, éloigné de ses soldats, à la lisière d'une forêt.

Frappé par sa bravoure, le lieutenant Hugo Gutmann, un Juif en charge de la première compagnie du régiment, fabricant de machines à écrire dans le civil, avait proposé de nommer Adolf Hitler caporal de première classe et de l'affecter comme estafette au quartier général. Comme toutes les personnes consultées, Karl Gottsahl n'y trouva rien à redire. Il avait toujours eu de la compassion pour les falots, les complexés aux yeux éteints. « Les héros inconnus », comme il disait. Adolf Hitler semblait une victime désignée, celle qu'on a envie de serrer dans ses bras avant sa mort programmée pour la patrie reconnaissante. Désormais, il sortait du lot. Estafette était un poste dangereux mais prisé. Il consistait à passer les messages d'un officier à l'autre, entre les lignes de front, souvent sous les tirs de l'artillerie ennemie.

En échange, cet agent de liaison était bien nourri, bien logé, au lieu d'être reclus comme les autres soldats dans une tranchée humide. Il pouvait aussi organiser ses journées comme il l'entendait, peindre, lire, discutailler, prendre du bon temps, à condition de rester disponible à tout instant. C'est pourquoi il était considéré par les autres comme un « planqué ».

Chaque fois qu'il eut affaire à Adolf Hitler, Karl Gottsahl fut content de ses services. Même si l'estafette avait la réputation d'être colérique, son tempérament bouillant ne s'exprimait jamais devant les officiers. Laconique, il ne faisait pas de phrases et se contentait de répondre aux questions sur le mode militaire, par oui ou par non. Il n'avait rien d'un chef. C'est sans doute pourquoi, contrairement à l'usage, il ne fut jamais promu sergent, même après quatre ans de bons et loyaux services.

Avant d'être nommé capitaine et muté dans un autre régiment, Karl Gottsahl n'eut qu'une seule conversation d'homme à homme avec Adolf Hitler. Le caporal ne fumait plus et, buvant très peu, fut pompette dès le premier verre. C'était du rosé-des-riceys, un cépage peu connu, du côté de Troyes, l'un des vins préférés de

Louis XIV, volé chez de gros fermiers français. Chaque goulée inondait leur gosier d'un bonheur qui chassait la peur et la peine.

Au troisième verre, le caporal raconta à Karl comment son rêve de devenir artiste peintre avait été brutalement cassé par ses deux échecs au concours de l'Académie des beaux-arts de Vienne, ville cosmopolite, avec une forte communauté juive, où il séjourna longtemps, entre 1907 et 1913. Les examinateurs n'avaient pas apprécié qu'il dessine des monuments, des constructions, plutôt que des visages, des humains. Ils lui avaient conseillé de s'orienter vers l'architecture.

Les trois dernières années avant la mobilisation, Hitler avait mené, à Vienne, la vie de bohème d'un artiste maudit, brouillé avec la terre entière, logeant dans des foyers d'accueil, peignant des toiles pour les bourgeois et subsistant grâce à la vente dans la rue de petits tableaux, souvent sur un format de cartes postales, à l'intention des touristes, représentant les monuments, les attractions, les plus jolis coins de la capitale autrichienne.

Contrairement à la légende, Hitler n'était pas un peintre exécrable. S'il avait persévéré dans son art, il aurait sans doute obtenu le prix du salon des artistes de Gmunden, de Linz, peut-être même de Munich. C'était un amateur, un sous-Pissaro, prudent, appliqué, fadasse. Inhumain, d'une certaine façon, car il répugnait à peindre des personnages. À coup sûr, il manquait d'empathie, de folie.

Un jour, lors d'une permission, Hitler avait livré chez les Gottsahl, en l'absence de Karl resté au front, une toile et deux aquarelles qui, par la suite, plurent tellement au maître de maison qu'il les accrocha dans son salon. L'une d'elles représentait le château de Neuschwanstein, une pâtisserie blanche comme crème, symbole du germanisme wagnérien et de l'art romantique de Louis II de Bavière.

« C'est un bon peintre du dimanche », avait dit Karl Gottsahl qui vantait par ailleurs sa culture. Sur le plan intellectuel, Hitler pouvait soutenir une conversation sur Frédéric le Grand ou sur Périclès, architecte et homme d'État. Wagnérien fanatique, au point d'avoir assisté en quelques mois à une dizaine de représentations de *Lohengrin*, son opéra préféré, il avait aussi tenté de reprendre un projet de Richard Wagner et d'écrire le livret d'une œuvre héroïque, *Wieland le forgeron.*

« J'aurais tant aimé être un artiste, répétait-il. Un grand artiste.

— Il n'est pas trop tard, disait Karl. Tu es jeune, brave, très cultivé. Tu as la vie devant toi. As-tu au moins une épouse ou une jeune fille qui t'attend ? »

Hitler hocha puis secoua la tête, il ne savait pas quoi répondre. Mais, au quatrième verre, il parla à Karl de Stefanie Isak, une jeune fille riche de Linz dont il avait été très amoureux. Il avait prévu de l'épouser et puis aussi de lui demander d'arrêter de danser, activité qu'elle adorait et qu'il jugeait répugnante. Mais, craignant une rebuffade, il n'avait jamais osé l'aborder. Il s'était contenté de l'espionner dans les endroits qu'elle fréquentait.

Sans le savoir, Stefanie, radieuse blonde-châtain au regard doux, avait ainsi porté sur ses épaules le destin de l'humanité en général et des Juifs en particulier. Si l'idylle avait eu lieu, la face du monde aurait changé, selon toute vraisemblance. L'amour peut tout. Pourquoi ne serait-il pas capable de transfigurer les monstres ?

S'il avait pu engager un jour la conversation avec Stefanie, lui faire la cour et l'épouser, Hitler ne serait-il pas devenu un homme épanoui ? Leur bonheur conjugal n'aurait-il pu sauver les Juifs, les Tziganes, les chrétiens, les communistes, les homosexuels et tant d'autres catégories de gens contre lesquels il s'acharna quand il fut au pouvoir ?

Par son extrême timidité, Hitler s'était retranché de la société et respirait le malheur, le désespoir, le ratage, d'autant qu'il ne s'était pas débarrassé de son complexe d'Œdipe qui apparaît chez tous les enfants à trois ans pour disparaître à six, selon une théorie échafaudée par un médecin autrichien, Sigismund Schmolo Freud, que le caporal avait sans doute croisé, dans sa jeunesse, dans les rues de Vienne.

Jamais Hitler ne s'était remis de la mort de sa mère, décédée d'un cancer du sein en 1907 et sur laquelle il veilla pendant les derniers mois, remplissant pour elle toutes les tâches ménagères. Un fils aimant, parfait.

Longtemps après, en exil à New York, le médecin de famille des Hitler, Eduard Bloch, un Juif qui bénéficia de la protection du Führer dans les années 1930, écrivit dans un journal américain : « De toute ma carrière, jamais je n'ai vu quelqu'un d'aussi anéanti par le chagrin qu'Adolf Hitler. »

Dans *La Philosophie de l'esprit*, Hegel a tout dit sur la sensation que Karl Gottsahl éprouvait, à cet instant, dans la tranchée, en dévisageant le caporal au teint de papier mâché : « Lorsqu'on regarde l'homme dans les yeux, alors vous tombe dessus une nuit effroyable [...], la nuit du monde. »

Le chien d'Hitler apitoyait pareillement Gottsahl : au

bout de plusieurs mois, le petit caporal avait adopté un terrier blanc de race impure, à l'oreille gauche tachetée de noir, qui répondait au nom de Fuchsl et qui, apparemment indifférent aux bruits de la guerre, l'accompagnait souvent dans ses missions. « Je l'aimais tant, a dit ce dernier, des années plus tard. Lui seul m'obéissait. »

Chaque fois qu'Adolf Hitler venait lui remettre un message avec Fuchsl, le terrier à tête de bâtard se couchait aux pieds de Karl Gottsahl après s'être roulé sur le dos, en signe de soumission. « S'il m'arrive quelque chose, lui dit un jour l'estafette, ce serait bien que tu t'en occupes. » Le capitaine fut bouleversé quand il apprit, à la fin de la guerre, que l'animal avait été volé au caporal.

Quand un chien se donne, c'est pour la vie. Il a la fidélité éternelle. Si vous faites son bien, il ne vous mordra jamais, contrairement à l'homme qui oublie toujours tout, excepté d'être ingrat. Si vous mourez et qu'il n'ait rien à se mettre sous la dent, il ne vous mangera pas, contrairement au chat.

C'est en mémoire de Fuchsl que Karl Gottsahl adopta plus tard, à son retour de la guerre, un terrier triste et obéissant qu'il appela Adolf.

12

## *La légende du « coup de poignard dans le dos »*

NORD DE LA FRANCE, 1918. Rien, fors l'amour, ne change plus un homme que la guerre. De l'or, elle fait de la boue. Parfois l'inverse, mais c'est plus rare. Lieutenant comme Karl Gottsahl, Helmut Weinberger fut, après avoir été muté trois fois, métamorphosé par le conflit, notamment par la deuxième bataille de la Marne qui, en 1918, le rendit aux siens pantelant, sourd, sombre.

Un jour, après que son mari eut rendu visite à sa famille dans le cadre d'une longue permission, Magdalena Weinberger avait dit, en larmes, à Ingrid Gottsahl :

« Je ne reconnais pas Helmut. Il ne croit plus en rien. Il y a quelque chose de brisé en lui, il dort tout le temps. Il ne fait plus jamais l'amour.

— Comment est-ce possible ? s'amusa Ingrid. Tu prétendais que c'était un étalon !

— Quand un homme ne fait plus l'amour, il y a trois possibilités. Ou il ne t'aime plus, ou il a une maîtresse, ou il a la mort en lui, toutes les femmes savent ça. Je crains qu'il ne faille s'en tenir à la troisième hypothèse.

— C'est peut-être la fatigue, Magda.

— Non, c'est métaphysique. On dirait qu'il s'est vidé de lui-même.

— Et la crise de la quarantaine ? Réfléchis-y.

— Hélas, ça me paraît bien plus grave. »

Magdalena avait compris ce qui se passait dans la tête d'Helmut, mais n'osait pas le dire. Après quatre ans de guerre, il ne croyait plus en l'homme ni en l'Allemagne qui, pendant ce temps, l'avait humilié, offensé, réduit à sa condition de Juif, c'est-à-dire de profiteur décadent, « planqué », sans morale ni « profondeur », un mot qui revenait souvent dans la bouche des pangermanistes à propos de l'esprit juif.

La défaite annoncée était en train de rendre le pays branque, de haut en bas : à tous les étages, le peuple était rongé par la haine et les ressentiments comme par des poux. L'Allemagne en voulait au Kaiser, aux officiers, aux Juifs, à la banque, à l'Amérique, aux capitalistes, au monde entier.

Helmut avait beaucoup moins de permissions que Karl et, comme lui, il les mettait à profit pour se rendre au siège de LL, vérifier les comptes, requinquer les cadres. Même si elle n'avait pas présenté de nouvelles collections depuis 1914, l'entreprise se maintenait à flot. Malgré les malheurs et les privations, ce n'était pas une guerre qui empêcherait la vie de continuer et les femmes de s'habiller, de se pomponner : la branche maquillage, récemment lancée, était un succès.

Lors de la dernière visite d'Helmut Weinberger à Munich, à la fin de l'été 1918, l'atmosphère lui avait semblé plus pesante. Dans la rue, les cafés, les commerces, on sentait l'odeur amère du fiel dans les bons cas et, dans les pires, une puanteur plus vive. Les feuilles des hêtres de Bavière frémissaient sans cesse, comme à l'approche de l'orage. Seules les Alpes, majestueuses, n'avaient pas peur.

La veille de son départ, pendant le dîner, Magdalena demanda à son mari devant Élie et ses deux sœurs :

« Qu'est-ce qui ne va pas, Helmut ? »

Il y eut un long silence, puis Helmut murmura, la tête baissée sur sa salade de pommes de terre aux œufs, oignons, vinaigre et ciboulette :

« Tout va bien, ma chérie.

— Tu nous caches quelque chose. »

Helmut soupira, leva tête et plissa les yeux.

« C'est dur de faire la guerre quand on sait qu'on l'a perdue. L'Allemagne m'inquiète. Et j'ai beau me battre comme un lion, j'ai le sentiment que mes supérieurs me considèrent comme un ennemi de l'intérieur.

— Penses-tu que nous devrions partir ? » demanda Magdalena.

Au lieu de répondre, Helmut but d'un seul trait la dernière moitié de son verre de vin de Moselle, les yeux plissés, comme absorbé par ses pensées.

« Moi, je ne veux pas partir, s'écria soudain Élie, approuvé par ses deux sœurs. Notre place est ici, avec Harald, avec tous nos amis.

— Les enfants, observa Magdalena, il est possible que l'Histoire décide pour nous. Rien ne dit que nous ne serons pas contraints un jour de nous exiler. »

Il y eut un nouveau silence, et Helmut murmura :

« Votre mère a raison. Nous avons tout le temps pour nous décider mais il faudra y réfléchir sérieusement, si nous sentons, un jour, que nos vies sont menacées. »

Dans la chambre à coucher, Magdalena tenta de

reprendre la conversation mais Helmut ne voulut rien entendre. Il se glissa sous les draps et s'endormit.

Le lendemain, à la gare, Helmut lui souffla à l'oreille avant de l'embrasser :

« Je fais la guerre dans une armée antisémite, ma chérie. Les officiers sont en train de mettre la défaite sur le dos des Juifs. Comme si on y était pour quelque chose ! »

Ses paroles rassurèrent Magdalena autant qu'elles l'effrayèrent. L'exagération n'était pas le fort d'Helmut qui n'avait jamais été affecté, jusqu'à présent, par un complexe de persécution.

Mais les faits étaient là : après quatre ans de guerre et malgré plusieurs actes de bravoure, Helmut Weinberger était toujours lieutenant. Karl Gottsahl, lui, avait été promu lieutenant-colonel et sur sa poitrine tintinnabulaient des décorations dont les moindres n'étaient pas la croix de fer, celle du mérite militaire, celle des combats de l'Argonne, sans oublier la médaille du courage. Le hasard, dira-t-on. C'était une époque où même le hasard était antisémite.

Élie Weinberger avait blessé son père quand il lui avait demandé pourquoi il n'avait pas autant de décorations que son ami Karl Gottsahl.

« Je n'aurais pas dû être juif, avait répondu Helmut d'une voix grinçante, en mettant son index sur la bouche, comme si c'était un secret. C'est un grand tort, l'erreur de ma vie. »

Helmut Weinberger avait fait partie des 100 000 Juifs allemands mobilisés en 1914 et partis pour la guerre, la fleur au fusil, calmes et droits, heureux de pouvoir montrer leur attachement à la mère patrie. Pour la première fois, l'armée acceptait des officiers juifs, et il était l'un d'eux. N'était-ce pas la preuve qu'ils appartenaient tous à la communauté nationale ?

À cette époque, les pogroms proliféraient en Russie comme les vers sur les cadavres. La Grande-Bretagne, qui ne voulait plus accueillir de Juifs, envisageait qu'ils prennent racine en Ouganda. À travers l'affaire Dreyfus, les Juifs avaient été accusés en France d'« intelligence avec l'ennemi ». Dans l'Empire allemand, malgré la montée de l'antisémitisme, ils ne cessaient d'apporter des gages d'assimilation, de loyauté.

Que s'est-il passé pour qu'après plusieurs mois de guerre les Juifs allemands se retrouvent en position d'accusés ? Tous les gouvernants le savent : pour oublier leur infortune, les peuples ont besoin de boucs émissaires à étriper, à manger vivants. En Allemagne, ce fut longtemps le catholique, ennemi du luthérien. Désormais, ce serait le Juif accusé de spéculer sur les matières premières et de faire flamber les prix pendant que tout le monde crève de faim. Quand il ne se défile pas, le sournois, devant le devoir national.

Helmut Weinberger reçut un jour, comme tous les soldats, un formulaire du ministère de la Guerre à remplir avant le 1er décembre 1916, qui avait pour objet d'établir la véracité ou non de plaintes selon lesquelles « un nombre disproportionné de conscrits de religion israélite est exempté de service militaire ou s'efforce de l'être sous toutes sortes de prétextes ».

Dans un décret, le ministère disait chercher à savoir s'il était vrai que les Juifs qui effectuent leur service militaire réussissent « à trouver un refuge loin de la ligne de front, à l'arrière ou dans leur région d'origine, en tant qu'employés de bureau ou de secrétariat ». Honte à tous ces traîne-patins, tire-au-flanc, vermine d'oreillers.

C'est ce qu'on appela le « comptage des Juifs ». Pour propager la rumeur des Juifs « planqués », on ne pouvait faire mieux. Menée en dépit du bon sens, cette pseudo-enquête ne demandait même pas d'indiquer leur nom à ceux qui remplissaient le formulaire. Quand le ministère de la Guerre annonça qu'il ne publierait pas ses résultats, à cause de « considérations de paix intérieure en temps de guerre », il accrédita l'idée qu'ils étaient défavorables aux Juifs.

Ils l'étaient, bien sûr, parce que le ministère de la Guerre cherchait un responsable au désastre qu'il commençait à pressentir. Après l'armistice, une étude montra que Juifs et non-Juifs avaient à peu près le même pourcentage de soldats au front, de morts, de blessés. Sur les 100 000 soldats juifs, 78 000 avaient combattu au front et 12 000 y étaient morts. Mais, comme on le sait, il y a deux sortes de mensonges : les vrais et les statistiques. Cette étude ne put donc rien contre la légende du « coup de poignard dans le dos » prétendument perpétré contre l'Allemagne par les élites, les politiciens de l'arrière, la communauté juive.

C'est pourquoi Helmut Weinberger sortit de la guerre comme il y était entré : en lieutenant, la poitrine vierge, sans croix de fer.

## 13

## *« L'amour est une répétition sans fin »*

MUNICH, 1918. Élie Weinberger, le fils d'Helmut, avait seize ans la première fois qu'il vit Elsa Kantor. Ce fut comme une apparition, un ciel étoilé qui lui tombait dessus.

Grande, virginale, élancée, le front haut, Elsa portait le Dirndl, costume traditionnel des servantes autrichiennes du XIXe siècle, et adopté, depuis longtemps, par la bourgeoisie bavaroise : une chemise blanche, un corset noir, une jupe rouge, un tablier et des collants crème. Sans parler de ses longues tresses blondes.

C'était une évidence : Élie épouserait Elsa sans tarder ; ils feraient des fêtes, des promenades, de grands voyages et beaucoup d'enfants. Il passerait le reste de son existence à la regarder vivre, rire, manger, dormir, se pomponner.

On aime une femme à sa manière de se gratter la tête, disait Yeats. Élie aimait aussi Elsa à sa manière de relever ses cheveux, de croiser ses bras, de se mordiller les lèvres ou de passer sa langue dessus.

Il était fasciné par ses mains fines, sa poitrine abondante, ses yeux bleu ciel, ses oreilles parfaites, son sourire qui lui creusait d'adorables fossettes aux joues. Mais Elsa n'en avait que pour le garçon qui la tenait par le bras après avoir déposé un baiser dans son cou, sous l'oreille.

Ce garçon, c'était Harald Gottsahl, son meilleur ami.

Septembre touchait à sa fin et le feuillage des hêtres commençait à blondir sous le soleil flavescent de l'automne. C'était à la sortie des classes du lycée Guillaume de Bavière sur la Thierschstrasse. Harald et Elsa s'étaient donné rendez-vous là, avant d'aller se promener sur les bords de l'Isar, puis dans l'Englischer Garten. Comme Élie prenait le même le chemin pour rentrer chez lui, son ami lui proposa de les accompagner un moment. Comment refuser ?

Harald avait fait la connaissance d'Elsa, la fille d'une amie de sa mère, une semaine auparavant. Toutes les deux étaient venues chez les Gottsahl apporter dans un torchon un gros poulet plumé, vidé, prêt à cuire, élevé en plein air et à l'herbe dans le poulailler familial. Coup de foudre pour la jeune beauté.

Pendant que les mères devisaient à la maison, Harald avait emmené Elsa dans le jardin, sous prétexte de lui montrer leur volière, construite contre la maison, où palabrait la trentaine de perruches de son père. Elles faisaient autant de tintouin qu'un marché paysan, l'été, à une heure de grande affluence.

Après lui avoir déclaré sa flamme, Harald s'était jeté sur Elsa pour l'embrasser. Elle avait résisté, mollement, pour le principe : quand les femmes disent non, avait-il entendu un jour dans la bouche d'un militaire misogyne, ami de sa mère, il faut comprendre oui tant qu'elles n'ajoutent pas le geste à la parole. La jeune fille avait fini par céder et il avait vécu alors, avait-il assuré ensuite à Élie, le plus beau moment de sa vie avant de rester interdit, les jambes chancelantes.

« Tu as mis la langue ? avait demandé Élie.

— Évidemment, et je l'ai tournée plusieurs fois avec la sienne dans son palais. C'était comme si nos langues dansaient une valse de Brahms.

— Combien de temps le baiser a-t-il duré ? »

Harald avait feint de réfléchir.

« Un quart d'heure. »

Harald mentait, ça s'était vu comme le nez au milieu de la figure. Ses joues avaient rougeoyé un peu et il avait baissé les yeux.

Depuis le jour où il avait rencontré Elsa Kantor, Élie ressentait dans sa chair les morsures de la jalousie qui, souvent, le réveillaient la nuit. Il avait honte d'éprouver ce sentiment alors que son amour pour la jeune fille donnait tant de bonheur à Harald qu'il considérait comme son frère, mais il n'y pouvait rien ; il était sûr qu'il l'aurait mieux aimée, lui, et qu'elle méritait un autre soupirant.

Quoique très épris, Harald n'avait pas l'amour entier, aveugle aux défauts de l'autre. Il ne se donnait pas, il se prêtait. C'est pourquoi il reprochait à Elsa une certaine grandiloquence, des élans fiévreux, mystiques, qui l'effrayaient parfois, comme si leur vie se jouait à chaque instant. Un jour, Élie avait été choqué par une phrase qu'il lui avait dite et qui résumait son état d'esprit : « J'aime l'aimer. »

Deux ou trois fois par semaine, le même supplice recommençait pour Élie. Après les cours, il faisait un bout de chemin avec le couple qui, à intervalles réguliers, lui imposait ses baisers, ses effleurements. C'était un chemin de croix.

Il arrivait que le regard d'Élie croise celui d'Elsa pendant qu'elle embrassait Harald et, à plusieurs reprises, il crut y voir passer des lueurs de culpabilité qui décuplèrent encore sa passion.

*

Quelque temps plus tard, Harald annonça à Élie qu'ils étaient passés à l'acte. C'était leur première fois à tous les deux. Ils avaient improvisé ça au cœur de l'Englischer Garten, dans un sous-bois tapissé d'ail des ours, et avaient été surpris par un chasseur de papillons coiffé d'un grand chapeau noir dont les bords tombants cachaient en partie le visage. Comme ils ne s'étaient pas vraiment déshabillés, ils purent réajuster en toute hâte, elle la jupe, lui le pantalon, puis reprendre leur besogne après qu'il eut passé son chemin.

Tout se passa vite, bien plus vite que le prétendit ensuite Harald. Une fois l'affaire terminée, pendant qu'ils se rhabillaient, Elsa Kantor fondit en larmes.

Harald remarqua qu'elle avait du sang sur le haut des cuisses.

« Je t'ai fait mal ?

— Non, c'est normal la première fois. Mais je me sens submergée de pensées noires, stupides, je ne comprends pas ce qui m'arrive. Pardonne-moi, c'est plus fort que moi.

— Quelle étrange chose de pleurer après l'amour ! »

Pour détendre l'atmosphère, il changea de sujet, observant qu'ils sentaient tous les deux l'ail des ours, la même odeur que sa semence. Mais ça n'amusa pas Elsa qui semblait inquiète.

« Quand tu as vu le chasseur de papillons, finit-elle par demander, est-ce qu'il y a quelque chose qui t'a étonné ?

— Il m'a semblé très jeune pour un chasseur de papillons.

— Non, ce qui n'avait pas de sens, c'est que les papillons de jour qu'il était censé chasser, les rhopalocères comme on les appelle, il n'y en a plus un seul en novembre, à Munich. »

Un silence, puis elle reprit, l'air soucieux :

« En somme, il chassait des papillons qui n'existent pas.

— Je ne comprends pas.

— En fait, je crois l'avoir reconnu… C'était Werner von Hohenorff, un ancien soupirant… par ailleurs collectionneur de papillons… c'est lui qui m'a appris que le mot rhopalocère signifie qu'ils ont des antennes à boule.

— Intéressant », dit Harald avec componction, comme s'il se moquait d'elle.

Elsa reniflait et essuyait avec sa main son visage trempé comme une soupe.

« C'est à cause du chasseur de papillons que tu pleures ? » dit Harald sur un ton dégagé, comme s'il pensait à autre chose.

Elsa secoua la tête.

« Vous vous êtes embrassés ? insista Harald.

— Une seule fois… Puis nous avons rompu… Il me plaisait bien, pourtant. C'était un garçon qui s'intéressait à beaucoup de choses. L'alpinisme. La littérature allemande. Mais Werner était un *völkisch*, il ne lui était pas venu à l'esprit qu'avec un nom comme le mien j'étais juive. Un Hohenorff n'avait rien à faire avec une *Jude.* De toute façon, ça aurait mal fini. Il valait mieux que je prenne les devants.

— Werner nous espionnait-il ?

— J'en suis sûre. D'après ce que je sais, il n'a pas encore fait le deuil de notre histoire. »

Harald nota qu'Elsa avait la chair de poule. Il n'aimait pas cette émotivité à fleur de peau.

*

Quand il raconta à Élie sa première fois avec Elsa, Harald préféra ne rien lui dire de son agacement grandissant devant l'hypersensibilité de la jeune fille. Avec elle, tout pouvait tourner à la tragédie : un épi dans la coiffure, une tache sur sa chemise, une table mal mise.

Alors qu'il la raccompagnait chez ses parents, Harald avait demandé à Elsa :

« Pourquoi es-tu toujours aussi tendue ?

— Parce que j'ai peur.

— De quoi ?

— Je ne sais pas mais j'ai tout le temps peur. »

En écoutant Harald vanter ses exploits sexuels, Élie ressentit des pinçures blessantes et délicieuses : il y a souvent de la volupté, de la jouissance, dans les contrariétés de l'amour.

« Dis-moi la vérité, dit Élie qui savait que la réponse d'Harald lui ferait mal. Je suis sûr que c'était un moment plus beau encore que ton premier baiser…

— Incomparable. Émouvant. Merveilleux. C'est une fille très douce, très sentimentale, très dévouée aussi. Elle n'était pas à l'aise mais s'est donné beaucoup de mal pour me procurer du plaisir. Dieu merci, sa jupe était rouge, on ne voyait pas trop qu'elle avait saigné.

— Je n'ai jamais douté qu'elle était vierge.

— Je crois que nous sommes faits l'un pour l'autre, Elsa et moi. Sur le plan physique en tout cas. Je suis fou de son corps. Et je n'ai plus qu'une envie : recommencer. »

Élie cita avec un sourire triste un vers de Novalis, le poète préféré de son père et de lui-même :

« L'amour est une répétition sans fin. »

Faisaient-ils l'amour trois, quatre fois de suite, partout et dans toutes les positions, pour se donner l'illusion du changement ? Élie en tremblait rien que d'y penser. Le lendemain, quand il la retrouva à la sortie du lycée, il se montra froid avec Elsa dont le visage était empreint d'une gravité qu'il détesta, la gravité des jeunes filles qui sont devenues des jeunes femmes.

# III

# QUAND LA BÊTE SE RÉVEILLA

## 14

## *Comme une traînée de poudre*

MUNICH, 1918. Où était passée la joie de 1914 ? Quand, blessé à la jambe par un éclat d'obus, Helmut Weinberger retrouva sa ville, quelques jours avant la démobilisation générale, Munich n'était plus Munich : sous le soleil blanc de novembre, l'atmosphère était devenue électrique, la colère bouillonnait dans les cafés, les usines, les lieux publics.

Après qui le peuple bavarois en avait-il ? La défaite de 1918 avait tout fait chanceler, les idées, les institutions, la confiance dans l'avenir. Appuyé sur ses béquilles, Helmut se sentait envahi par un vertige dévastateur, apocalyptique, qui tirait les traits des visages et provoquait des attroupements dans les rues.

« Qu'ils dégagent tous ! » hurlait la foule.

Même s'il avait un parapluie dans le cul, l'empereur Guillaume II était prêt à plier. Que, pour éviter une révolution d'Octobre, il concédât une réforme en instaurant un régime parlementaire, ça ne pouvait rien changer : l'Histoire, cette grande radoteuse, s'était mise à bégayer. Allez, ouste, le Kaiser, au rancart comme le Tsar !

Un an après avoir éclaté en Russie, la révolution

bolchevique recommençait avec les mêmes idées enchanteresses, mais en Allemagne cette fois. Après une série de grèves dans les usines d'armement, la flotte militaire de l'Empire était entrée en rébellion et les mutineries se répandaient comme une traînée de poudre. Au bord de la Baltique, dans le port de Kiel, les navires militaires arborèrent des drapeaux rouges dès les premiers jours de novembre.

Avant que s'écroulent comme des châteaux de cartes l'Empire allemand et toutes ses monarchies, la Bavière ouvrit la marche. À la tête de la contestation figurait le journaliste juif Kurt Eisner, de son vrai nom Kamonowsky, auteur de livres sur Kant ou Nietzsche, ancienne figure du SPD, le parti social-démocrate, qu'il avait quitté à la fin de la guerre pour prôner un « pacifisme radical ».

Kurt Eisner se présentait comme un « révolutionnaire », mais ce pragmatique vomissait le bolchevisme et se flattait que « pas une goutte de sang » n'avait été « versée » lors de sa prise de pouvoir. C'était un décentralisateur qui jugeait stupide de collectiviser une économie qui sombrait. Vu de loin, il avait l'apparence lunaire d'un intellectuel marxiste mais l'impression était trompeuse : c'était un homme ouvert, généreux.

Surplombée par un pince-nez, des petites lunettes rondes, cerclées d'or, sa barbe poivre et sel était si abondante qu'elle cachait la quasi-totalité de son visage. Mal fagoté, avec son chapeau de guingois et son pardessus fatigué, il avait tout de ces clochards magnifiques dont la culture force l'admiration des passants.

Berlinois de souche et munichois de fraîche date, honnête, plutôt sensé, mais piètre organisateur, Kurt Eisner aurait été neutralisé par ses handicaps s'il n'avait été pourvu d'un charisme qui lui permit d'emporter, avec des discours improvisés, l'adhésion des conseils d'ouvriers, de paysans, de soldats.

Mais l'Histoire n'aime pas les personnages de ce genre, complexes, modestes, gentils. Elle préfère toujours le Jacobin Maximilien de Robespierre aux mains rouge sang, avec son expression de chat qui a bu du vinaigre, à sa victime guillotinée, Pierre-Victurnien Vergniaud, chef de file des Girondins, meilleur orateur de la Convention, esprit bienveillant, prétendument faible, quasiment oublié aujourd'hui. De même, elle donne toujours l'avantage à Vladimir Ilitch Lénine, prêt à tuer la terre entière, sur Alexandre Kerenski dont le grand tort fut d'être un rêveur social-démocrate.

Le roi bavarois Louis III n'attendit pas l'armistice du 11 novembre pour s'enfuir. Il s'était proposé pour remplacer l'empereur mais dès le 7, après une manifestation de masse dans le centre de Munich, il avait vidé les lieux, permettant à Kurt Eisner de prononcer sa déchéance, de proclamer la « République libre de Bavière » et de se faire élire Premier ministre par le premier conseil ouvrier qui se tenait à la brasserie Mathäser, la plus vaste du monde, le royaume de la bière, sur la Bayerstrasse.

Un Juif à la tête de la Bavière, n'était-ce pas la preuve qu'elle était moins antisémite qu'on le disait ? Helmut Weinberger reprenait confiance ; il se disait qu'il n'était plus condamné à l'exil et qu'il avait eu raison de ne pas dramatiser les prurits xénophobes de son pays. Ce n'étaient que des petits renvois des siècles passés qu'il suffisait de ravaler, voilà tout.

« La Bavière est meilleure qu'on le croit, disait souvent Magdalena, son épouse. Meilleure et pire. »

Tous les royaumes de l'Empire allemand se mirent à l'unisson de la Bavière : partout, le vieux monde cédait la place au nouveau monde d'après. Le même jour, à Dresde, la rue chassait de son palais le roi de Saxe. Le 10 novembre, en Prusse, Philipp Scheidemann, l'un des chefs du SPD, proclamait la République depuis une fenêtre du Reichstag sous des tonnerres d'applaudissements. Une république que ses ennemis appelleraient bientôt la « République des Juifs ».

Accusés de tout depuis des décennies, traités de parasites inassimilables ou d'ennemis de l'intérieur, les Juifs prenaient partout leur revanche dans l'Empire qui se mourait de s'être donné aux militaires : après avoir déclenché la guerre, les casques à pointe ne l'avaient-ils pas menée en dépit du bon sens, condamnant le Kaiser à l'abdication ? Les fumistes !

Prussiens, Bavarois, Saxons ou Badois, les Allemands avaient tiré la chasse d'eau et regardaient avec une expression de dégoût le tourbillon de la cuvette emporter ce régime autoritaire, racorni, sec comme un caillou. Dernier empereur allemand et dernier roi de Prusse, Guillaume II s'exila aux Pays-Bas pour échapper au procès international dont le menaçaient les puissances alliées, le Premier ministre britannique s'étant même prononcé en faveur de sa pendaison.

Il n'y eut pas grand monde pour le regretter.

# 15

## « *L'émerveillée* »

MUNICH, 1918. Quand il rentra de la guerre, Helmut Weinberger assista, fasciné, comme son épouse Magdalena, à l'émergence de la nouvelle Allemagne qui se construisait sur les décombres de l'ancienne, sous l'égide de la social-démocratie et de ses dissidents. Il n'y avait plus de place pour le reste.

Leur fils avait la tête ailleurs : Élie Weinberger ne pensait qu'à Elsa qui n'avait encore d'yeux que pour Harald. Il pouvait rester une heure à rêvasser, le nez sur une page de livre ou un article de journal, fussent-ils passionnants, elle seule remplissait son crâne. Tels sont les effets de l'amour.

« Tu es tout le temps dans la lune, lui dit un jour son père. Serais-tu amoureux ? »

Le fils eut une expression qui voulait dire oui.

« À seize ans, n'est-ce pas un peu tôt ? insista Helmut Weinberger.

— L'amour m'est tombé dessus, papa.

— Qui est-ce ?

— Je ne peux pas te le dire. Je ne suis pas sûr qu'elle sache déjà que je l'aime. »

L'amour est une maladie grave qui anéantit le cerveau à la façon d'un accident vasculaire cérébral. Rien n'y entre et rien n'en sort. Parfois, il reste dedans une idée fixe qui tourne en rond : Élie songeait à Elsa du matin au soir, même la nuit quand il dormait. Il lui parlait, la pelotait, l'embrassait, l'étreignait, la besognait.

Quelques mois passèrent. Un jour, à la sortie des classes, Élie nota qu'au lieu du petit baiser habituel, à peine accordé, vite repris, Elsa l'avait embrassé avec un enthousiasme, une emphase, qui l'avait surpris. Depuis la veille, quelque chose avait changé. Quand elle lui avait demandé ce qu'il voulait faire plus tard, il lui avait répondu qu'il voulait devenir écrivain à succès comme Charlotte Brontë, l'auteure de *Jane Eyre*.

« Oh ! comme c'est drôle ! s'était exclamée Elsa. Je viens de finir ce livre. C'est une célébration de l'amour qui résiste toujours à tout, aux pires avanies.

— Moi, je suis en train d'écrire un roman. J'ai déjà le titre : *Un amour fort comme la mort.* »

Les jours suivants, sur le chemin du retour du lycée Guillaume de Bavière, Élie Weinberger observa, pour son plus grand bonheur, que la relation entre Harald et Elsa était en train de s'altérer : leurs étreintes se raréfiaient. Souvent, il n'y en avait plus une seule de tout le trajet.

Que se passait-il ? Aux yeux d'Élie, Harald et Elsa étaient gagnés par l'épuisement des sens précédant cette fatigue métaphysique qui tue l'amour dès lors qu'on le considère comme un dû, une possession, une propriété privée.

Quand la conquête s'arrête, l'amour décline ; il devient autre chose, une habitude qui peut être délicieuse.

Un matin, pendant la récréation, Harald demanda à

Élie de ne pas les accompagner, l'après-midi, sur leur parcours habituel.

« J'ai quelque chose d'important à demander à Elsa.

— Lui demander sa main ?

— Tu n'y es pas, mon pauvre Élie. J'ai quelqu'un d'autre. »

Élie veilla à ce que rien dans son expression ni dans sa voix ne trahisse sa joie quand il demanda :

« Je la connais ?

— Oui. Mais promets-moi de ne rien lui dire. Je le lui annoncerai dans quelques jours quand elle se sera remise de ses émotions. Ma nouvelle fiancée est une de ses amies, Veronika.

— Une amie, non, pardonne-moi, sa grande amie ! »

Harald hocha la tête avec un sourire cassé, posa sa main sur l'épaule d'Élie et le regarda les yeux dans les yeux.

« J'ai décidé de rompre et je vais lui annoncer aujourd'hui que c'est fini. Toi qui es mon meilleur ami, j'aimerais que tu aides Elsa à franchir cette mauvaise passe. »

Le lendemain, Élie attendit Elsa à la sortie du lycée. Le visage de la jeune fille était blême, chiffonné, comme si elle avait passé une mauvaise nuit, mais ses yeux ne semblaient pas rougis. Ils firent quelques pas ensemble, puis Élie se lança :

« J'ai appris pour vous deux. Je suis vraiment désolé.

— Quand l'amour s'en va, il ne faut pas essayer de le rattraper.

— D'autant que sur notre planète les gisements d'amour sont inépuisables, n'est-ce pas ? »

Elsa éclata en sanglots. Élie lui ouvrit ses bras et elle pleura contre son cou. C'était bien. Même en rêve, il n'aurait pu imaginer meilleur prologue.

« Je suis là, murmura-t-il. Je serai toujours là pour toi. »

Elle sécha ses larmes avec sa manche.

« Rassure-toi, Élie. Ce n'est pas un chagrin d'amour, mais un chagrin d'amour-propre.

— Quelle est la différence ?

— Il suffit de réfléchir un peu pour se guérir des blessures d'amour-propre. Rien à voir avec les chagrins d'amour tout court qui peuvent vous détruire, comme Goethe l'a montré. Si j'ai fait aussi facilement le deuil de notre amour, c'est parce qu'il était mort depuis des semaines. Tu vois, j'étais loin des *Souffrances du jeune Werther.* Aujourd'hui, il n'y a plus que la vanité qui me tire des larmes. »

À dix-sept ans, Elsa parlait comme une femme qui connaît la vie. Sa maturité impressionnait Élie. C'est sans doute pourquoi il lui laissa l'initiative de leur premier baiser quatre jours plus tard dans l'Englischer Garten, près du Monopteros, un panthéon miniature, sous une bruine glacée.

« Es-tu juif ? demanda-t-elle quand ils eurent terminé leur affaire en veillant, par respect mutuel, à ne pas s'essuyer la bouche.

— Un peu.

— C'est ce que m'avait dit Harald. Moi aussi, figure-toi, je suis juive, presque complètement. »

Elle sourit. C'était une bonne entrée en matière pour un deuxième baiser dont Élie fut, cette fois, le maître d'œuvre. Il y eut un troisième baiser et beaucoup d'autres.

Élie Weinberger avait préparé sa phrase mais les mots peinèrent à traverser ses lèvres :

« Il y a longtemps que je t'aime… si longtemps…

— Moi aussi. Mais, dans ma situation, c'était compliqué de faire le premier pas. J'attendais que tu le fasses.

— Timide comme je suis, nous aurions pu attendre des années. »

C'était la première fois que, sa mère mise à part, une personne regardait Élie avec ravissement, admiration. Il surnomma Elsa « l'émerveillée ».

Élie était lui-même émerveillé. S'il est toujours moins dangereux de s'aimer soi-même, découvrait-il, rien ne vaut d'aimer quelqu'un qui vous aime.

## 16

## *Le jour où le Juif errant commença son périple*

GALICIE, 1918. Le pogrom n'est pas une calamité pour tout le monde. C'est aussi une fête comme il y en a toujours eu, en l'honneur du vin, de la bière, du cochon. « Vous n'avez rien à faire ici ! » criaient les bouffeurs de Juifs, avec des ricanements grimaçants, bave aux lèvres et manches de pioche à la main.

En ce temps-là, les Juifs d'Allemagne étaient certes mieux lotis que les Juifs de Russie, d'Ukraine, de Pologne où les pogroms battaient leur plein, tuant, à l'époque, quelque 150 000 personnes. Quand il s'agissait de casser du Juif, tout le monde s'y mettait, l'armée blanche contre-révolutionnaire, l'armée rouge communiste, l'armée régulière polonaise. Sans parler de la populace.

Sur la route qui menait à Horodok, un petit homme avec une barbe blanche et une casquette noire sur le crâne marchait ce jour-là dans la neige fraîche et molle. Il semblait produire un effort surhumain pour en extraire son pied qui s'enfonçait à chaque pas. Il s'appelait Mochè Kantor et venait de Lvov, l'une des villes du monde les plus maltraitées par l'Histoire et qui changea souvent de nom, de nationalité. Jadis appelée Lemberg ou Léopol, tour à tour galicienne, polonaise, autrichienne, elle deviendrait plus tard soviétique puis ukrainienne, mais elle resta longtemps juive.

Âgé de quarante-sept ans mais en paraissant au moins vingt de plus, Moché Kantor était l'archétype du Juif ashkénaze de Lvov, tout de noir vêtu, l'air sombre et l'œil qui frisait, toujours à raconter des blagues, la tête baissée, comme si c'était péché. « Si Dieu avait voulu que je sois triste, aimait-il dire, il m'aurait fait goy. » En ce temps-là, la ville comptait l'une des plus importantes communautés juives du vieux continent avec cinquante synagogues, un ghetto et plus de cent mille personnes, soit un tiers de la population de la ville.

Sur sa barbe givrée, fouettée par le vent du Nord, il y avait des taches de sang, de cervelle, des morceaux de peau. Moché Kantor ne les avait pas vus ; il n'était pas du genre à se mirer dans la glace. Pour un peu, il aurait pu passer pour un grand criminel portant sans vergogne sur lui les preuves de son forfait. Il avait le regard volontaire, les mâchoires serrées, le visage marqué des assassins professionnels. Il revenait du pogrom, c'est-à-dire de l'Enfer.

*

Le dernier jour du pogrom géant qui s'était déroulé du 21 au 23 novembre 1918, à Lvov, Moché Kantor rentrait d'un voyage à Jovkva où il avait livré neuf paires de chaussures réparées et ressemelées à un pensionnat de garçons. Il en avait profité pour dormir chez sa mère qui tenait une petite épicerie-pâtisserie sur la place centrale de Vicheva Veche, avec des spécialités de mandelbrot, gâteaux secs aux amandes, de strudels aux pommes. Elle l'avait encore gavé de plats yiddish, supplié de quitter son épouse et lui avait proposé de s'installer avec elle. En réponse, il avait répété sa plaisanterie habituelle : « Si Dieu a créé la femme juive, c'est parce qu'il ne peut pas s'occuper de tout. »

Arrivé dans les faubourgs de Lvov, l'après-midi, Mochè comprit ce qui s'était passé à l'odeur âcre de mort et de brûlé qui empestait l'air, tandis que montaient des cris, des lamentations. Après avoir, la veille, bouté l'armée ukrainienne hors de la ville, les troupes polonaises s'étaient donné du bon temps en organisant, pendant quarante-huit heures, avec l'aide d'une partie de la population, une vaste « fête aux Juifs », accusés de sympathie pour l'Ukraine.

Le pogrom est une invention des Russes. Dans leur langue, *grom* signifie foudre. Comme elle, il doit dévaster, tétaniser. L'art du pogrom galicien est à la fois tragique et joyeux. Il ne consiste pas seulement à tuer, piller, tabasser, mais aussi à folichonner en dénudant les hommes et les femmes, surtout, qui se tenaient, ahuries, dans la position du fœtus quand on ne les promenait pas dans les rues en les tirant par les cheveux.

C'était très amusant : la preuve, les enfants adoraient ça. Il n'y a pas de pogrom sans rigolade. Pour qu'il soit parfait, il faut que s'élève de la foule déchaînée le rire du salaud, le même que celui des diablotins dansants qui, à coups de fourche, poussent les pauvres hères dans le Feu éternel. Certes, le pogrom n'est pas drôle pour tout le monde. Quand on est du mauvais côté, comme l'était Mochè Kantor, il terrifie. D'ailleurs, notre cordonnier frissonnait de toute sa chair.

Mais ce fut moins le rire de la foule qu'un mauvais pressentiment qui avait amené Mochè Kantor à presser le pas. Il était inquiet pour son épouse Golda et leurs deux enfants. Plus il s'en rapprochait, plus vite il courait en direction de leur petite maison jaune, située non loin de la Grande Synagogue de la Rose d'Or, chef-d'œuvre de l'art gothique, disparue depuis.

« Golda ! Golda ! »

Avant même de franchir sa porte, Mochè Kantor appela sa femme et ses enfants. Pas de réponse. Dans un désordre indescriptible, son logis avait été pillé, saccagé. Golda l'attendait dans la cuisine qui, pour une fois, ne sentait pas le beurre cuit ni la pâte feuilletée mais la poire blette, la pourriture sucrée. Elle était assise par terre, contre l'évier, un couteau à la main, au milieu d'une mare de sang noir. Sa tête ressemblait à une tomate sanglante après une attaque de grêlons. Elle avait été tuée à coups de pied, gourdin, barre de fer, mais elle s'était défendue comme une chienne. Il y avait du sang sur la pointe du couteau. Il était fier d'elle.

Mochè Kantor se jeta sur Golda et l'embrassa avec effusion comme si elle était vivante, ce qui expliquait les résidus qui restèrent quelque temps, par la suite, sur sa barbe, ses habits noirs. Il ne pleura pas. Il s'assit à côté d'elle et lui parla d'une voix douce. Tout irait bien. Il s'occuperait de leurs deux enfants : à quinze et dix-sept ans, ils étaient finis, pour ainsi dire. Il prit la main de feu son épouse et dit :

« Tu peux me faire confiance, Golda. Ça va aller. Ces dernières années, je pouvais me permettre de rêvasser parce que tu étais auprès de moi et que tu veillais sur tout. Maintenant que tu es partie, je vais tout prendre en main. Je vais de ce pas retrouver nos enfants et, après, je m'occuperai de toi avec eux, mon amour, j'irai t'acheter un linceul, on te lavera, on te préparera, avant de réciter ensemble, avec les voisins, le Kaddish devant toi… »

Pour se donner du courage, Mochè but deux verres de schnaps. Puis, jusqu'à la tombée du soir, il chercha et appela ses enfants dans tout le quartier. Au milieu des gens qui couraient dans les rues en tous sens, il réussit l'exploit de ne pas se faire remarquer. Il est vrai qu'il avait pris soin de rentrer sa barbe sous sa veste pour faire goy.

Depuis toujours, Mochè avait une particularité, héritée de son père qui la tenait de son grand-père maternel : rasant les murs, les yeux baissés, il avait tendance à passer inaperçu. Un *shlèmil*, une sorte d'homme invisible que personne ne reconnaissait jamais. L'une des phrases qu'il avait le plus entendue, dans sa vie : « Ah, tu étais là ? C'est bizarre, je ne t'avais pas vu. » Il ne fut donc pas pris en chasse par les *mechougas*[1] et les *kelevs*[2] à tête de hyène qui sillonnaient Lvov en quête de Juifs à défoncer, dépouiller.

Il découvrit son premier fils, la tête tuméfiée, la mâchoire à moitié arrachée, gisant sur un trottoir, et le second non loin de là, pendu à un crochet, au-dessus d'autres cadavres. Rentré chez lui pour chercher une brouette afin d'y ramener les corps de ses enfants, Mochè tomba, en sortant, sur une bande d'une dizaine de gamins âgés de dix à treize ans, qui commencèrent à tirer sur ses habits pour le faire chuter, en lui mordant les bras, en lui faisant des croche-pieds.

1. Fous.
2. Chiens vicieux

« *Pishers*[1] ! » gueula-t-il.

Que lui feraient-ils quand il serait à terre ? L'un d'eux, un loucheur, était armé d'une barre de fer. Mochè Kantor la lui arracha des mains et le frappa en pleine figure avant de s'attaquer aux autres. Les gamins tombaient comme des mouches quand, soudain, ceux qui restaient valides finirent par décamper.

Le loucheur se tortillait sur le trottoir comme une bête saignée, avec des convulsions d'agonie et des filets de sang qui coulaient du nez, des oreilles.

« Assassin ! » hurlèrent les gamins.

Mochè s'enfuit dans la brume du soir, la barre de fer à la main et les gamins à ses trousses. Il finit par les semer après s'être retourné à plusieurs reprises pour les menacer. Quand il se sentit hors de danger, il abandonna son arme et s'endormit dans le froid, sous un porche. Au lever du jour, il prit la route d'Horodok. Il neigea une petite heure, de ces flocons doux et grisants de novembre qui endormaient tout, les arbres, les toits, la nature, sous leur flanelle blanche.

*

Passant devant l'église de l'Exaltation de la Sainte-Croix d'Horodok, Mochè Kantor choisit d'entrer. Il n'aurait pu dire pour quoi : prier, réfléchir, reprendre des forces, peut-être pour ces trois raisons à la fois. Disons qu'il avait suivi ses pas. C'est ainsi qu'il fit la connaissance du père Glushko qui, le voyant seul et au dernier rang dans la nef, vint engager la conversation.

1. Inexpérimentés, pisseurs au lit.

Le maître des lieux avait un corps étrange : maigre en haut, le visage émacié, les joues creuses, et gros en bas, avec un ventre qui tenait à peine dans sa soutane. Il y aurait eu dans cette difformité quelque chose d'inquiétant si le curé n'avait inspiré confiance, d'emblée, avec son regard plein de bonté.

Quand Mochè lui dit qu'il venait de Lvov, le père Glushko lui demanda des nouvelles du pogrom dont il savait qu'il avait commencé trois jours plus tôt. Après avoir entendu son récit, le prêtre lui proposa de rester quelques jours avec lui avant de retourner à Lvov.

« N'y pensez pas ! s'exclama Mochè. Revenir là-bas pour être traîné en justice et condamné à mort comme tueur d'enfant alors que je n'ai fait que de me défendre, jamais de la vie ! Oh, mille excuses, mais c'est vrai, j'oubliais : les Juifs n'ont pas le droit de se défendre. Quand ils osent résister, c'est considéré comme une agression. En fait, ils ne viennent sur terre que pour se faire chouriner, étriper. C'est leur destin. Ce ne sera pas le mien. »

Mochè baissa la voix, comme s'il confiait un grand secret.

« Ce n'est plus chez moi, Lvov. Je ne pourrais pas supporter le regard des gens, leur sournoiserie, leurs immondes condoléances après qu'ils ont tué ma femme et mes fils. Ils me les ont pris et, maintenant, ils vont me faire des grands sourires en m'apportant leurs chaussures à réparer. Si j'y retournais, j'aurais envie de tuer tout le monde.

— Je vous comprends, dit le père Glushko, les larmes aux yeux.

— Un proverbe de chez nous dit : “La vie est une plaisanterie. Alors, par pitié, laissez-moi en profiter jusqu'au bout." Maintenant que la plaisanterie est terminée, je sais qu'il faut partir. »

Il ne savait pas où. En Allemagne où il avait de la famille, à moins que ce ne soit en Italie, en Argentine, en Espagne, aux États-Unis. Le père Glushko le conduisit au presbytère, lui présenta sa servante, une vieille édentée à tête de mort, puis l'emmena dans la chambre d'ami où trônait une bibliothèque qui débordait de livres.

« Ça tombe bien, dit Mochè. La nuit, je ne dors presque pas, je lis.

— Maintenant, faites comme chez vous », dit le curé.

Mochè Kantor passa la moitié de la matinée à lire *Le Père Goriot* de Balzac, l'autre à se remémorer sa femme et ses enfants. Bientôt, une bonne odeur d'oignons cuits envahit la maison. À midi et demi, la gouvernante sonna la clochette. C'était l'heure du déjeuner.

La gouvernante avait préparé le plat préféré du curé : des yeux de veau. Le patron d'un abattoir de la région, l'un de ses meilleurs paroissiens, lui en donnait régulièrement. Il n'arrivait pas à les écouler.

« C'est pourtant succulent, dit le curé en se pourléchant. J'en sers aux incroyants, aux malades, aux atrabilaires. Quand on a mangé ça, il est impossible de ne pas tomber en extase. »

Mochè était horrifié mais réussit à ne pas le montrer quand il demanda la recette de ce plat dont le curé prétendit qu'elle était de son invention : une fois les yeux blanchis, le cristallin et le corps noir en étaient retirés et remplacés par une farce de cèpes ; ensuite, le tout était braisé au vin blanc avant d'être servi avec un ragoût d'oignons et de pommes de terre.

Au presbytère, tous les jours sauf le vendredi, c'était

viande ou, pour être plus précis, abats. Mochè avalait par politesse avec un air faussement ravi, le cœur au bord des lèvres, les fricassées de couilles d'agneau au schnaps, la cervelle de veau à la sauce polonaise (beurre, moutarde, œufs durs écrasés), les tripes au bouillon et le rôti de palette coupé en petits morceaux. Jamais il n'eut autant envie de vomir pendant les repas.

N'était le goût du père Glushko pour la viande, Mochè serait sans doute resté plus longtemps chez lui. Il aimait ce curé qui aimait les Juifs. Un homme cultivé, ouvert, tolérant. Le jour de la cervelle de veau au beurre, par exemple, il s'était enquis si son invité respectait intégralement la cacherout ou s'il consentait parfois à enfreindre des interdits alimentaires comme celui du mélange des produits carnés et laitiers.

« Je suis un Juif, avait répondu Mochè. Je m'adapte donc à tout. »

Au bout de six jours, n'en pouvant plus, rempli jusqu'aux amygdales de chairs mortes, de plaies saignantes, il décida de reprendre la route en direction de Munich où il avait des cousins issus de germains, c'était le cas de le dire. Le curé lui donna l'adresse d'un collègue qui l'aiderait à passer la frontière polonaise et d'un autre qui organiserait son accueil en Allemagne, le temps qu'il retrouve sa famille, avec une lettre à l'attention de chacun d'entre eux.

## 17

## *Un chien nommé Adolf*

MUNICH, 1918. Depuis l'avènement de la République libre de Bavière, tout le monde dansait tout le temps. Le gouvernement de Kurt Eisner s'en était ému, qui avait évoqué, pour la condamner, une « rage de la danse ». Une rage joyeuse et sombre.

Quand il rentra de la guerre dans les derniers jours de novembre, le lieutenant-colonel Karl Gottsahl fut frappé par le chaos qui régnait en ville, même dans sa propre entreprise, LL, en situation de faillite, où les travailleurs ne se contentaient pas de danser pendant les heures de travail mais parlaient, parlaient…

Homme d'ordre, Karl Gottsahl ne supportait pas le régime de révolution permanente qui, à Munich, mettait tout sens dessus dessous, jusque dans son propre foyer où Ingrid, sa femme, et Harald, son fils aîné, ne cessaient de contester son autorité, qu'ils qualifiaient de tyrannique. « Ce n'est pas en coupant les têtes, disait-il, que l'on fera avancer le monde plus vite. »

Soucieux de ne pas importuner, Karl usait souvent, non sans malice, de préambules des faux modestes : « Si je peux me permettre, le lapin n'est pas assez cuit…

À mon humble avis, il va falloir songer à réparer la toiture.

— Ne te gêne pas, Karl, tu as le droit de t'exprimer, s'amusait Ingrid. Après tout, tu es encore chez toi.

— Merci de me le dire. »

À l'usine, la situation n'était pas meilleure. Entre deux réunions du conseil d'ouvriers, chacun avait décidé de devenir quelqu'un et personne n'écoutait Karl Gottsahl quand il se hasardait, lui le grand patron, le sauveur de l'entreprise, à émettre un avis, à donner une instruction. Au train où allaient les choses, il faudrait bientôt songer à mettre la clé sous la porte.

Sa parole ne comptant plus, Karl éprouvait le besoin d'avoir auprès de lui quelqu'un qui fût à sa botte. Un soir, il revint à la maison avec un terrier blanc. Le chien souffrait d'un complexe d'abandon et le suivait partout, jusque devant la porte des toilettes. Ses yeux étaient pleins de détresse, de soumission. Il baptisa l'animal Adolf.

Le hourvari munichois avait quelque peu compliqué les relations entre Karl Gottsahl et Helmut Weinberger. « Tu aimes Kurt Eisner parce qu'il est juif, avait dit le premier au second. Crois-tu qu'il soit bien raisonnable que des Juifs nous gouvernent ? Est-il sain qu'une petite minorité dirige un pays comme le nôtre, avec l'antisémitisme qui monte ? »

Helmut Weinberger n'avait rien répondu, comme s'il donnait raison à son ami. Puis il avait laissé tomber :

« Je ne suis pas juif.

— Tu l'es aux yeux des autres. Donc, tu l'es, Helmut. Jusqu'à la moelle des os. »

Antibolchevique, Karl Gottsahl redoutait surtout que

les communistes, en force à Berlin, n'aient raison du pouvoir faiblard de Kurt Eisner. Certes, le Premier ministre autoproclamé de Bavière se démenait, donnant le droit de vote aux femmes, réduisant le temps de travail à huit heures quotidiennes, laïcisant les écoles ; mais les assiettes et les marmites restaient vides. Si bien intentionné fût-il, il n'était pas à la hauteur.

Aux élections de l'Assemblée constituante de 1919, le parti de Kurt Eisner se ridiculisa avec un score de 2,5 % des voix, loin derrière le SPD et le Parti populaire bavarois qui allaient gouverner ensemble, tandis que l'extrême gauche enregistrait aussi un échec cinglant. Les urnes ne leur réussissant pas, les communistes tentèrent donc, à Berlin comme à Munich, de prendre leur revanche dans des combats de rue. Le sang coula.

C'est après l'assassinat de Kurt Eisner, le jour de sa démission, par un jeune officier d'extrême droite, que Karl Gottsahl retrouva son ancien camarade du régiment List, Adolf Hitler. Pour faire plaisir à Helmut Weinberger, bouleversé par ce meurtre, il l'avait accompagné aux obsèques de feu le Premier ministre bavarois quand il reconnut, soudain, le petit caporal au teint livide parmi les soldats de réserve qui formaient une partie du cortège funéraire.

Mille pardons, c'est crime de le dire, et ses meilleurs biographes préfèrent passer ce fait sous silence : Adolf Hitler était bien là, au milieu d'une foule en pleurs, pour rendre un dernier hommage à Kurt Eisner, ce prophète juif qui prétendait croire à « la puissance des idées » et « œuvrer dans un esprit d'humanité ». Un film et une photo attestent sa présence, on ne peut pas le rater.

Ivre de postérité, Hitler avait déjà la posture d'un

homme d'État et regardait le ciel gris, les yeux plissés, comme s'il posait pour l'Histoire, rappelant, à certains égards, ces Français qui, après sa mort, se prenaient pour Napoléon.

Hitler portait deux brassards, l'un noir en signe de deuil, l'autre rouge, couleur de la révolution eisnerienne. Quand les compagnons de guerre se retrouvèrent après, au cimetière de l'Est, le caporal ne s'intéressa qu'au chien de Karl qui lui faisait la fête. Il semblait que le terrier et lui se connaissaient depuis longtemps.

Karl Gottsahl invita Adolf Hitler à déjeuner le samedi suivant « en famille », et c'est en regardant le chien que ce dernier répondit, l'air farceur mais la voix gutturale : « Avec grand plaisir. Je viendrai seul. »

# 18

## *Les pigeons sont des légumes*

MUNICH, 1919. Outre Adolf Hitler, les Gottsahl recevaient, ce jour-là, un autre célibataire, leur ami alcoolique Gustav Schmeltz, colonel de réserve, et les Weinberger avec leurs enfants. C'était une journée de février, autant dire moche et pluvieuse.

Tout le monde s'extasia d'abord devant l'aquarelle d'Hitler représentant le château de Neuschwanstein de Louis II de Bavière, qui trônait au-dessus de la cheminée du salon. « C'est la musique de Wagner qui a inspiré ce chef-d'œuvre architectural, dit le caporal. Le roi en était fou ! »

On monta ensuite dans la chambre conjugale pour admirer une toile et une autre aquarelle d'Hitler. Deux natures mortes assez banales, comme toutes celles qu'il avait peintes à la chaîne depuis 1909. Elles ne provoquèrent pas les mêmes cris d'admiration.

Karl Gottsahl le prit à part.

« Tu devrais te remettre à la peinture.

— Je continue. Mais j'ai d'autres projets. »

Croix de fer de 2$^{e}$ classe et de 1$^{re}$ classe, croix du mérite militaire de 3$^{e}$ classe, blessé de guerre, victime d'une attaque au gaz moutarde, Adolf Hitler fut placé à la droite de la maîtresse de maison. La place du héros du jour, celle du grand-oncle rasoir qui raconte sa guerre à chaque fête de famille.

Le petit caporal se rengorgeait, le terrier de Karl Gottsahl près de lui, à ses pieds, puis sur ses genoux. Tout en le caressant, il lui jetait de temps en temps des regards émus, humides. Quand il apprit que l'animal s'appelait Adolf, il demanda si c'était en son honneur. Son hôte le lui confirma : « Sur le front, j'ai pu observer, grâce à toi, cher ami, que les chiens sont les meilleurs amis possibles. Les plus dévoués. Les plus fidèles. »

Avec l'aide de sa cuisinière, une vieille sourde aux oreilles pointues, Ingrid Gottsahl avait préparé des pigeons aux épices pour une douzaine de personnes, soit six bêtes en tout. Comme les pénuries alimentaires avaient fait disparaître des épiceries la plupart des ingrédients habituels, il avait fallu que la maîtresse de maison invente. C'était une championne de l'improvisation.

Après la salade de pommes de terre aux oignons, Ingrid donna la recette de son plat principal sur le ton solennel qu'elle employait pour les choses importantes, Dieu, la patrie, la littérature, la cuisine. D'abord, laisser les pigeons à tremper pendant trois heures dans une marinade de vin rouge avec de la cannelle, des clous de girofle, du poivre concassé, des échalotes émincées, des gousses d'ail hachées menu. Après ça, poêler la farce : les foies des oiseaux avec des noisettes, des champignons, des morceaux de vieilles pommes en l'air. Ensuite, ce godiveau fourré dans la bedaine des pigeons, mettre le tout à cuire dans une grosse marmite qu'on ne peut porter qu'à deux et qui semble contenir, une fois le couvercle soulevé, tout le bonheur du monde, si l'on en juge par le concert de soupirs d'extase que provoqua, ce jour-là, son fumet.

« Dépêchons-nous de manger, lança Gustav Schmeltz. C'est toujours ça que les Français n'auront pas !

— Désolé, chuchota Adolf Hitler à l'adresse de la maîtresse de maison, je suis végétarien.

— Mais enfin, s'amusa Ingrid, même s'ils volent, les pigeons ne sont jamais que des légumes. En plus, ils sont morts pour vous. Il faut leur faire honneur.

— Allons pour les légumes ! »

Le caporal Hitler accepta d'en prendre une petite portion et, quand il l'eut terminée, en redemanda.

« Je n'aime pas manger de la souffrance, observa-t-il, mais là, franchement, on ne peut pas dire que ces bêtes aient souffert pour rien. Ce plat est épatant ! »

Toute la tablée applaudit Ingrid, la reine des pigeons, qui appela Hilda, sa cuisinière, émue aux larmes, pour partager, avec elle, un hommage unanime.

« Venez que je vous embrasse », dit Hitler en se levant.

Après un baiser bruyant, caoutchouteux, il reprit avec une gravité non dénuée d'ironie :

« Je ne veux pas remuer le couteau dans la plaie, mais il faut savoir que les pigeons sont des animaux extrêmement intelligents.

— Ils n'en sont que meilleurs », s'amusa Ingrid avant d'essuyer délicatement ses lèvres avec une serviette de table.

Bien qu'aucun historien ne se soit encore penché sur la question, c'est sans doute Ingrid Gottsahl qui transmit à Adolf Hitler sa passion pour les pigeonneaux farcis, en particulier quand, préparés selon la recette des « Petits poussins à la Hambourg », leur ventre vidé était empli d'un hachis de langue, foie, pistaches. Plus tard, ce mets délicat ferait partie, avec les saucisses bavaroises, des quelques écarts du Führer à son régime végétarien [1].

La conversation roula sur la politique. Le caporal, que Karl Gottsahl avait invité par pitié, parlait comme s'il représentait le peuple allemand et ne faisait pas mystère de ses ambitions pour l'Allemagne, ni pour lui-même. C'est l'avantage de la jeunesse : à vingt-neuf ans, Adolf Hitler croyait déjà tout savoir.

Il n'y avait plus rien chez lui de cette timidité maladive qui, peu auparavant, creusait un gouffre entre les autres et lui. Au sortir de la guerre, il avait découvert la force de son verbe qu'amplifiait une voix qui semblait venir d'outre-tombe, une voix de Jugement dernier. Il commença par justifier son attitude de « compromis » des dernières semaines : s'il avait pu sembler favorable à la « République libre » de Kurt Eisner, c'était par tactique. Son silence ne valait pas approbation. Il avait seulement souhaité que l'expérience se déroulât dans sa pureté de cristal.

Désormais, après les trois mois d'existence du régime social-démocrate indépendant, la population pouvait en dresser le bilan : ç'avait été un gouvernement de Juifs pour les Juifs, qui avait souillé et dépouillé l'Allemagne pour la livrer aux bolcheviques qui se préparaient à prendre le pouvoir à Berlin, avec le soutien de l'Union soviétique.

1. Avant de connaître la célébrité aux États-Unis, la cuisinière Dione Lucas était chef dans un grand hôtel de Hambourg où Hitler avait ses habitudes. Dans son livre de recettes, *The Gourmet Cooking School Cookbook*, elle écrit à l'entrée « Petits poussins à la Hambourg » : « Je ne veux pas vous gâcher l'appétit pour les pigeonneaux farcis, mais cela vous intéressera peut-être de savoir que c'était un grand favori de M. Hitler. »

Aux Juifs, Hitler reprochait tout. Leur arrogance, leurs trafics, leur cupidité, leur haine de l'Allemagne, et beaucoup d'autres choses. Il les qualifiait de parasites, de sangsues. « Ce ne sont pas des citoyens allemands, disait-il. Il faut les mettre à l'écart, hors d'état de nuire, les bouter hors de nos frontières. »

Que l'on permette une incise à l'auteur. Tous les historiens s'accordent sur ce fait essentiel qui pouvait expliquer les nombreuses grimaces ou colères d'Hitler : il avait des gaz. Wagner de la flatulence, il lâcha ainsi, ce jour-là, un pet malodorant, puis un deuxième, et encore un autre, tout en parlant d'un ton dégagé, pendant que ses voisins de table étaient au bord de la suffocation.

« Le Juif est un bacille qu'il faut éliminer, poursuivit-il, utilisant une formule que l'on retrouverait plus tard dans ses grands discours. C'est une question de vie ou de mort pour notre civilisation. Une médication d'urgence s'impose. Si nous laissons faire, notre race mourra d'empoisonnement. »

Hitler rappela qu'en 1516 le duc Guillaume IV de Bavière avait promulgué le célèbre décret de la pureté qui stipule que trois ingrédients seulement pouvaient être utilisés pour le brassage de la bière : le houblon, l'orge et l'eau. Voilà pourquoi la bière bavaroise est, de loin, la meilleure du monde. Pour que la race allemande se protège des mélanges avec les Juifs qui lui pourrissent l'âme, le corps, il fallait une loi sur la pureté du peuple.

Il y eut un silence. Hitler prenait sa respiration entre deux éructations, et il fallut une femme pour pousser enfin le cri d'indignation qui s'imposait. Cette femme, c'était Magdalena Weinberger, la mère d'Élie.

« Je ne suis pas juive, s'indigna-t-elle, la voix tremblante, les joues rouges, mais permettez-moi de vous dire que vous n'avez pas le droit de jeter un tel opprobre sur une partie de notre population qui est aussi allemande que vous. »

Ingrid Gottsahl fit signe aux enfants d'aller jouer dans les chambres. Ils reviendraient plus tard pour le dessert. Élie et Harald restèrent.

« Vous ne me ferez pas taire, répondit Hitler d'une voix monocorde. Je suis allemand, madame, et les Allemands ont encore le droit de parler, même si des populations étrangères, de plus en plus nombreuses, cherchent à les en empêcher. Par lâcheté, nous avons accepté pendant des siècles l'invasion de notre sol par des races diverses, radicalement différentes de la nôtre. La pire est la juive. Elle est derrière toutes les séditions. Je suis sûr que vous êtes juive, malgré tout.

— Je vous mets au défi de le prouver, monsieur Hitler !

— Les Juifs adorent se cacher sous les traits des goys pour mieux nous combattre, nous humilier, n'est-ce pas, madame...

— Madame Weinberger ! »

Sitôt son patronyme proféré, Magdalena se rendit compte de sa bourde et mit sa main devant sa bouche en riant nerveusement.

« Ah ! vous voyez, s'amusa Hitler, prenant son public à témoin. C'est exactement ce que je vous disais : si vous n'êtes pas juive, vous êtes enjuivée. Par le mariage ou autre chose. Mais vous n'êtes plus allemande.

— Qu'en savez-vous ? »

D'un léger signe de la tête, Helmut Weinberger signifia à son épouse qu'il valait mieux baisser le ton, ce à quoi elle se plia volontiers, les yeux papillotant.

« Mon mari et moi, reprit-elle, nous nous sommes toujours sentis allemands, rien qu'allemands.

— Vous plaisantez, madame. Le Juif ne s'assimile jamais, il vit sa vie en suivant ses propres règles avec un seul objectif : prendre le pouvoir et nous exploiter jusqu'au trognon. Il s'imagine qu'il est issu du peuple élu et qu'il doit asservir les autres, voire les exterminer. Où qu'il soit, il n'est nulle part chez lui et nulle part étranger. C'est un conjuré héréditaire qui, avec les siens, contrôle la finance internationale et rêve de domination universelle. Il fait bloc, il ne se dissout jamais dans les autres races. Je viens de relire *Le Juif selon le Talmud* d'August Rohling. Il montre bien que l'enseignement talmudique n'est qu'un ramassis de préceptes immoraux, criminels...

— Qu'est-ce qui vous permet de le dire ? demanda Magdalena sur un ton qui semblait conciliant en regardant Helmut dans les yeux.

— August Rohling rappelle que, selon le Talmud, il est juste d'exterminer un hérétique. Les rabbins vont jusqu'à prétendre que tuer des impies, qu'ils soient chrétiens ou païens, c'est offrir un sacrifice à Dieu.

— Monsieur Hitler, croyez-vous vraiment ce que vous dites ? »

Le caporal eut un geste de mépris et se lança dans des considérations physiques à propos des Juifs. C'est alors que Magdalena eut ces mots dont Hitler se souviendrait longtemps :

« Vous ne vous rendez pas compte que vous parlez des Juifs comme les Français parlent des Allemands. »

Après s'être excusée d'évoquer ce sujet à table, Magdalena Weinberger raconta alors l'histoire du docteur Bérillon, professeur, spécialiste de l'hypnose, disciple du grand Charcot, qui tenta d'établir, au début de la guerre, la différence entre le « poilu » gaulois de race celtique et le soldat « boche » de race germaine, être dégénéré, d'une laideur repoussante, répandant une odeur fétide, affecté de pieds plats et d'un « développement exagéré de la région fessière ». « Il y a plus de différences entre un Français et un Allemand, assurait-il, qu'entre un Blanc et un Nègre. »

Ses expériences permirent à Edgar Bérillon de prouver « scientifiquement » que l'urine teutonne est bien plus toxique que la gauloise : pour tuer un kilo de cobayes, il avait suffi de trente centimètres cubes d'urine allemande contre quarante-cinq d'urine française. L'Allemand produisant, selon lui, plus d'urine que le Français, il l'élimine comme il peut, notamment par la sueur. C'est pourquoi le médecin affirmait qu'il « urine par les pieds ».

« Certains ne disent-ils pas ça aussi des Juifs ? railla Magdalena. Leur odeur est un grand poncif... Elle leur permettrait, à en croire les antisémites comme Drumont, "de se reconnaître entre eux" ! On se pince ! »

Le docteur Bérillon, poursuivit-elle, a également établi la « suractivité anormale de la fonction intestinale » des Allemands et leur « excrétion exagérée de matières fécales ». Selon lui, deux fois plus que les Français en moyenne, avec des intestins qui, en conséquence, comptent trois mètres de plus. Leur « polychésie », terme pseudo-médical désignant cette hyperdéfécation, oblige les Teutons à se soulager sans cesse et partout, nouvel exemple de « l'infériorité physique et psychologique de la race allemande », qui les handicapait en temps de guerre quand il faut tenir ses positions pendant des heures, face à l'ennemi.

Magdalena se tourna vers Hitler.

« Prenez garde à ne pas devenir pour les Juifs ce que Bérillon est pour les Allemands. »

Elle avait mis Adolf Hitler hors de lui. Il ruminait, fulminait en poussant des grognements. Il se jeta sur le dessert avec une rage vengeresse. Après avoir englouti en silence deux parts de « Nid d'abeilles », un gâteau brioché fourré à la crème, il se leva précipitamment, enfila son pardessus et serra la main des convives, sauf celle de Magdalena.

« Vous pouvez être contente, grommela Gustav Schmeltz à l'adresse de Magdalena. Vous avez tout gâché ! »

Karl Gottsahl raccompagna Hitler jusqu'à la porte du jardin. Il ne rentra dans la maison que dix minutes après. Pourquoi était-il resté aussi longtemps, malgré le froid, à parler avec le caporal ? Il lui commanda une toile et, surtout, s'excusa, confia-t-il peu après à son épouse qui le dit à son fils Harald lequel le répéta à son ami Élie. « Cet homme pense faux, avait-il expliqué, mais il y a chez lui je ne sais quoi qui m'émeut. »

Même s'il avait dit à sa mère qu'il était fier d'elle, Élie ne supportait pas l'idée que les familles Weinberger et Gottsahl puissent se brouiller un jour. Après quelques explications de gravure, elles finiraient par oublier de se souvenir de l'incident.

## 19

## *L'huile sur le feu*

MUNICH, 1919. Le lundi suivant, après une réunion de direction au quatrième étage du siège de LL, Karl Gottsahl prit à part Helmut Weinberger pour lui dire son agacement. Après le scandale Chamberlain, c'était la seconde fois que Magdalena élevait la voix contre l'un de ses invités.

« Cet Hitler n'a dit que des choses insupportables, protesta Helmut.

— J'en conviens. Mais Magdalena aurait pu lui répondre en restant courtoise. Je n'aime pas qu'on vienne hurler chez moi, tu peux comprendre ça.

— Dans le genre braillard, ton caporal n'était pas mal non plus.

— Je te le concède aussi. Il faut être malin. Cet homme commence à avoir un public. Il faut essayer de le séduire, de le changer, de le retourner. »

Karl Gottsahl posa sa main sur l'épaule d'Helmut Weinberger.

« Nous pensons la même chose. Mais notre patrie est en danger, il faut chercher à rassembler au lieu de diviser. En tant que commerçants, notre rôle ne consiste pas à faire de la politique, mais à vendre nos robes, nos chemises, notre lingerie féminine. »

La discussion se termina avec un schnaps à la mirabelle et des considérations sur l'alcool qui, après la guerre, leur faisait toujours autant de bien que dans les tranchées.

Le soir, Helmut rapporta à Magdalena son échange avec Karl. Elle s'indigna.

« Mais pourquoi invite-t-il toujours des antisémites ?

— Allons, tu sais bien que Karl n'est pas antisémite.

— Je le sais. Mais on dirait qu'il trouve normal que soient proférées chez lui des saloperies sur les Juifs.

— Il ne veut pas mettre d'huile sur le feu, murmura Helmut.

— *Autsch !* Pas d'huile sur le feu ! Pourquoi avez-vous tout le temps cette phrase à la bouche ? Ce n'est pas en écoutant poliment des gens comme cet Hitler que l'on en finira avec l'antisémitisme.

— On n'en finira pas non plus en gueulant plus fort qu'eux ! Ils prétendent promouvoir un antisémitisme de raison et non pas de passion, comme celui des pogroms. Prenons-les à leur propre jeu.

— Tu paries donc sur l'intelligence, soupira Magdalena. Eh bien, on est mal partis. Je ne crois pas que l'intelligence soit la principale caractéristique de l'espèce humaine. Elle n'est rien sans la force. Défends-toi, je t'en supplie. Tu es trop optimiste, trop confiant, trop naïf. »

Magdalena eut alors un grand sourire.

« Et c'est aussi pour ça que je t'aime. »

Leur fils Élie faisait visiter la maison à Elsa qu'il venait de présenter à sa famille. Entendant la fin de leur conversation, il poussa la porte et demanda :

« Ne pensez-vous pas que vous avez raison tous les deux et que, face à l'antisémitisme, il n'y a pas une seule stratégie ? Qu'il y a une manière douce et une manière forte, selon les circonstances ?

— Il y a une troisième solution : partir, dit Magdalena, mais ton père n'est pas encore tout à fait décidé. J'aimerais tant qu'on parte. Je ne sentirais plus cette oppression, cette grosse boule poisseuse qui pousse dans mon ventre.

— Ma vie est ici, objecta Élie.

— La vie est partout, ailleurs qu'ici, dit Elsa.

— C'est notre seul désaccord », murmura Élie.

Elsa semblait contrariée.

« Mes parents envisagent d'émigrer, insista-t-elle.

— *Ach so,* vous êtes juive ? demanda Magdalena.

— Aux trois quarts.

— Donc, vous l'êtes. Où vos parents veulent-ils aller ?

— Le plus logique serait la Palestine mais les Ottomans interdisent aux Juifs d'y revenir. Il y a bien le Kenya, le projet Ouganda. Il y a aussi l'Amérique…

— L'Amérique », répéta rêveusement Magdalena.

Magdalena posa un nouveau baiser sur la joue de son mari qui le lui rendit, tout près de la bouche. Ensuite, il soupira :

« J'aimerais bien vivre en Amérique mais ça me fendrait le cœur de quitter la Bavière, la terre où sont enterrés mes parents, mes ancêtres. Il faudrait que j'y sois forcé.

— Nous le sommes presque », murmura Magdalena, les yeux baissés.

Puis, se tournant vers Elsa :

« En tout cas, je suis heureuse que vous soyez juive. Pourquoi ne nous l'avez-vous pas dit quand vous vous êtes présentée ? »

Élie répondit à sa place :

« Parce que ça n'a pas d'importance, maman. Ni pour elle ni pour moi.

— Moi, ça me plaît, insista Magdalena. J'espère que vous allez vous marier vite. »

Les deux amoureux piquèrent un fard. En attendant, ils avaient autre chose à faire. Jusqu'à présent, Élie et Elsa avaient toujours fait l'amour dehors, à la venvole, dans l'Englischer Garten. La dernière fois, un jour où il avait plu comme vache qui pisse, ils étaient rentrés chez eux tout crottés. Le parc étant couvert de neige depuis la veille, Élie avait décidé de faire comme tout le monde, d'utiliser son lit, dans sa chambre.

Les parents Weinberger étaient invités à dîner chez des voisins et, dès leur départ, Élie entraîna Elsa dans sa chambre. Les murs avaient des oreilles, en l'espèce celles de ses deux sœurs cadettes, bientôt fascinées par les gazouillis de jardin, les coups de bélier contre la tête de lit, les lamentations des ressorts du sommier, les râles paroxystiques des deux amants au sommet de l'extase.

Après ça, il y eut dans la chambre d'Élie le silence de la mer après la tempête. Même quand il dure dix minutes, l'amour, c'est toujours de l'éternité. Il est dommage qu'après cette sensation ne dure jamais longtemps.

## 20

## *L'enfant qui avait deux pères*

MUNICH, 1919. C'est ce soir-là, dans cette chambre, que fut conçue Aviva, la fille aînée d'Élie et Elsa. Les dates correspondant, telle fut la thèse officielle, confirmée par les cheveux blonds et le nez fin du bébé, comme celui de ses parents.

Quelques mauvaises langues prétendirent néanmoins qu'Harald, le meilleur ami d'Élie, aurait pu être le père, car il n'avait jamais vraiment rompu avec Elsa : l'enfant avait la même tache mongoloïde que l'aîné des Gottsahl. De forme ronde, de couleur gris-bleu, elle était située au bas du dos, à la hauteur des reins.

Il était d'autant moins absurde de s'interroger sur la paternité d'Aviva que, pendant la période de la conception, alors qu'ils étaient censés s'être quittés, Harald et Elsa avaient été vus s'embrassant, dans une brasserie ; ils ne se cachaient même pas.

Quelque temps plus tard, Harald et Elsa étaient en compagnie du colonel de réserve Gustav Schmeltz, soûlographe notoire et parrain du dernier des enfants Gottsahl, sur une banquette de l'Hofbräuhaus am Platzl, le Palais de la Bière qui fournissait jadis la cour de

Bavière. Quand de bonnes âmes avaient fait remonter l'information jusqu'aux oreilles d'Élie, il ne sembla pas surpris outre mesure et ne prit pas la peine de la démentir.

« On ne va pas en faire une histoire ! »

Ce fut son seul commentaire. On aurait dit qu'il se fichait qu'elle eût une aventure, pourvu que ce fût avec son alter ego qui avait été le premier à servir, pardonnez cette vulgarité, dans ce corps. Il est vrai qu'Élie se demandait souvent si Harald n'avait pas quitté Elsa pour lui laisser la place. Ni l'un ni l'autre n'était du genre à revendiquer cette phrase qu'ils auraient jugée déplacée : « Lui, c'est lui. Moi, c'est moi. » Dans leur cas, si l'on peut dire, la formule aurait été : moi, c'est lui, et inversement.

Les deux amis étaient comme des jumeaux, prêts à tout partager, et rien n'aurait pu les séparer, pas même leur amour pour Elsa que la grossesse avait encore embellie en adoucissant ses traits, jusqu'à cet adorable soupçon de double menton, si maternel, qui faisait chavirer l'aîné des Weinberger. « Elle est trop belle », se répétait-il avec une expression de ravi de la crèche.

De grâce, cessons de réduire sans cesse les grands sentiments à des coucheries, des pantalonnades : cocufier n'est pas nécessairement tromper. Quand le conjoint ou la conjointe d'un couple fait de temps en temps l'amour avec une troisième personne, au vu et au su de l'autre, c'est peut-être le signe que règne dans ce couple une relation confiante, fusionnelle, où il n'y a pas de place pour la jalousie, ce remède à l'amour.

L'auteur de ces lignes n'est pas en mesure de confirmer qu'Harald et Elsa continuèrent à se donner du bon temps après leur séparation, mais, enquête faite, il est avéré qu'ils se voyaient de temps en temps et qu'il y avait quelque chose entre eux.

Élie et Elsa se marièrent six mois avant la naissance du bébé : l'honneur était sauf. Les Kantor, les parents de la jeune femme, étaient juifs, on le sait : le père complètement, la mère à moitié. Ils n'en acceptèrent pas moins que la cérémonie religieuse se déroulât selon le rite protestant, dans un temple luthérien.

Les noces furent une réussite, et Harald parut comblé de joie, au bras de sa dernière conquête, une superbe étudiante suisse, heureux du bonheur d'Élie.

Il n'y a rien qui rende plus malheureux que le bonheur des autres, surtout quand on les aime. Cet adage ne pouvait pas s'appliquer à Harald Gottsahl. À ceux qui auraient pu penser que sa félicité était feinte, il répondit de manière indirecte avec les mots qu'il prononça, énamouré, pendant le dîner de mariage :

« Elsa, je remercie tous les jours le Seigneur que tu aies décidé d'épouser Élie. Ça me rassure, ça me comble de joie, parce que tu seras toujours près de moi, tu feras à jamais partie de ma famille de cœur. »

Les jeunes mariés s'installèrent chez les parents Weinberger où Magdalena prit soin de l'enfant afin qu'ils poursuivent leurs études, de philosophie pour Elsa, de médecine pour Élie. Bien qu'elles eussent un même caractère entier, la bru et la belle-mère s'entendaient bien, souvent au détriment des deux hommes de la maison, Helmut et Élie, qu'elles jugeaient mous, insouciants, trop gentils, devant la montée des périls. Des hommes, en somme.

*

Pour comprendre la Bavière, il suffit d'observer l'extraordinaire bronze qui trône au milieu de la façade crème, style Renaissance, de l'église Saint-Michel de Munich : l'archange du même nom tuant le dragon d'un coup de lance, symbole du royaume terrassant l'ennemi de la foi.

Ville du Sud, Munich est un îlot joyeux de résistance catholique au milieu d'un océan d'austérité protestante. Une sorte de Florence en pays teuton. D'où l'exubérance baroque de la plupart des églises qui regorgent de dorures, autant d'insultes au luthérianisme spartiate.

Quand Moché Kantor demanda à voir l'abbé Schulz au bedeau qui s'affairait, un chiffon à la main, autour de l'autel de l'église Saint-Michel, il avait vraiment une tête de Juif errant. Le visage émacié, un regard explosé de clopinard, la barbe longue, aussi crottée qu'une charrette de paysan, on devinait qu'il avait beaucoup vécu et qu'il était plein d'histoires à raconter.

Le visage du bedeau s'illumina d'un grand sourire. « Vous êtes juif, n'est-ce pas ? » dit-il, et il l'emmena par le bras dans la sacristie devant un curé squelettique au regard incandescent de saint martyr. Perdu dans ses pensées, le prêtre était en train de remplir le ciboire d'hosties pour la messe du lendemain. Après avoir lu la lettre à lui adressée par son homologue de Jovkva, le père Glushko, il embrassa le Juif avec une expression mélodramatique.

« J'aime le judaïsme, dit l'abbé Schulz. Il déteste la misère alors que les autres religions, comme le christianisme et l'islam, se contentent de détester la richesse. C'est tellement plus confortable ! »

L'abbé Schulz se chargeait de recueillir les Juifs chassés par les pogroms de l'Est pour le compte d'une organisation secrète, sans statuts ni hiérarchie, « Les Bras ouverts », qu'il animait depuis plusieurs semaines. Une association de bienfaiteurs comme il y a des associations de malfaiteurs. Une confrérie du Bien.

Les petites frappes du cynisme et du nihilisme, les nouveaux conformismes, aiment dire que le Bien est ennuyeux. Foutaise ! Il suffit de le fréquenter de près pour observer qu'il est périlleux, perpétuellement menacé. Le père Schulz était rongé par une angoisse qui lui creusait les orbites. Il semblait à peu près aussi serein qu'un vigile sur une tourelle au milieu d'une forêt ennemie.

Quand il enfila son pardessus, c'était à se demander s'il y avait quelqu'un dedans, tant il était rachitique. Il emmena le Juif chez des amis paroissiens qui pourraient le loger et habitaient non loin de là, sur la Neuhauser Strasse.

« Je ne sais pas si c'est une bonne idée que vous restiez en Allemagne, dit-il en chemin à Moché. Des forces maléfiques que je ne soupçonnais même pas sont à l'œuvre aujourd'hui dans notre ventre, comme s'il avait été fécondé par Belzébuth. »

La famille d'accueil vivait au-dessus de sa boutique, une boulangerie spécialisée dans le pain noir. La femme et son mari formaient un de ces couples si fusionnels qu'ils finissent par avoir la même morphologie. La leur était volumineuse, ventripotente, avec des mains potelées, des yeux globuleux. Ils avaient une fille gironde et souriante, la peau ingrate, une tache de vin sur le front, la beauté des femmes prétendument laides. Elle s'appelait Dora. Dès qu'il la vit, Moché sut que son voyage s'arrêterait là.

## IV

# COMME LE SAUT DE LA BÊTE À LA GORGE DE SA PROIE

## 21

## *Lila, l'enfant du pétrin*

MUNICH, 1920. Moché Kantor fut tout de suite adopté par les Garfinkel, le couple de boulangers de la Neuhauser Strasse. Des Juifs convertis au catholicisme et désireux de changer de nom. Ils ironisaient volontiers sur leur patronyme ashkénaze : « Pour des négociants de diamants, nous ne roulons pas carrosse mais c'est normal : nos diamants sont en pain noir ! »

Les Garfinkel étaient sûrs qu'ils réaliseraient un jour leur rêve : s'appeler Gartner (jardinier) à l'état civil. En attendant, c'était ainsi qu'ils se faisaient appeler par leurs clients. Ils invitèrent Moché à germaniser pareillement son patronyme : selon eux, Bauer (agriculteur) ferait bien l'affaire. Avec un nouveau prénom : Hänsel, par exemple. Il accepta les deux sans discuter.

Le couple avait également demandé à Moché dit Hänsel de couper sa barbe rabbinique, trop typée selon l'expression du mari, et d'abandonner le port du chapeau ou de la casquette : même s'il était répandu chez les goys, il risquait, selon eux, d'attiser la haine des antisémites et d'effaroucher cette clientèle. Ces temps-ci, le Juif devait avant tout veiller à ne pas se faire remarquer. Reste que, si on les interrogeait, les Gartner-Garfinkel ne cachaient pas leur origine.

« Votre pain est-il casher ? avait demandé un jour un Juif à la boulangère.

— Je ne sais pas, avait-elle répondu, mais je peux garantir qu'il est bon. C'est un bon pain, très catholique, comme notre famille. »

Passé avec aisance de la cordonnerie à la boulangerie, Mochè avait su se rendre indispensable. Ne dormant que trois à quatre heures par nuit, il était tout à la fois au four, au moulin, à la caisse. Sans oublier de rendre ses hommages à la fille Garfinkel. Ceux qui connaissent la boulange comprendront. Les autres ne pourront jamais imaginer comment un grand amour avait pu naître dans ce logis si exigu où une chaleur montait jour et nuit de la fournaise qui, au rez-de-chaussée, assurait la cuisson du pain noir. Ici, tout le monde vivait de la farine, dans la farine, pour la farine, jusqu'à sentir de la tête au pied son odeur entêtante.

Pétrissez, moulez, cuisez, l'amour se faufile, se coule, s'incruste. L'amour et le pain, surtout s'il est chaud, sont consubstantiels ; ils se font la courte échelle, exaltent la même griserie, vous élèvent au-dessus de vous-même. Il y a beaucoup de boulangers qui finissent la journée pompettes – je ne plaisante pas – à force de respirer l'arôme enivrant des miches et des brioches. Observez-les titubant à la tombée du soir, quand ils se glissent, pour quelques heures, entre leurs draps.

Un jour, après avoir surpris Mochè et leur fille Dora en train de s'embrasser sous l'escalier, les Garfinkel décrétèrent qu'ils devaient se marier. Pour une fois qu'elle avait un amoureux, il n'était pas question de lambiner.

Le père Schulz arrangea la cérémonie à l'église Saint-Michel : elle fut pleine de ferveur, le curé ayant fait venir tous ses comparses de l'association des Bras ouverts. Moché étant sans papiers, il faudrait espérer des jours meilleurs pour le mariage civil. En attendant, ils s'échinèrent à ne pas avoir d'enfants, Dora allant jusqu'à se doucher l'entrecuisse à l'eau brûlante après chaque rapport sexuel.

Huit ans après naquit Lila, l'enfant du pétrin. La mère mourut après l'accouchement, d'une septicémie probablement liée à la mauvaise hygiène de la sage-femme. Moché n'aurait pas survécu au chagrin si Dora ne lui avait laissé un petit souvenir de chair et de sang qui répondait au nom de Lila. Il la mit le jour même en nourrice chez la voisine d'à côté, une bonne laitière qui était aussi femme de ménage, récurant, nettoyant, astiquant avec des marmots accrochés à ses seins gros comme des pastèques.

*

Moché Kantor, dit Hänsel Bauer, était si affairé à la boulangerie qu'il attendit plusieurs mois avant de rendre visite à ses deux cousins issus de germains qui habitaient Munich. Le premier Kantor tenait, avec son épouse, « La Table de l'Isar », une petite auberge servant des spécialités de poissons d'eau douce, à Schwabing, dans le quartier de la mode et des arts. Ils avaient une fille unique, Elsa, dont ils lui présentèrent des photos avec fierté. Elle était mariée et mère d'une petite Aviva.

« Elsa est l'œuvre de ma vie », dit l'aubergiste.

Sur les photos, Elsa était d'une beauté à couper le souffle. L'auteur de ce livre possède plusieurs clichés qu'il consulte de temps en temps pour faire revivre en lui sa grâce, entre deux plongées dans l'affreux XX^e^ siècle.

Non loin de La Table de l'Isar, la sœur de l'aubergiste, née Kantor, tenait avec son mari tailleur, Abraham Rosenblatt, une boutique très prisée, à l'enseigne du « Chic de Bavière ». Originaires de Lvov, ils avaient tous deux entendu parler du pogrom et pleurèrent en écoutant le récit de Mochè-Hänsel. « Vous avez eu raison de partir, dit la femme, mais à force d'aller toujours plus à l'ouest, nous, les Juifs, nous allons finir par nous retrouver un jour en Amérique, puis en Chine.

— Je ne vois pas l'intérêt de fuir, murmura le mari, jetant un froid qu'il tenta de réchauffer par un sourire jaune. Il y a des antisémites partout, ils nous retrouveront toujours. »

Avant qu'il reparte, les Rosenblatt offrirent à Mochè-Hänsel tant de cadeaux à manger, à boire, à porter, qu'il leur fallut lui prêter une brouette pour qu'il puisse tout emporter d'un coup. Sur le pas de la porte, le tailleur lui dit qu'ils n'étaient pas aussi pessimistes qu'il aurait pu le croire, et il fit l'éloge du travail qui leur avait tant donné : « Il y a beaucoup de travail ici et rien ne lui résiste, ni l'envie, ni la jalousie, ni la convoitise. »

# 22

## *Rien ne peut arrêter un fleuve en crue*

MUNICH, 1920. Un jour, le colonel Gustav Schmeltz proposa aux Gottsahl père et fils de l'accompagner à une réunion à l'Hofbräuhaus où Hitler devait tenir son premier grand discours public.

Karl Gottsahl avait un dîner d'affaires, mais Harald accepta l'invitation. À dix-huit ans, il n'avait déjà plus d'illusions mais gardait la curiosité de la jeunesse. « Cet Hitler est une blague, dit-il. S'il est toujours aussi délirant que le jour où il est venu à la maison, on va bien s'amuser. »

Harald aimait aussi l'idée de sortir avec Schmeltz. C'était un personnage aux joues rouge brique, qui semblait toujours au bord de l'explosion cardiaque, un puits de culture et un pilier de brasserie, preuve vivante que les deux étaient compatibles.

Après la guerre, Harald avait demandé à son père pourquoi il invitait tout le temps le colonel Schmeltz à la maison. Karl Gottsahl lui avait répondu :

« Parce que c'est un héros. Il m'a sauvé en 1915, dans la forêt d'Argonne. À la tombée du soir, je me suis retrouvé blessé à la cuisse, dans un fossé. Je pissais le sang et sentais monter une grande fatigue en moi. C'était la mort qui arrivait et je m'apprêtais à passer l'arme à gauche quand, après avoir couru au milieu des tirs français, Gustav s'est penché sur moi avec l'expression d'un ange souriant. "Un problème ?" m'a-t-il demandé et, sans écouter ma réponse, il m'a traîné sur deux cents mètres dans la boue, sous un feu nourri, pour me ramener dans la tranchée du 16e régiment de l'armée allemande. »

Pourquoi Gustav Schmeltz avait-il été chercher, entre autres faits d'armes, Karl Gottsahl dans une zone truffée de mines alors que, sur le terrain, les officiers sont toujours les derniers à se bouger les fesses ? Pour donner l'exemple aux hommes de troupe ? Pour se faire remarquer et décorer par le Kaiser dont la venue était régulièrement annoncée ? Billevesées !

Comme il l'avoua plus tard à Karl Gottsahl, le colonel ne supportait pas l'idée de rentrer vivant des tranchées. Dans l'année qui avait précédé le conflit, sa fille unique était morte d'une leucémie, sa femme de la tuberculose. Il n'avait que deux obsessions : gagner cette guerre et les rejoindre dans le caveau familial.

« Je n'ai jamais été un héros, avait-il dit à Harald ce soir-là. Qu'est-ce qu'un héros ? Un chiffre dans les statistiques, quelques morceaux de chair éparpillés dans de la gadoue. Ce n'est pas une vocation. Je voulais simplement mourir en servant à quelque chose, mais la mort n'a pas voulu de moi. »

Depuis, Gustav Schmeltz tentait de se noyer dans le schnaps. Comme s'il cherchait dedans quelque chose qu'il ne trouvait pas, il changeait tout le temps d'eau-de-vie. Un coup aux herbes, puis aux grains, mirabelles, poires Williams, pommes de terre au genièvre, mais pour ce qui est d'en finir avec la vie, l'alcool ne lui réussissait pas plus que la guerre.

*

Est-ce à l'Hofbräuhaus qu'est né le nazisme et qu'a commencé l'ascension du caporal ? C'est ce qu'Adolf Hitler prétend dans *Mein Kampf*, le gros livre où il tente d'édifier sa légende, bible des Allemands sous le régime nazi qui le fit diffuser à plus de dix millions d'exemplaires entre 1930 et 1940.

C'était le 24 février 1920, dans la grande salle des fêtes aux tons jaune clair du Palais de la Bière, où se pressaient environ deux mille personnes ayant répondu à l'appel du DAP (parti ouvrier allemand). Ça sentait la bière, le malheur, le tabac, les pieds sales.

Le DAP était une clique de minus, à peine plus de quelques dizaines d'adhérents, extrémistes de gauche et de droite, plus ou moins intellectuels, anticapitalistes et antisémites. Le caporal avait adhéré au parti, l'année précédente, alors qu'il était agent de propagande et de renseignement au 2e régiment d'infanterie. Il y avait rapidement pris le pouvoir, à vrai dire en éliminant le chef historique, une nouille, et en s'imposant comme un grand tribun de brasserie.

Une attraction, cet Hitler. Avant de s'exprimer, il semblait en proie à des ruminations, des pensées sombres et, dès qu'il avait la parole, ça coulait de source jusqu'à ce que monte une tempête, un crescendo de fulminations, détonations, rugissements, barrissements. Sans parler des postillons qui tombaient comme des embruns sur les premiers rangs, et dont son corps était, avec les flatulences, généreux.

Il y avait en lui une hystérie, un feu qui électrisait le public, le bras droit levé en l'air. Sa voix passant aisément des vociférations aux gémissements, il allait magnétiser les foules avec le discours qu'elles attendaient, en se lamentant avec elles de leurs souffrances avant de laisser éclater sa colère. Suant la sincérité au propre et au figuré, il les mettrait en transe. Rien ne pourrait l'arrêter, surtout pas les perturbateurs qui, ce soir-là, au fond de la salle, tentaient de le déstabiliser.

Hitler pouvait jouer sur tant de registres que le Führer apparaîtrait, quand il arriverait au sommet de son art, comme un chef d'orchestre faisant intervenir tour à tour des instruments aussi différents que la flûte, le violon, le trombone, la harpe, le tambour, la grosse caisse. Pour casser le rythme, il n'hésiterait pas non plus à faire parler, en les mimant, des ennemis imaginaires. Il avait aussi un vrai talent d'imitateur, capable de contrefaire les accents de ses concurrents.

Hitler était un orateur complet, capable de toucher tous les publics, notamment les femmes, qu'il subjuguait. Mais c'était avec la populace qu'il était le plus extraordinaire, lui donnant toujours à manger ce dont elle avait le plus envie : de la chair humaine. Ce n'était certes pas lui qui avait inventé l'antisémitisme ; c'était l'antisémitisme qui l'avait créé de toutes pièces. Il en était le fruit, l'enfant, l'incarnation.

Les grands destins historiques sont le fruit du hasard, de la nécessité, des circonstances. Quant à la politique, elle obéit, quoi que l'on dise, aux lois du marché : il n'y a pas d'offre qui tienne s'il n'y a pas de demande. En démocratie, même si les élus cherchent plus ou moins à le berner, l'électeur est toujours roi. Fils de la haine, du désespoir, de l'humiliation, Hitler était arrivé au bon moment.

En ce temps-là, l'Allemagne, exsangue, était à un carrefour vers lequel convergeaient trois bolides. La catastrophe économique dans laquelle l'enfonçaient les réparations de guerre considérables, exigées par les vainqueurs de 14-18. La déstructuration du pays où s'affrontaient des bandes organisées de bolcheviques, de putschistes, de ligues d'autodéfense, sur fond de coups d'État permanents. La colère du peuple qu'aiguisaient les pénuries en tout genre qui frappaient tous les commerces, y compris les aliments de première nécessité : elle allait bientôt déborder comme un fleuve en crue, emportant tout sur son passage.

Il fallait couper des têtes, et Hitler osait les désigner du doigt avec une virulence inégalée dans la classe politique : les Juifs, ces fauteurs de corruption, de bolchevisme, de crises économiques provoquées sciemment par la haute finance internationale afin de faire les poches aux damnés de la terre. Sans oublier la défaite de 14-18 qu'il imputait aussi aux Juifs, « ennemis de l'intérieur ».

Son antisémitisme était total, pour ainsi dire métaphysique. Dans le programme en vingt-cinq points du parti ouvrier allemand qu'il présentait ce soir-là, au Palais de la Bière, le quatrième alinéa était sans ambiguïté : « Pour être citoyen, il faut être de sang allemand, la confession importe peu. Aucun Juif ne peut donc être citoyen. » À l'époque, il ne parlait pas encore publiquement d'éradication, ce qui viendrait bientôt ; il précisait néanmoins que, dans la communauté nationale (« *Volksgemeinschaft* ») qu'il entendait créer, il n'y avait pas de place pour les Juifs. « Pendez-les ! » hurlait la populace qui voulait aller plus vite que la musique.

À aucun moment, Harald Gottsahl ne s'interrogea sur le sort qui serait réservé, avec un tel programme, à ceux qui, comme Élie et Elsa Weinberger, pouvaient être considérés comme juifs. Quand, à la sortie du meeting, le colonel Schmeltz lui demanda ce qu'il avait pensé du discours, il répondit à voix basse :

« Quel bouffon, cet Hitler. Tout ça n'ira pas loin. Son propos est tellement débile.

— Ce n'est pas un argument, Harald. L'Histoire est une vieille pute aveugle, qui a perdu son cerveau et le recherche à tâtons dans les caniveaux. Avec elle, tout est possible, surtout le pire.

— Je crois à l'intelligence des peuples.

— Parce que tu es jeune. Quand les gens sont heureux, il faut déjà se méfier d'eux : ils ne supportent pas que l'on remette en question leurs plus petits privilèges. Mais quand ils sont malheureux et qu'il ne leur reste plus que leur estomac à manger, alors, ils deviennent toujours très dangereux. Il leur faut du sang, des boucs émissaires. »

Le colonel avait dit ça avec une expression de grande lassitude dans la voix. Sans doute avait-il encore abusé du schnaps en attendant Harald au rez-de-chaussée de l'Hofbräuhaus, mais dès qu'ils furent dans la rue, Harald et lui ressentirent un même malaise en voyant défiler devant eux le « peuple » du caporal : le teint crayeux, le regard brûlant de haine, le visage tordu par les passions tristes, il ressemblait au maître qu'il venait de se donner ; il lui coulait du nez, comme on dit en Arménie.

## 23

## *Hitler et son complexe nasal*

MUNICH, 1923. C'est Elsa Weinberger qui fut à l'origine d'une partie de la fortune des Gottsahl. Un jour qu'elle se rendait chez eux pour le déjeuner du dimanche, elle avait revêtu son Dirndl, le costume traditionnel des filles et des femmes de Bavière, Autriche, Suisse, qu'elle portait le jour où Élie Weinberger était tombé amoureux d'elle.

« Si tu avais mis plus souvent ton Dirndl, plaisanta Harald, nous serions peut-être encore ensemble.

— J'ai enfilé cette tenue pour vous montrer à tous qu'elle est magnifique, féminine, pudique, érotique.

— C'est vrai qu'il n'y a rien de plus érotique qu'un tablier, observa Élie, l'œil coquin.

— Et la dentelle de la blouse, renchérit Harald, ça n'est pas mal non plus pour exciter les hommes, surtout si elle est blanche.

— Avec la montée du nationalisme, reprit Elsa, je crois que LL devrait se lancer dans le costume féminin traditionnel. Il y a un énorme marché si on sait moderniser le Dirndl et lui donner de nouvelles couleurs. Du vert, du bleu, du rose.

— Très bonne idée ! s'exclama Karl Gottsahl. Je t'embauche.

— À temps partiel, si tu le veux bien. Il faut que je termine mes études.

— D'accord. Tu commences demain. »

Peu après, Karl et Elsa lançaient le département Dirndl de LL. Ce ne fut pas un succès mais un triomphe. En un an, la tenue bavaroise allait faire de la société l'un des premiers acteurs de l'habillement en Allemagne. Un bonheur n'arrivant jamais seul, l'entreprise ouvrit peu après une ligne Lederhosen, le costume traditionnel masculin qui, comme le précédent, avait d'abord été porté par les paysans avant d'être adopté par les classes aisées. Il connut la même réussite, avec son chapeau tyrolien, surmonté parfois d'un Gamsbart, ridicule touffe de barbe de chamois, prélevée dans le cou de la bête ; le pantalon à bretelles en peau de chèvre ou de veau ; les grosses chaussures alpines à semelles clouées qui cliquetaient comme des armures.

À cette époque, l'hyperinflation minait tout, sur fond d'émeutes et de famines urbaines. Au début des années 1920, personne en Allemagne ne savait de quoi l'avenir serait fait. Il y a peu de périodes dans l'Histoire, en dehors des grandes défaites militaires, où l'on ait vu autant de gens pleurer sans retenue dans la rue toutes les larmes de leur corps.

Tout augmentait tout le temps, l'économie partait en vrille pour plusieurs raisons : la fabrique frénétique de billets pour payer des dépenses en croissance exponentielle ; des dommages de guerre absurdes, réclamés par les Alliés ; la baisse de production d'une industrie saignée par le conflit de 14-18 ; la recrudescence du chômage qui jetait des villes entières dans la misère ; le recours systématique à l'emprunt qui augmentait inconsidérément la dette du pays. Sans parler de l'inflation : en 1923, la livre de pain coûtait trois milliards de marks et le verre de bière, quatre.

Enlevez-lui le pain et la bière, que devient l'Allemand ? L'ombre de lui-même, comme un Marseillais sans soleil, un New-Yorkais sans pizza. Un dollar valant deux mille cinq cents milliards de marks, il fallait tellement de billets pour faire les courses qu'on y allait avec une brouette. Telle était la situation.

Contrairement à la légende, elle n'a pas tant profité à Hitler : si les nouveaux militants continuaient à affluer à un rythme soutenu dans son parti, rebaptisé parti national-socialiste allemand des ouvriers (NSDAP), celui-ci végétait, électoralement parlant. Il fallut attendre que, une fois l'inflation jugulée, la crise de 1929 vienne ensuite tout remettre par terre, pour que le caporal remonte la pente et parvienne au sommet.

*

« Ce sont les symboles ardents de la grande renaissance teutonne ! Chaque fois que j'en vois, ils me donnent des frissons et je me dis : “L'Allemagne est de retour” ! »

Amateur de costumes traditionnels, Hitler ne tarissait pas d'éloges sur les Dirndl et les Lederhosen de LL qui, selon lui, mettaient tant en valeur les corps aryens : à ses yeux, la société de Karl Gottsahl rendait à l'Allemagne un peu de l'amour d'elle-même, de cette fierté nationale mise à mal par la défaite militaire, la débine économique, la hausse des prix.

Même si aucune archive ne permet de le confirmer, c'est Hitler qui prit l'initiative de confier à LL une réflexion sur ses vêtements, ceux des autres dirigeants du NSDAP ou des membres de son service d'ordre. Il ne parlait pas de code vestimentaire mais c'était l'idée. Il voulait de la « cohérence ».

L'affaire se régla autour d'un déjeuner auquel il convia Karl Gottsahl. Rendez-vous fut pris vers deux heures et demie de l'après-midi, l'heure hitlérienne du déjeuner, dans son restaurant préféré, l'Osteria Bavaria, décor et cuisine de rêve, autour d'une bouteille d'eau pétillante et d'un plat de raviolis au fromage, servis avec des feuilles de sauge frites au beurre. Arrivé avec une demi-heure de retard, Hitler était accompagné d'Heinrich Hoffmann, son photographe personnel.

« Alors, demanda Hitler d'entrée de jeu, à quelle sauce vas-tu m'assaisonner ? »

Karl Gottsahl sortit ses notes. Pour l'uniforme du service d'ordre du NSDAP, il proposa à Hitler de lui vendre à prix cassés des stocks militaires que l'armée n'arrivait pas à écouler et qu'il avait achetés au surplus. Des casquettes, des chemises brunes. À l'origine, elles étaient destinées aux anciennes troupes coloniales en poste dans les ex-territoires allemands d'Afrique (Togo, Cameroun, Namibie). Depuis l'armistice, ils n'existaient plus, les Alliés se les étaient partagés comme des vautours affamés.

« Tu es un vrai ami, dit Hitler. Je te revaudrai ça. Nous ferons de grandes choses ensemble. »

Un bout de ravioli luisait sur sa moustache. Karl l'en informa à voix basse et Hitler, au lieu de le balayer d'un coup de langue, s'acharna un long moment dessus, avec sa serviette, en multipliant les grimaces. Il y avait chez le caporal une gaucherie qui le rendait grotesque.

« Et les autres ? interrogea-t-il. Comment on les habille ? »

Karl lui recommanda de veiller à ce que sa garde rapprochée évite les couleurs vives, « originales », qui pourraient indisposer les électeurs. Il proposa à Hitler, qui l'accepta avec enthousiasme, que LL fournisse à prix coûtant les costumes, les chemises, les cravates des cadres de son parti. Au passage, il le mit en garde, avec des mots choisis, contre les accoutrements extravagants à la Hermann Göring, champion de la faute de goût, qu'il avait rencontré à plusieurs reprises lors de mondanités. Un homme qui ne faisait pas sérieux.

« Je vais le recadrer », approuva Hitler avec une expression de lassitude qui signifiait qu'à ses yeux la cause était perdue.

Quand ils en vinrent à l'habillement personnel d'Hitler, Karl comprit, au rictus de son interlocuteur, que le sujet était sensible. Avec tact, pour ne pas froisser sa susceptibilité, il plaida pour une sobriété chic, avec de belles matières pures, du coton, de la laine, du cachemire. Après avoir longtemps porté de vieilles nippes, des chemises élimées, des imperméables moisis, il fallait qu'il paraisse à la hauteur, aux yeux de la haute société qui commençait à le recevoir et le considérait encore comme un plouc.

« Je crois que tu devras aussi songer à raser ta moustache, osa Karl.

— C'est impossible, protesta Hitler. Je l'ai laissée pousser pour détourner l'attention de mon gros nez qui a tendance à la monopoliser. L'as-tu regardé de près ? »

Il y eut un silence que Karl Gottsahl mit à profit pour examiner le nez.

« Il n'est pas si mal, conclut-il.

— Mais enfin, s'écria Hitler, mon nez est énorme, informe, on dirait une pomme de terre trop cuite qu'on m'aurait jetée en pleine figure. Normalement, je ne devrais jamais pouvoir faire une grande carrière avec un nez pareil. La moustache est une obligation, comme un cache-sexe.

— Je te jure que ta moustache me gêne, Adolf. Elle ne fait pas sérieux.

— Pas sérieux, hi, hi, hi », pouffa-t-il.

Il est vrai que sa moustache rappelait, gage de « sérieux », celles de deux grands gourous d'Hitler : Dietrich Eckart, poète, idéologue, et Gottfried Feder, économiste anticapitaliste, deux cofondateurs du petit parti ouvrier allemand d'où était partie l'épopée nazie.

« Je crois, reprit Hitler, que je suis en train de lancer une mode. Dans quelque temps, tu verras, il y aura plein de moustaches carrées ou rectangulaires, dans le Reich. »

Sans doute Hitler avait-il des narines de cochon, comme deux trous plantés dans un groin, le même nez de clown et de pochtron que l'acteur W.C. Fields. Mais pour en diminuer l'impact, la moustache n'était pas la solution : la sienne ressemblait trop à celle de Charlot, autre acteur comique américain en passe de devenir une vedette mondiale avec ses premiers grands films comme *Le Kid*.

La vérité aurait dû obliger Karl à dire qu'il y avait entre Hitler, Charlot et W.C. Fields un air de famille qui, à la longue, pouvait gêner le premier. Il tenta donc de le convaincre de jouer sur sa grande force qui, si j'ose dire, sautait aux yeux, et qui lui permettait d'exercer une domination sur la plupart de ses interlocuteurs.

« Ton immense atout, dit Karl, c'est ton regard. Tes yeux bleus, si bleus, avec leurs reflets violets, leurs nuances de gris, sont fascinants.

— Ça, c'est vrai, renchérit Heinrich Hoffmann à voix basse. Ils sont si pénétrants.

— C'est en mettant tes yeux en valeur que tu feras oublier ton nez. Pour cela, je te propose de dégager complètement ton front en ramenant tes cheveux en arrière. C'est une coiffure qui t'ira merveilleusement bien.

— J'y penserai », dit Hitler.

Il semblait agacé. Mieux valait passer à autre chose. Quand il se mettait en frais, Hitler avait tendance à s'attifer de manière bigarrée : guêtres, pantalon blanc, chapeau de cow-boy, fouet en cuir d'hippopotame avec un nœud coulant. Sans oublier le revolver qu'il portait au ceinturon. Il était temps, assura Karl, de tuer l'artiste en lui et de choisir, pour rassurer le peuple, une seule couleur : le noir.

« C'est la mère de toutes les couleurs, expliqua Karl, la quintessence de la vie, du respect, de la vérité, de l'imperceptible…

— De la mort aussi, coupa Hitler.

— Ici, en Europe, c'est en effet le cas. Mais, comme tu le sais, il y a d'autres civilisations où la mort est blanche.

— Je n'émettais pas une réserve, mon cher Karl. Pour moi, il n'est pas rédhibitoire, bien au contraire, d'adopter la couleur inquiétante de la mort. Il n'y a pas de pouvoir sans peur. Elle est la condition *sine qua non* de sa survie. Sinon, il meurt tout de suite, déchiqueté par les chiens. »

Hitler avait, dans les yeux, une sorte d'effroi enfantin. Quel homme étrange ! songea Karl. Une boule d'acier, de colère, d'égotisme, d'énergie, d'extravagance. Il ne semblait lui manquer que la tendresse. N'était-ce pas parce que, depuis la mort de sa mère, il n'en avait jamais reçu de personne ?

D'où, aurait dit le docteur Freud, sa passion obsessionnelle pour les douceurs, les sucreries. Le dessert était le moment le plus important de la journée. C'est alors qu'Heinrich Himmler, alors inconnu, rejoignit la tablée. Un jeune homme falot qui ne ressemblait à rien. Sa capacité à se taire égalait celle d'Adolf Hitler à parler. On ne se méfie pas assez des gens silencieux. Derrière ses grosses lunettes rondes, son regard glaçant de rapace passait de l'un à l'autre des convives comme s'ils étaient des proies ; il semblait se demander par laquelle il commencerait.

Himmler commanda comme Hitler un gâteau à la crème fouettée, puis, toujours comme Hitler, un deuxième aux fruits confits, arrosé de rhum, tandis que Karl et le photographe se contentaient de strudel. Comme souvent, le caporal savoura ses pâtisseries les yeux fermés, en soupirant d'aise, avec des bruits de bouche qui signifiaient un état de grande jouissance.

« Que penses-tu de ce garçon ? demanda soudain Hitler à Gottsahl en montrant Himmler du doigt.

— Je ne le connais pas, marmonna Karl. Nous n'avons pas encore échangé un seul mot.

— Heinrich ira loin : il est sans pitié. »

Un sourire d'angelot passa sur les lèvres d'Hitler.

« La miséricorde, voilà l'ennemie ! reprit le Führer. À ce propos, mon cher vieux Karl, je tiens à te mettre en garde contre les Weinberger, une famille dont je te sais très proche. Ils tiennent à mon sujet des propos orduriers, diffamatoires, que je ne saurais tolérer. »

Dans le restaurant, tous les regards convergèrent sur lui quand Hitler se mit à hurler sur un ton luciférien, en tremblant de tous ses membres :

« Je sais bien que je sors des poubelles du peuple allemand, mais je ne me laisserai pas calomnier par des Juifs pleins de fric qui viennent se goinfrer chez nous, pisser sur nos monuments, engrosser nos femmes, et n'ont même pas la gratitude du ventre ! Mon heure viendra, dis-leur de ma part ! Ce sera pour les Weinberger celle du Jugement ! »

Tel était Hitler : un tyran domestique, foutraque, croquemitaine de salon de coiffure, Torquemada de cour d'école qui laissait volontiers libre cours à ses rages. Alors qu'il aurait tant aimé passer sa vie à être plaint et admiré, il suscitait encore trop souvent cette condescendance amusée ou désapprobatrice qu'il lisait, par intermittence, dans le regard de Karl.

Il lui restait quand même quelques bribes de cœur. Avant de prendre congé, Hitler demanda des nouvelles d'Adolf. « Notre chien est un peu déprimé en ce moment, répondit Karl.

— Comme nous tous. Les nuits ne sont jamais éternelles. Tu verras, le jour finira par se lever. »

Karl Gottsahl se dit que c'était le moment d'aborder la question juive avec lui, comme il se l'était promis, pour le mettre en garde contre ses délires, mais Hitler avait déjà disparu. Il était toujours pressé, comme les gens en retard.

## 24

## *L'homme qui jouait avec les allumettes*

MUNICH, 1923. Le lendemain, au siège de LL, quand Elsa eut vent des décisions prises par Karl Gottsahl et Adolf Hitler à l'Osteria Bavaria, elle courut en informer Helmut Weinberger dont le bureau, tapissé de scènes de la vie munichoise, se trouvait en face du sien. Elle entra sans frapper, furieuse.

« Nous travaillons dans une entreprise hitlérienne, s'écria-t-elle après s'être affalée sur un fauteuil.

— Que se passe-t-il donc ? » demanda Helmut.

Il se leva, s'agenouilla près du fauteuil, prit la main de sa belle-fille, s'adressa à elle comme si c'était une enfant malade :

« Calme-toi.

— Mais on va tous finir pendus ou égorgés à force de rester calmes !

— Arrête de crier, ça n'arrangera rien. Explique-moi ce qui s'est passé… »

Elsa lui apprit l'accord passé entre LL et Hitler, notamment sur les stocks de chemises brunes. Son beau-père l'invita à en parler à Karl Gottsahl.

« Tu veux jouer les arbitres ? s'écria-t-elle. Mais enfin,

tu es directement concerné par cette histoire ! Tu es juif comme moi, je te rappelle !

— Oui, répondit Helmut, mais à la manière de mes ancêtres, j'essaie de ne pas me faire remarquer, je ne gueule pas, je ne fais pas de scandale. La situation est assez critique pour qu'il n'y ait pas besoin de l'exagérer.

— Exagérer ? Mais tu as vu le résultat de l'extraordinaire prudence, modération, des Juifs pendant des siècles ? Les pogroms ! Les expulsions ! Les pendaisons ! Ça ne sert à rien de raser les murs. Hitler résume bien la pensée de la lie du peuple quand il dit que les Juifs ne peuvent pas être allemands. »

Helmut connaissait ce discours. C'était celui de Magdalena, son épouse, qui était devenue le pygmalion intellectuel de sa belle-fille. Il aimait l'une et l'autre mais sentait monter envers cette dernière un désir qui lui faisait honte, d'autant plus qu'il ne parvenait pas à s'en défaire, la nuit surtout, quand il était couché dans son lit, à côté de son épouse.

Certes, Helmut savait donner le change et brouiller les cartes, mais Elsa avait deviné ses sentiments. C'est ce qui lui donnait une main sur lui et l'autorisait, sans aucune crainte, à lui parler ainsi.

Helmut posa sa main sur le front d'Elsa.

« Tu es beaucoup trop énervée pour avoir maintenant une discussion sereine avec notre ami Karl. Il vaut mieux laisser passer une nuit et tu peux compter sur moi : je t'accompagnerai pour te soutenir. »

Elle pleurait de rage.

*

Le lendemain matin, Karl Gottsahl, blessé par les soupçons qui pesaient sur lui, réussit à convaincre Helmut de sa bonne foi. Mais, du début à la fin de l'entretien, Elsa Weinberger ne voulut rien entendre. Pendant qu'il s'expliquait, elle réussit même à ne jamais le regarder dans les yeux.

La tête baissée, elle semblait perdue dans ses ruminations. Pour détendre le beau-père et sa bru, Karl avait pourtant fait apporter du café, des bretzels, des saucisses blanches et d'autres choses auxquelles personne ne toucha, comme s'il eût été sacrilège de manger dans une atmosphère aussi électrique.

Après avoir écouté les griefs d'Elsa, Karl se leva, empourpré, et fit les cent pas en regardant le parquet.

« Alors, première nouvelle, je serais hitlérien ! Tu as perdu la raison, ma chère Elsa. Outre qu'elle me répugne, l'idéologie national-socialiste nous conduirait dans le mur si M. Hitler appliquait son programme, ce qu'il ne fera jamais, à Dieu ne plaise. Ce n'est qu'un démagogue mais il existe, il a un certain talent, un petit public, il se fraie son chemin. Que voulez-vous que je fasse ?

— Le combattre, Karl ! dit Helmut à voix basse.

— Ses idées mourront d'elles-mêmes, tant elles sont stupides. Il en changera ou elles le détruiront. Son discours est incompatible avec l'âme allemande. Son antisémitisme le marginalise. C'est pourquoi je n'arrive pas à avoir peur de lui. Observez ses yeux. On dirait un chien perdu qui supplie qu'on l'adopte. Il a beau gueuler, menacer, insulter, il suinte le malheur.

— Je ne comprends pas, dit Elsa, les lèvres tremblantes, comment tu peux déjeuner avec lui après les propos immondes qu'il tient en permanence. Ça ne te trouble pas la digestion ? »

Karl Gottsahl laissa passer un long silence en dodelinant de la tête, puis répondit ceci :

« Hitler est une invention du bas peuple, ma position sociale m'interdit d'en découdre avec lui. Si je recherchais la confrontation avec lui, il gagnerait à tous les coups, car j'incarne l'argent, le profit, la réussite, j'allais dire la juiverie, enfin, tout ce que ces gens-là honnissent. Alors, je biaise. Je suis un industriel qui veut faire tourner son entreprise. Je ne fais pas de politique et je vois tout le monde. D'ailleurs, ni toi ni Helmut ne m'avez reproché d'avoir eu des relations quasi amicales avec le regretté Kurt Eisner.

— Au moins Kurt Eisner n'était pas raciste, lui ! s'écria Elsa.

— C'était un brave type, dépassé par les événements, mais en ruinant l'économie bavaroise avec ses réformes, il a rendu un fier service à M. Hitler qui devrait lui ériger une statue. »

Karl Gottsahl fit deux pas en direction d'Elsa, l'index pointé sur elle, en cherchant son regard obstinément tourné vers la fenêtre.

« En tant que chrétien, je crois à la rédemption et, je le répète, je suis convaincu qu'Hitler peut évoluer. J'œuvrerai de toutes mes forces pour le ramener à la raison.

— Mais enfin, c'est une cause perdue, s'indigna Elsa. Tu joues avec les allumettes !

— Il est beaucoup moins intelligent qu'il le croit. Beaucoup moins fort aussi. Regardez comme il cherche sans cesse à contenir ses émotions. On dirait qu'il se retient tout le temps de respirer, de vomir, de pisser, de hurler. En vérité, il fait pitié.

— Tu vas me faire pleurer !

— N'ayons pas peur d'Hitler. Il n'en vaut pas la peine. Vous l'avez vu, entendu ? Un braillard inculte, un mirliflore de cave à bière. Ne l'humilions pas, ça lui donnerait des ailes.

— Il n'y a rien à faire avec lui, dit Elsa. Ce type est un schmock ! »

Helmut leva de grands yeux étonnés. Il ignorait ce que signifiait le mot schmock.

« Un imbécile », répondirent Karl et Elsa d'une même voix.

Enfin, plusieurs choses à la fois, précisa Elsa. Un pénis, un idiot et une ordure. « Dans tous les cas, observa-t-elle, c'est un mot qu'il vaut mieux ne pas prononcer devant les enfants.

— Parce qu'un pénis, c'est bête et méchant ?

— Non, mais ça rend bête et méchant quand ça prend le contrôle du cerveau. »

Karl se racla gorge, puis étendit le bras pour imposer le silence.

« Si j'ai un conseil à te donner, tu dois cesser de militer contre lui, il est très remonté contre les Weinberger, ta belle-mère en particulier…

— C'est un ordre ? demanda Elsa.

— Non, un conseil. »

Karl inclina la tête comme pour indiquer que l'entrevue était terminée. Avant de sortir, Elsa lui donna sa lettre de démission qu'il lut devant eux sans la commenter avant de la jeter avec agacement dans la corbeille à papier.

Quand ils rentrèrent à la maison, Helmut dit à Elsa qu'il était fier d'elle. « Pourquoi n'as-tu rien dit ? demanda-t-elle.

— Ce n'est plus mon histoire, répondit-il. C'est la tienne et celle de ta génération. Moi, j'ai su trop tard que j'étais juif pour le devenir vraiment. »

## 25

## *Les délices de la villa « Sanssouci »*

MUNICH, 1931. Après l'esclandre d'Elsa, les relations entre les familles Gottsahl et Weinberger s'espacèrent quelque temps, sans s'interrompre.

Ceux qui critiquaient l'indulgence mal placée de Karl Gottsahl n'arrivaient pas à l'accabler complètement. Prisant les auteurs détestés par les nazis comme Thomas Mann, Erich Maria Remarque ou Karl Kraus, il avait l'esprit large des hommes puissants et ne se formalisait pas des suspicions à son égard. Il ne semblait même pas en vouloir à Elsa Weinberger dont il célébrait volontiers la culture, la « beauté violente ».

Karl était néanmoins attristé par l'attitude d'Helmut. Il ne comprenait pas que son meilleur ami eût pris, même avec tact, le parti d'Elsa contre lui. Une belle-fille, si magnifique et remarquable fût-elle, pouvait-elle ébranler une amitié de trente ans ? Souvent, quand ils étaient en tête à tête, il commençait ses phrases par cette formule grinçante :

« Moi qui suis national-socialiste…

— Oh, là là, l'interrompait Helmut. Je ne t'ai jamais soupçonné de l'être. »

L'amitié entre leurs deux fils, Élie et Harald, ne souffrit pas de l'esclandre d'Elsa. Ils demeuraient inséparables et, après sa démission de LL, la jeune femme continua de s'épanouir entre eux, ce qui accrédita un peu plus la rumeur du couple à trois.

Ces allégations cessèrent quand Harald commença à filer le parfait amour avec Liselotte. Le cheveu blond vénitien, l'œil vert, le sourire un peu moqueur, c'était une couturière au visage angélique, semé de taches de rousseur. « Un bonbon », avait songé Élie la première fois qu'il l'avait vue. Elle était, que l'on pardonne cette muflerie misogyne, à sucer.

Plus on est ignorant, moins on est modeste. Telle est la règle. Ce n'était pas le cas de Liselotte : son absence d'instruction était compensée par un incroyable appétit de connaissances. Elle apprenait vite. À l'observer, on ne pouvait douter que, quelques années plus tard, elle brillerait dans les salons munichois de la haute, en abusant des fausses citations, ce qui est une des définitions de la culture.

L'aîné des Gottsahl dormait chez Liselotte au moins deux jours sur sept, au grand dam de sa mère qui la soupçonnait d'être « intéressée ». Elle habitait un modeste logis dans le Franzosenviertel, quartier dit français d'Haidhausen, ancien repaire de journaliers où plusieurs rues ou places portent les noms de victoires teutonnes contre l'ennemi gaulois héréditaire.

Avec Liselotte, le trio se transforma en quatuor. Elle y trouva sa place, celle de la fille de bonne humeur, même quand le ciel lui tombe sur la tête. Tout le monde l'adopta et elle adopta tout le monde. Quand elle épousa Harald Gottsahl, elle déclara dans un discours aux invités qu'elle n'était pas dupe : elle savait qu'elle se mariait aussi avec Élie et Elsa. Internes des hôpitaux, les deux hommes louèrent, avec l'argent des parents, la même villa qu'ils baptisèrent « Sanssouci » en hommage au château de Frédéric le Grand, à Potsdam.

Il y avait quelque chose de miraculeux dans cette relation : à eux quatre, ils ne formaient qu'une seule et même personne.

*

Il y a des moments où le bonheur prend le pouvoir dans une maison. C'est comme un miracle qui dure. À la villa Sanssouci, les jours poussaient les jours, les saisons, les années, au milieu des gazouillis, des égosillements de bébés.

Élie et Harald avaient désormais vingt-neuf ans. Il y avait trois enfants chez les Gottsahl et autant chez les Weinberger, tous maternés par un quarteron de domestiques qui se relayaient. Les deux couples faisaient des enfants comme d'autres font des gammes, des gâteaux au chocolat. Ils étaient comblés, comme si le bonheur était un état normal, définitif, éternel.

Elsa Weinberger exceptée, ils semblaient vivre dans une bulle, loin du chaos du monde. Tout en militant à l'Association des citoyens allemands de confession juive, elle rédigeait des articles pour la *CV-Zeitung* ou la *Jüdisch-liberale Zeitung*, établie à Breslau, et s'était fait un nom avec un petit essai sur Franz Rosenzweig, philosophe juif allemand revenu au judaïsme, qui se vendit à 967 exemplaires.

Social-démocrate, Elsa avait milité quelque temps au

SPD, parti qui, après la guerre, donna cinq chanceliers à l'Allemagne, avant de se laisser gagner par l'atmosphère émolliente, épicurienne, culturelle, de la villa Sanssouci. Elle lisait beaucoup, notamment des romans français en version originale : *Albertine disparue* de Marcel Proust, publié en 1925, ou *Le Paysan de Paris* de Louis Aragon, paru en 1926.

Élie Weinberger ne lisait pas, il essayait d'écrire, s'épuisant à fabriquer de belles formules dans un style emprunté. Il y avait certes de l'os dans ses textes, mais point de chair. Épigone des professionnels de la littérature désincarnée, il publia un premier petit roman, *Un amour vrai*, qu'un critique munichois qualifia de « rognure » novalisienne : « Mais quelle est l'histoire ? Où sont les personnages ? Cette bluette fait l'effet d'une maison vide. On ouvre les portes de toutes les pièces et il n'y a jamais rien dedans. » À cette exception près, toute la presse passa l'ouvrage sous silence. Il ne se remit jamais de cet échec, sa carrière littéraire s'arrêta là.

Sans prétention, Harald s'était mis à « la peinture du dimanche », comme il disait. Au portrait, notamment : toute la tribu y passa avec plus ou moins de bonheur. Mais il travaillait trop à l'hôpital pour améliorer sa technique. Liselotte fut embauchée par son beau-père chez LL où elle mit au point, avec succès, une collection de lingerie féminine. Le dimanche, elle jouait du piano avec talent. Du Brahms, du Schubert.

Souvent, en fin de semaine, ils allaient tous ensemble au cinéma. En ce temps-là, l'Allemagne, notamment au travers des studios de Babelsberg, à Potsdam, tenait la dragée haute à Hollywood en produisant des chefs-d'œuvre à un rythme soutenu : *L'Ange bleu* de Josef von

Sternberg en 1930 ; *M le Maudit* de Fritz Lang, et *Berlin Alexanderplatz*, un film de Phil Jutzi, tiré du roman éponyme d'Alfred Döblin en 1931.

À part Elsa, tout le monde, à la villa Sanssouci, prétendait avoir trop à faire pour s'occuper de politique, laquelle, par la force des choses, allait pourtant s'occuper d'eux. La femme d'Élie était la seule à disposer de ce qu'on appelle une conscience politique.

Elle n'était pas mondaine comme les parents Gottsahl mais elle aimait recevoir. Un soir de 1931, alors que Liselotte était en voyage d'affaires à Berlin, elle avait invité à dîner l'Autrichien Robert Musil qui venait de publier le premier tome de son chef-d'œuvre, *L'Homme sans qualités*. Un roman où, selon ses propres dires, l'auteur se souciait moins de l'action et de ses personnages, qu'il ne cherchait à leur insuffler « le souffle de l'esprit ». Comme tous les grands livres, il allait changer la vision du monde, de la vie, de millions de lecteurs.

Ce soir-là, le grand écrivain du désenchantement, lui-même plein de vague à l'âme, n'avait pas voulu parler politique devant ses hôtes. Non par pleutrerie : dans ses écrits, Musil avait souvent mis en garde l'Allemagne contre ses démons. Mais il lui semblait que la République était perdue, et il se sentait démuni au propre comme au figuré.

En procès avec son éditeur berlinois, Rowohlt, Musil était venu à Munich chercher des collaborations dans des revues pour assurer sa pitance. Il n'inspirait pourtant pas la pitié. Ne souffrant ni de sa taille (1,64 m) ni de sa calvitie grandissante, il faisait partie de ces gens qui ne s'aiment pas mais qui ont une haute idée de leur œuvre. Il avait dit un jour qu'il valait mieux écrire un livre que de gouverner un empire. Sur le papier, c'était une bonne formule que la montée du nazisme rendait obsolète, voire ridicule.

C'est ce que lui avait fait observer Elsa, non sans ménagement. Il le prit mal. Prétextant une grande fatigue, Robert Musil se leva sitôt le dessert terminé et annonça, la bouche encore pleine de gâteau à la carotte, qu'il ne pouvait rester davantage, car une dure journée l'attendait le lendemain.

Toujours serviable, Élie proposa de le reconduire en voiture à la pension de famille où il était descendu. Pendant ce temps, en l'absence de domestiques, Harald et Elsa débarrassèrent la table, jetèrent les déchets dans la poubelle, lavèrent la vaisselle avant de s'affaler côte à côte, un verre de schnaps aux herbes à la main, sur le canapé du salon. Quand Élie rentra, ils semblèrent comme pris en faute.

« Qu'est-ce que vous fricotiez ? demanda Élie avec une légère irritation en s'asseyant sur le canapé situé en face d'eux.

— Nous avons parlé.

— Et de quoi ?

— De nous trois. »

Elsa rassembla ses esprits.

« J'ai toujours cru qu'Harald m'avait quittée parce qu'il sentait que nous nous aimions, toi et moi, et qu'il voulait nous laisser vivre notre histoire.

— Je lui ai répondu que c'était vrai, dit Harald. Je voulais son bonheur et, connaissant Elsa, si entière, si passionnée, je savais que je n'étais pas fait pour elle. Avec mon caractère solitaire, incertain, je n'aurais jamais su la rendre heureuse. »

Élie fronça les sourcils.

« Es-tu en train de me dire que, contrairement à ce que tu as prétendu, tu n'as pas rompu avec Elsa pour aller avec une autre femme ?

— Peut-être, dit Harald.

— En somme, résuma Élie, tu as sacrifié ton amour pour Elsa sur l'autel de notre amitié.

— La vie m'a appris que l'amitié, c'est un amour qui n'attend rien en retour.

— Crois-tu vraiment ce que tu dis ? demanda Elsa.

— Harald a raison mais les deux sont compatibles, dit Élie, avec un sourire. Beaucoup, comme toi et moi, mettent de l'amitié dans leur amour. »

Il y avait comme une ironie dans sa voix.

Quand la bouteille de schnaps aux herbes fut terminée, Élie en ouvrit une autre, à la pêche. Après avoir bu un nouveau verre, l'alcool délia si bien sa langue qu'il posa à Harald la question qui, depuis des années, était restée au fond de sa gorge :

« Il y a quelque chose qui me chiffonne depuis longtemps… J'aimerais savoir. As-tu eu des relations avec Elsa depuis que nous sommes ensemble ?

— Ce n'est pas une question digne de toi, Élie. »

Harald but son verre d'un seul trait, à la russe, avant de poursuivre d'une voix grasseyante :

« Qu'est-ce qu'une réponse positive changerait à notre amitié ?

— Rien, Harald.

— Alors, pourquoi me poses-tu cette question ? »

Élie baissa les yeux. Il n'évoqua plus jamais le sujet avec Harald ni avec Elsa et, cette nuit-là, Élie et elle s'aimèrent comme si c'était la première fois, avec l'ardeur et la délicatesse des commencements.

*

Quand il faisait l'amour, Gustav Schmeltz ne bougeait quasiment pas mais poussait des râles, des grognements, des couinements, des bruits de ferme. Au plus fort de la jouissance, il bramait comme un cerf dans les forêts d'automne.

Une jeune fille gigotait en tous sens au-dessus de lui, sans le regarder, avec l'expression de grande lassitude d'une ouvrière en fin de journée. Les lèvres pincées, les sourcils froncés, elle faisait son travail avec application mais, de toute évidence, sans éprouver le moindre plaisir.

C'était Zita.

Elle ne racolait pas et ne travaillait qu'avec un petit cercle d'habitués qu'elle recevait chez elle, rue Neuhauser, à quelques pas de la boulangerie des Garfinkel où travaillait Mochè, le père de la petite Lila. Elle avait trouvé l'amour avec le colonel Schmeltz et abandonné sans déplaisir son métier, le plus vieux mais le plus humiliant du monde.

Après l'amour, le colonel Schmeltz restait toujours prostré, incapable de rien dire pendant plusieurs minutes, jusqu'à ce que Zita lui serve un bol de café qu'il buvait nu sur le lit. Tel était le rituel.

Schmeltz murmura d'une voix encore essoufflée par l'effort :

« Tu es la femme de ma vie.

— C'est gentil, dit-elle en lui caressant le front. En ce cas, il faut que tu me demandes en mariage.

— J'y songe.

— Tu sais bien que c'est ridicule.

— Tu m'as rendu le goût de la vie, Zita.

— Je te croirai quand tu auras arrêté de boire.

— Je bois beaucoup moins depuis que je te connais. J'aime bien l'idée de passer les années qui me restent avec toi.

— Mais de quoi vivra-t-on, Gustav ?

— J'ai ma pension d'ancien combattant et je vais obtenir un travail important. »

Gustav Schmeltz se leva et Zita l'aida à se rhabiller. Ses rhumatismes faisaient de cet exercice une épreuve douloureuse. Il nouait sa cravate violette devant le miroir fixé sur l'armoire de la chambre quand il aperçut une petite fille qui se tenait derrière lui, dans l'embrasure de la porte. Elle avait le teint mat, les cheveux noirs, les yeux bleus.

La beauté ne se reconnaît ni ne se définit. C'est une offense, un soufflet, une foudre. Sainte Thérèse de Lisieux avait dû ressentir la même chose, le 13 mai 1883, quand la Vierge au sourire lui était apparue.

« C'est ta fille ? demanda Schmeltz.

— Non, celle d'un ami.

— De ton souteneur ? dit-il à voix basse.

— Je n'en ai pas, je te l'ai déjà dit. C'est la police qui me protège. »

Le colonel demanda à la petite fille d'approcher.

« Comment t'appelles-tu ?

— Lila. »

Il craignait qu'elle ne les ait surpris, Zita et lui, au lit mais le sourire de la fillette le rassura.

« D'où vient-elle ? demanda-t-il à Zita.

— Sa langue maternelle est un mélange d'allemand et de yiddish. C'est une Juive. Sa mère est morte, elle n'a pas de papiers et ne peut pas aller à l'école. Je m'en occupe à l'occasion.

— Elle est si belle, murmura rêveusement le colonel, les yeux plissés. J'espère que nous ne l'avons pas traumatisée.

— Je ne crois pas. Elle vient souvent, à l'improviste, quand elle s'ennuie dans la boulangerie où travaille son père et où ils vivent les uns sur les autres. C'est comme ma fille. »

Le colonel caressa ses joues, ses cheveux.

« La prochaine fois, dit-il, je lui apporterai un beau cadeau. »

En descendant l'escalier, le colonel avait les yeux humides.

V

# LA RÉSISTIBLE ASCENSION DE SCHMOCK I^er^, NOUVEAU CHANCELIER DU REICH

## 26

## *La montée du grand soir*

MUNICH, 1932. Quand le colonel Schmeltz lui apprit sa nomination à l'état-major de la SA (*Sturmabteilung*), Karl Gottsahl l'invita à déjeuner à l'Augustiner, l'une des plus vieilles brasseries de Munich. Une bruyante usine à bière, bretzels, saucisses blanches, avec des centaines de places en plein air, qui se répandait loin dans les jardins, sous les marronniers en fleur.

C'était l'une de ces premières journées de printemps. La tiédeur de l'air et la blondeur du monde amenaient les citadins dehors, sur les terrasses, dans la nature. À l'Augustiner, il régnait une atmosphère électrique, survoltée. Karl avait donné rendez-vous devant la porte principale à Gustav Schmeltz qui, à sa grande surprise, arriva avec Ernst Röhm, le grand chef de la SA. Un mirliflore homosexuel, héros de la guerre de 14, couvert de balafres, notamment au visage.

En présence du haut dignitaire nazi, Karl Gottsahl ne put sermonner le colonel Schmeltz comme il avait prévu de le faire. Après avoir tenté de se tuer au combat puis au schnaps, son ancien sauveur s'abîmait dans le nazisme et la SA, milice de 400 000 braillards, tueurs du dimanche, brutes d'abattoir, assassins d'escalier, qu'Ernst Röhm menait à la baguette. Celui-ci faisait pitié. Son visage ressemblait à une falaise en voie d'éboulement, où proliféraient verrues, cicatrices, taches de vieillesse, points noirs sur le nez, les joues.

Ernst Röhm n'avait rien à voir avec le personnage que Karl aurait imaginé. Pas vraiment charismatique, il avait, sous son apparence d'olibrius, l'esprit très vif, au point qu'il paraissait irrité par la lenteur de sa propre élocution, ses pensées allant toujours beaucoup plus vite que ses mots. Après avoir évoqué la montée en puissance de la SA, il demanda au patron de LL de l'aider sur le plan financier.

« J'ai déjà donné beaucoup d'argent au parti national-socialiste, répondit Karl.

— Je vous en félicite, mais Hitler garde l'argent pour lui. Nous n'avons droit qu'aux miettes. Or, nous avons énormément de frais. Il faut nourrir, loger, transporter tous ces jeunes Allemands qui donnent de leur temps et de leur énergie pour notre cause commune.

— Je réfléchirai.

— Réfléchissez vite, monsieur Gottsahl. Nous sommes dans une situation délicate et nous saurons nous souvenir, le jour venu, de ceux qui nous auront soutenus. »

Ernst Röhm se prétendait étatiste et même, quand il avait un coup dans le nez, un brin communiste. Il en était resté à l'hitlérisme originel, celui du petit peuple des brasseries, comme l'attesta le discours qu'il tint à Karl Gottsahl contre les ennemis de l'Allemagne : en premier lieu, les Juifs, mais aussi les bourgeois, les chefs d'entreprise, les vermines de la finance internationale et même certains nazis qui, au pied du pouvoir, avaient enterré leurs vieux idéaux socialistes. Des froussards, des mollassons, des traîtres. Parmi eux, Karl crut reconnaître Hitler qui, ces derniers temps, avait sérieusement viré à droite.

Röhm avait été jusque-là l'un des dirigeants nazis dont le Führer était le plus proche, le seul qu'il tutoyait, un traitement réservé aux membres de sa famille ou à d'anciens compagnons de guerre comme Karl Gottsahl. Mais leurs relations s'étaient peu à peu dégradées. Remonté contre lui par Göring et Himmler, étoiles montantes de sa galaxie, Hitler commençait à prendre ombrage de la puissance de la SA, quatre fois plus nombreuse que l'armée de la République de Weimar, et de la ligne politique qu'il jugeait foutraque, ringarde, pseudo-marxiste, crypto-bolchevique, du patron des « chemises brunes ».

Après sa deuxième bière et le plat principal, Ernst Röhm sortit de table, apparemment pour uriner, l'une de ses activités principales. Pendant son absence, Gustav Schmeltz conseilla à Karl Gottsahl d'en rabattre.

« Ernst est très énervé en ce moment. Il pense qu'Hitler n'est pas au niveau…

— … il est temps de s'en rendre compte !

— Il pense aussi qu'Hitler est prêt à toutes les compromissions pour gagner les élections.

— Ce serait bien, ironisa Karl. Les vrais politiciens sont des girouettes qui se prennent pour le vent. N'est-ce pas aussi le cas de ton Ernst ? Franchement, il n'a pas l'air d'un petit saint, lui non plus. »

Le colonel Schmeltz approcha sa trogne rougeaude, avec une expression de conspirateur.

« J'aime beaucoup Ernst. C'est un type très humain.

— Ce n'est pas l'adjectif qui me viendrait à l'esprit.

— Tu as tort. Je viens d'arriver dans son équipe. Sache qu'il m'a déjà couvert quand j'ai décidé d'enterrer une instruction du cabinet d'Hitler. On nous a donné une liste de personnes à liquider à la première occasion. En tête de liste, il y avait Magdalena Weinberger.

— *Scheisse !* » s'exclama Karl.

Il porta sa main au front.

« La femme de mon meilleur ami ! Mais comment est-ce possible ?

— Je sais. Tout ça parce qu'elle a pris Hitler à partie au cours de ce fameux dîner chez toi où je me trouvais, il y a plusieurs années !

— Non, c'était un déjeuner, corrigea Karl. Et dire que Magdalena n'est même pas juive !

— Les nazis te répondront qu'elle est enjuivée.

— Je t'en supplie, Gustav : ne les laisse pas faire du mal à Magdalena. Je ne le supporterais pas.

— Nous avons mangé les consignes, t'ai-je dit.

— La prochaine fois que tu verras Hitler, fais-lui savoir que le chien Adolf est mort et que nous l'avons remplacé par un bâtard de terrier qui s'appelle Adolf II. J'aimerais voir le Führer, lui parler. Transmets aussi à Ernst que je donnerai tout ce qu'il faut et même plus à la SA.

— Merci pour nos "chemises brunes". »

De retour au bureau, Karl invita tous les Weinberger parents et enfants à passer le week-end dans sa propriété sur le lac de Starnberg. Ce furent deux jours au paradis, à rire, vivre et contempler la beauté du monde, même si, parfois, un malaise affleurait.

C'était un temps à sève. Elle montait dans les vaisseaux des arbres, des plantes, et suintait avant de répandre dans l'air son odeur de fraîcheur.

Le dimanche matin, après le petit déjeuner, Karl proposa à Magdalena Weinberger de se promener avec lui au bord du lac.

« Nous ne voyons pas toujours les choses de la même façon, toi et moi. Tu es émotive. Moi pas. Sur le nazisme, c'est toi qui avais raison. Pour ma part, je n'avais qu'un mauvais pressentiment. Vous devriez quitter ce pays au plus vite, Helmut, les enfants et toi.

— Helmut hésite toujours. Il est si insouciant. Il n'arrive pas à croire que l'Histoire est tragique. Il n'y a que toi qui pourrais le convaincre.

— J'ai essayé, dit Karl. Peut-être pense-t-il que je veux me débarrasser de lui. Or, c'est tout le contraire. Il ne faudra pas être juif quand les nazis arriveront au pouvoir, s'ils y arrivent, à Dieu ne plaise. Certes, ils ne resteront pas longtemps, ces incapables. Mais tant qu'ils seront aux affaires, ce sera un enfer pour les Juifs. Alors, mettez-vous au frais quelque temps et revenez quand la vague hitlérienne aura reflué, ce qui ne manquera pas de se produire. Je vais reparler à ton mari. Je pourrais ouvrir à Paris une filiale française qu'il dirigerait. Qu'en penses-tu ?

— Ce serait une bonne chose. »

Magdalena l'embrassa avec tendresse.

« Tu es vraiment un type bien, dit-elle.

— J'essaie de l'être. En avais-tu vraiment douté ? »

Avant le déjeuner, quand Karl lui fit la proposition, Helmut répondit :

« Si je pars maintenant, je ne reviendrai plus.

— Ce serait judicieux de s'exiler le plus vite possible. Toi et Magdalena, avec votre culture française, vous adapteriez très bien à Paris.

— C'est vrai que je songe à émigrer, mais tous les

Juifs ne sont pas errants, Karl. Je me sens tellement chez moi ici... »

*

Harald avait demandé à son père de lui accorder un entretien personnel mais maintenant qu'ils étaient ensemble, les mots lui manquaient. Assis sur un banc face au lac, brillant comme un miroir au soleil, le père et le fils assistaient en silence à la montée du soir pendant que les oiseaux et les grenouilles donnaient leur premier grand concert de l'année. Il fallait parler. Karl se dévoua.

« Il fera beau, demain.

— Je ne crois pas, papa. Si les nazis l'emportent, il ne fera plus jamais beau dans notre pays.

— Tout passe, Harald.

— Ce que tu peux être fataliste !

— Non, c'est l'Histoire qui nous le dit. »

À son fils qui s'inquiétait de ses complaisances pour les nazis, Karl répondit sèchement :

« Je vois qui je veux.

— Mais pourquoi Hitler ?

— Jusqu'à ma mort, Harald, je resterai un homme libre et ma porte sera ouverte à qui m'intéressera. »

Harald haussa le ton.

« De grâce, ne me dis pas qu'Hitler est intéressant !

— Sans doute pas autant que Thomas Mann qui est venu dîner l'autre jour à la maison, et pour qui j'ai un immense respect. Mais ce pauvre Hitler me préoccupe.

— Pourquoi dis-tu ce pauvre Hitler ?

— Ça lui va bien. Il ne progresse pas. Il est malheureux dans sa vie et ne fait que des bêtises. »

À l'époque, Hitler sortait à peine d'une longue période de débine, qui avait commencé avec sa tentative de putsch contre le gouvernement bavarois, dans la soirée du 8 novembre 1923. Comme elle avait tourné à la farce, il avait ensuite connu l'opprobre et la prison. Apparu comme un amateur à la tête d'une bande de débiles ou d'allumés, il semblait promis, après sa courte carrière, aux caniveaux de l'Histoire.

Hitler avait néanmoins révélé, à l'occasion de ce putsch, sa capacité à subjuguer des personnalités de premier plan comme Erich Ludendorff. Une baderne stupide, antisémite, disposant d'un réel crédit dans l'opinion après avoir été général en chef des armées allemandes pendant la Grande Guerre de 1916 à 1918 et dont le Führer, une fois qu'il l'eut retourné comme un gant, se débarrasserait plus tard, quand il aurait fini de servir.

Au milieu des années 1920, le NSDAP n'était plus qu'un parti marginal, électoralement. Mais Hitler n'avait pas lâché l'affaire : il restait convaincu de la victoire finale qu'il continuait à annoncer. Il commença à tourner dans le pays pour assurer la promotion de *Mein Kampf* qui, à sa sortie, ne fut pas le grand succès que l'on a dit. Il fallut ramer : plus de 20 000 exemplaires pour le premier tome, paru en 1925 ; 13 000 pour le second, publié en 1926. C'est à l'approche de son accession au pouvoir que les ventes décollèrent enfin.

En attendant, grâce à ses réunions publiques autour de *Mein Kampf*, Hitler tissait sa toile d'araignée dans le parti et au-delà, jusque dans le cercle des grands industriels qu'il tentait d'amadouer. De plus en plus national et de moins en moins socialiste, il s'employait à devenir fréquentable.

Avec la crise financière de 1929, l'Allemagne fut précipitée dans une phase de désagrégation économique et de chômage de masse. Hitler devint peu à peu l'incarnation d'un pays affolé, prêt à se donner au premier venu, pourvu qu'il hurlât sa colère, et le Führer hurlait, c'était tout ce qu'il savait faire, jeter des hauts cris, des braillements de l'autre monde, entre deux feulements, avec une fureur d'abatteur.

Alors que les nazis étaient aux portes du pouvoir, Karl Gottsahl se fit souffler le marché du parti national-socialiste par Hugo Ferdinand Boss, un petit industriel aux abois, à grosse moustache et aux yeux tristes de porc à l'engraissage. Pour sauver son affaire, il avait adhéré à la formation hitlérienne en 1931. Les stocks de LL étant épuisés, il fabriquerait désormais lui-même les chemises brunes, puis les uniformes de la SA, des SS, de la Wehrmacht, devenant bientôt pour la postérité le couturier officiel des nazis.

On aurait pu croire que Karl Gottsahl profiterait de cette occasion pour prendre ses distances avec les nazis. « Je plains Boss », déclara-t-il en continuant à naviguer, sans rancune, dans les eaux troubles du nazisme où il ne cessait de se faire de nouvelles relations. Le dernier était Alfred Rosenberg, l'idiot du village qui, s'il y avait eu un prix de l'homme le plus bête du monde, l'aurait gagné ex aequo avec Rudolf Hess.

« Malgré son nom, avait dit Karl Gottsahl à Helmut Weinberger, cet imbécile de Rosenberg n'est pas juif. Tant mieux pour ton peuple qu'il aurait déshonoré. Il est encore plus bête qu'une porte sans poignée. »

Un jour qu'Helmut Weinberger lui faisait le reproche de passer beaucoup de temps avec « cet imbécile de Rosenberg », Karl Gottsahl avait répondu :

« Il pourra me servir un jour. En attendant, laisse-moi m'encanailler un peu avec lui. Sa fréquentation me fait du bien. Chaque fois que je le vois, je me dis qu'il n'y a aucune chance que ces gens-là arrivent au pouvoir.

— Tu les sous-estimes !

— Pas tous. Hitler m'impressionne, j'en conviens. Tu me le reproches d'ailleurs assez. Mais ce n'est pas pour son intelligence : la sienne est plus que médiocre. Ce qui en impose, chez lui, c'est l'extraordinaire ascendant qu'il exerce sur les siens. Sa capacité à séduire, terrifier, entraîner. »

*

Quelques jours plus tard, Karl Gottsahl avait enfin réussi à inviter à dîner chez lui l'homme qu'il admirait le plus au monde : Karl Kraus, satiriste étincelant, prince de l'aphorisme, pessimiste antimoderne, qui menait depuis Vienne un combat sans répit contre la bêtise. Il était accompagné par un dramaturge bavarois qu'il semblait considérer comme son fils, un certain Bertolt Brecht qui avait connu un immense succès avec *L'Opéra de quat'sous*.

Bien sûr, Karl Gottsahl avait convié les Weinberger qui étaient aux anges, la bouche entrouverte, les yeux écarquillés devant la vélocité intellectuelle de ce mythe vivant de la pensée autrichienne, un polémiste qui trempait sa plume dans l'acide chlorhydrique. Le nazisme ne pouvait avoir pire ennemi que ce pacifiste, ancien social-démocrate, avocat de l'« assimilation sincère » des Juifs, qui avait été jusqu'à prêcher jadis le « salut par la dissolution ». Pour contrer le nazisme et en finir pour de bon avec l'antisémitisme, il avait plus ou moins laissé entendre que la meilleure solution était de supprimer… le Juif.

Virtuose de la lecture publique, Karl Kraus parlait comme il écrivait. En saillies comme celles-ci :

« La psychanalyse est cette maladie mentale qui se prend pour sa propre thérapie. »

« En amour, il importe seulement de ne pas paraître plus sot qu'on ne le devient. »

« La jalousie est un chien de garde dont les aboiements attirent les voleurs. »

« Ils se font juges pour ne pas être jugés. »

« Le monde est une prison. Il vaut mieux occuper une cellule individuelle. »

« Le national-socialisme n'a pas détruit la presse, c'est au contraire la presse qui a créé le national-socialisme. En apparence seulement comme réaction, en réalité comme accomplissement. »

À fin du repas, Karl Kraus félicita Elsa pour les brochures qu'elle avait écrites contre le nazisme et qui se vendaient pour rien dans les universités, les librairies, notamment :

« Quand nous réveillerons-nous ? »

« Qu'est-ce qu'on attend pour se bouger ? »

« Il y a le feu. Mais où sont les pompiers ? »

Après le départ de Karl Kraus et Bertolt Brecht, les Gottsahl et les Weinberger convinrent que cette soirée avait été la plus belle qu'ils aient passée ensemble. Mais quand ils le dirent, ils avaient un goût de cendres dans la bouche. Les mots, si beaux fussent-ils, la merveilleuse langue allemande, tout cela ne pouvait rien contre la prolifération des croix gammées…

## 27

## *Un Hitler en cache toujours un autre*

MUNICH, 1933. Le 30 janvier 1933, à quarante-trois ans, Hitler fut nommé chancelier du Reich par le président Hindenburg, et Elsa Weinberger tomba gravement malade. Fièvre, nausées, difficultés respiratoires, maux de ventre, de tête.

Après l'avoir auscultée, Élie ne comprenait pas de quoi son épouse pouvait souffrir mais il lui sembla que c'était grave. Elle parlait à voix basse, comme les mourants.

Devenu une autorité médicale, Élie n'aimait pas soigner ses proches. « Je ne suis pas généraliste, disait-il volontiers avec fausse modestie. Je ne suis qu'un urologue. » Il appela le médecin de famille, le docteur Weidmann, qui fut lui aussi bien en peine de formuler un diagnostic. Il est vrai qu'il était éméché, comme d'habitude.

« Si ce n'est pas une bronchite, dit le médecin, c'est une gastro-entérite ou un état de fatigue générale, à moins que madame ne soit enceinte.

— Ah, non ! protesta Elsa.

— Avez-vous des envies d'aliments vinaigrés comme les cornichons, qui accélèrent la digestion ?

— Je n'ai envie de rien.

— En ce cas, vous n'êtes pas enceinte. »

L'haleine du docteur sentait un mélange de bière, de schnaps, de vin blanc. Si quelqu'un avait craqué une allumette dans la pièce, il y aurait eu une explosion.

Après avoir reconduit le médecin de famille, Élie Weinberger décida que sa femme souffrait d'une hitlérite, une sorte de choc émotionnel, de panique du corps et des sens après l'accession au pouvoir du Führer. Il s'allongea sur le lit à côté d'elle et posa sa main sur la sienne. Ils restèrent ainsi sans rien dire jusqu'à ce que leurs enfants paraissent pour leur dire bonsoir avant d'aller se coucher.

« Je vais aller prier à la synagogue, dit-elle.

— Mais, mon amour, tu n'es pas croyante !

— J'ai encore moins de raisons de l'être depuis que le schmock est arrivé au pouvoir. Mais bon, je suis juive. »

Elsa garda le lit quarante-huit heures. Elle n'était jamais restée aussi longtemps couchée, même après la naissance de ses enfants. Trois jours plus tard, décidant qu'elle allait mieux, elle partit retrouver les membres de l'Association des citoyens allemands de confession juive qui, depuis l'arrivée au pouvoir d'Hitler, étaient en réunion de crise.

« Il est temps de tirer les leçons du passé, dit-elle. Quand je pense que notre journal, *CV-Zeitung*, est l'un des rares organes d'information juifs à avoir osé parler de *Mein Kampf*, et encore, il s'est contenté de reprendre les extraits d'une critique sévère, parue chez un confrère. Nous n'avons jamais pris Hitler au sérieux. Nous ne nous sommes pas donné la peine d'analyser ses discours, son programme, son idéologie. »

Un silence, puis, sur un ton sarcastique :

« Notez, il vaut peut-être mieux. Si nous savions ce qu'il compte faire des Juifs allemands, nous serions épouvantés. »

Dans son ensemble, la communauté juive réagissait à la nomination d'Hitler avec sérénité. Il fallait raison garder. Ce jour-là, un de ses chefs de file, Ludwig Holländer, avait écrit dans un éditorial : « Les Juifs allemands ne se départiront pas du calme que leur inspire leur lien avec tout ce qui est authentiquement allemand. »

Dans les six mois qui suivirent l'accession d'Hitler au pouvoir, alors que commençaient les persécutions, quelque 37 000 Juifs, sur 523 000, quittèrent l'Allemagne nazie. À intervalles réguliers, les Weinberger père et fils envisageaient de s'exiler aux États-Unis avant de trouver une bonne raison de reporter le départ pour lequel plaidaient sans relâche, avec fougue, Magdalena et Elsa, la mère et la bru.

Pour avoir le droit de quitter le pays, les Juifs devaient laisser la quasi-totalité de leurs biens derrière eux. Un impôt instauré pendant la grande crise pour endiguer la fuite des capitaux fut détourné à cet effet. Leurs comptes bancaires étaient bloqués. Sans parler du chemin labyrinthique des démarches à accomplir, dans lequel ils ne pouvaient avancer qu'en distribuant des dessous-de-table à tout-va.

*

Comment en était-on arrivé là ? Avant l'accession des nazis au pouvoir, Magdalena et Elsa s'étaient beaucoup inquiétées alors que leurs époux, les Weinberger père et fils, sans leur donner totalement tort, n'arrivaient pas à croire que pût prévaloir en Allemagne la folie national-socialiste. « Nous n'avons pas grand-chose à craindre, disait souvent Helmut, comme pour s'en convaincre. Après tout, nous ne sommes pas plus juifs qu'Hitler n'est pape. »

Mais l'Histoire roulait à toute allure et à contresens. Les ennemis d'Hitler crurent longtemps qu'il n'arriverait à rien. Trop paranoïaque, trop hystérique, trop antisémite. Surtout, pas au niveau. Les connaisseurs de la chose politique, à Berlin, avaient longtemps parié sur son concurrent dans le parti, Gregor Strasser, un homme structuré, as de l'organisation, que Karl Gottsahl n'aimait pas. « C'est un doctrinaire », disait-il avec mépris.

Géant bedonnant au sourire mou, Gregor Strasser était le chef de l'aile gauche du parti nazi. Un lourdaud fasciné par les Soviets, qui plaidait pour une « révolution sociale » et la « nationalisation de l'économie ». Basé à Berlin, il avait tellement développé le mouvement dans le nord de l'Allemagne que le Führer avait fini par s'inquiéter de son influence. À juste titre.

Depuis longtemps, Joseph Goebbels avait mis en garde le Führer contre Gregor Strasser, son ancien mentor. « L'esprit malfaisant de Strasser doit être extirpé radicalement », écrivait-il déjà dans son *Journal*[1], le 13 avril 1930. « Hitler le comprend aussi, observait-il. Mais de la compréhension à l'action, il y a toujours chez lui un long chemin. »

L'idéologie mène à tout, à condition d'en sortir. Quand il sentit que le pouvoir était à sa portée, Gregor Strasser s'embourgeoisa et se mit à rêver considération, honneurs, palais nationaux, jusqu'à devenir la coque-

1. *Journal, 1943-1945*, Taillandier.

luche d'une partie des élites du pays. Au point qu'en 1932 le chancelier du moment, le conservateur Kurt von Schleicher, intrigant dans l'âme, un des pires ennemis d'Hitler, lui proposa le poste de vice-chancelier.

Gregor Strasser hésitait. Les spécialistes en tambouille parlementaire estimaient qu'il aurait pu entraîner dans son sillage près de la moitié des 196 députés nazis du Reichstag. Si le chancelier Schleicher était parvenu à le retourner, c'en eût sans doute été fini du national-socialisme. Le risque de scission semblait si grand qu'Hitler, effondré, était prêt au suicide, comme il le confia à Goebbels qui le rapporta dans son *Journal*: « Si le parti tombe en ruine, j'en finis en trois minutes. »

Aux yeux d'Hitler, il y avait deux catégories d'humains : les dominants et les dominés. Lui-même faisait partie des premiers et Gregor Strasser des seconds. Il avait raison. Pour preuve, à la surprise générale, ce dernier finit par abdiquer devant le Führer, ses menaces, ses hurlements. En politique comme dans beaucoup de domaines, le caractère prime toujours sur l'intelligence qui, sans son concours, ne sert à rien.

Après une dernière entrevue avec le Führer, Gregor Strasser décida de quitter la politique et d'aller prendre l'air dans les montagnes. Hitler avait désormais un boulevard devant lui.

*

Soudain, les yeux s'ouvraient: l'Allemagne semblait condamnée au national-socialisme. Dans un monde dominé par les aveugles, quelques voyants avaient tiré depuis longtemps la sonnette d'alarme. Thomas Mann, par exemple. Deux ans auparavant, le 17 octobre 1930, Karl Gottsahl et Helmut Weinberger, en voyage d'affaires à Berlin, s'étaient rendus à la salle Beethoven pour assister à une conférence du grand écrivain allemand, perturbée par des militants nazis.

Auréolé du prix Nobel de littérature, l'année précédente, Thomas Mann, grand échalas, tiré à quatre épingles, la moustache sévère, avait appelé la bourgeoisie conservatrice et la social-démocratie à enterrer leurs querelles et à s'allier pour défendre « la raison » face au nazisme.

La raison a un grand défaut : elle n'est guère amusante, quand elle n'est pas barbante. C'est pourquoi, en démocratie, les peuples ont tendance à regarder ailleurs, du côté des braillards, idéologues, marchands de chimères. Thomas Mann était convaincu que l'aventure nazie conduirait « à une nouvelle guerre et à l'anéantissement total de la civilisation européenne ». Portée par une « gigantesque vague de barbarie excentrique et de grossièreté de foire », avec les « techniques de l'Armée du salut », elle allait, prophétisait-il, mettre « de l'écume » sur toutes les bouches allemandes.

L'écume monta vite à la gueule de la Bête qui s'ébrouait déjà au milieu des clameurs haineuses, abjectes. Tout était écrit, et Thomas Mann l'avait annoncé. Après la conférence, quand ils s'étaient retrouvés, l'auteur de *La Montagne magique* avait dit à Karl et à Helmut :

« Nous sommes un peuple sombre.

— Notre langue ne nous aide pas, avait ironisé Karl. Même quand nous badinons ou contons fleurette, nous avons l'air en colère !

— Lorsque le ciel est bleu, avait renchéri Helmut, nous

faisons sonner le tocsin avant d'aller nous terrer dans nos caves. Alors, quand il se couvre de nuages noirs…

— Nous sommes si pessimistes que nous en devenons apathiques », avait murmuré Thomas Mann, le regard triste.

Karl Gottsahl l'avait approuvé. La lucidité lui était venue tard et, maintenant, elle l'étouffait : l'Allemagne a perdu la tête, songeait-il, et elle ne la retrouvera pas avant de passer par l'expérience national-socialiste. Il n'en doutait plus depuis le jour où Hilda, sa cuisinière, fraîchement inscrite au parti nazi, lui avait dit qu'elle trouvait Hitler « très beau, très intelligent et très cultivé ».

« Nous nous sommes trompés, avait dit Karl Gottsahl parce que nous avons surestimé l'intelligence et la culture du peuple allemand.

— Parce que nous avons sous-estimé son malheur, avait ajouté Helmut Weinberger.

— Parce que nous avons aussi sous-estimé les capacités d'Hitler », avait conclu Karl.

Rares sont les cas, dans l'Histoire, où les « élites » de la politique, de la presse, de l'intelligentsia se seront autant trompées sur un personnage, il est vrai capable, pour arriver à ses fins, de jouer sur tous les registres : l'insulte, l'intimidation, le crime, le charme, la concession, l'épouvante.

C'était quand on croyait l'avoir cerné que l'on cessait de le comprendre : un Hitler en cachait toujours un autre. Modérant son antisémitisme frénétique devant les industriels qu'il s'employait à séduire, il le jetait le même jour, comme un os à ronger, dans ses discours devant la populace en transe.

Son principal mérite aura sans doute été la chance.

La politique est une affaire de travail, de talent, de compétence mais surtout de chance. Hitler n'a pas été porté par le raz-de-marée qu'ont décrit, depuis, les réécriveurs de l'Histoire. Contrairement à un mythe bien ancré, jamais le parti nazi n'a été majoritaire en Allemagne. Hitler n'est pas arrivé au pouvoir par les urnes.

Qu'on en juge. Aux législatives du 21 mai 1928, le parti nazi obtint 2,6 % des voix. À celles du 14 septembre 1930, 18,3 %. Le 31 juillet 1932, 37,4 %. Le 6 novembre 1932, il tomba à 33,1 %. Ce furent les dernières élections libres en Allemagne. Si les chiffres ont un sens, il n'y a jamais eu d'engouement massif : un tiers seulement du pays a donné ses suffrages au national-socialisme.

Le 5 mars 1933, après la dissolution des Chambres à la demande d'Hitler qui espérait une majorité plus large, les élections suivantes ont eu lieu dans un climat de tension extrême. Au début de la campagne, un décret présidentiel permit au gouvernement d'interdire les réunions, les publications. Après l'incendie du Reichstag attribué à un communiste et qui tombait à pic, les libertés publiques furent quasiment supprimées. Malgré cela, le parti nazi ne recueillit que 43,9 %. Toujours pas la majorité absolue.

En somme, le monde a eu la berlue, comme souvent : l'Allemagne était devenue nazie sans l'avoir jamais été.

Ces choses-là ne se disent pas mais, pour accéder au pouvoir, Hitler aura aussi bénéficié d'une alliance objective avec les communistes. Ils furent ses « idiots utiles », leurs ennemis prioritaires à tous étant la social-démocratie, le capitalisme, le libéralisme.

La philosophe Simone Weil fut témoin de cette collusion : « Combien de fois en Allemagne, en 1932, un communiste et un nazi, discutant dans la rue, ont été frappés de vertige mental en constatant qu'ils étaient d'accord sur tous les points[1]. »

C'était l'époque du national-bolchevisme. Au Parlement comme dans la rue, les partis communiste et nazi œuvrèrent de conserve contre la social-démocratie : après avoir régné un moment sur la République de Weimar, celle-ci représentait, avec 121 députés en 1933, la deuxième force politique du pays devant le parti communiste (100 élus). C'était l'ennemi commun.

Entre deux escarmouches, les communistes se retrouvaient avec les nazis dans des motions de censure, des grèves de transports. Mais ils ne furent pas récompensés par Hitler qui, sitôt devenu chancelier, les pourchassa sans pitié.

Tout en flattant l'extrême gauche, Hitler sut nouer des fils avec la bourgeoisie allemande et mettre sur pied des alliances avec le parti national du peuple, le DNVP, ou le centre (Zentrum) de Franz von Papen. Ce sont eux, surtout, qui ont involontairement servi de marchepied au Führer tout comme le vieux maréchal Paul von Hindenburg, l'ultraconservateur président du Reich, monument national, chef d'état-major pendant la Grande Guerre, qui appela le schmock à la chancellerie.

Ce monarchiste pensait, en le nommant, qu'Hitler, personnage brouillon et enflammé, ne résisterait pas à l'exercice du pouvoir. Encouragé par Franz von Papen, peigne-cul raffiné et nouveau vice-chancelier, Hindenburg espérait, comme on dit, lever l'hypothèque : anéantir les nazis en leur donnant l'apparence du pouvoir, plumer la

1. Voir *Note sur la suppression générale des partis politiques*, par Simone Weil.

volaille national-socialiste. Même Schleicher se rallia à cette stratégie puisqu'il finit par « recommander » Hitler pour la chancellerie.

« Pourvu qu'Hindenburg ne meure pas maintenant ! répétait Karl Gottsahl. Il n'a pas le droit de décéder tant qu'il n'aura pas réglé le problème ! »

Mais Hindenburg n'était déjà plus en état de nuire ni même de gouverner. « Le Vieux Monsieur », comme l'appelait Hitler, n'allait même pas vivre jusqu'à sa mort : un cancer du poumon besognait sa puissante carcasse d'un mètre quatre-vingt-seize, vingt et un centimètres de plus que celle du Führer.

Quand Hindenburg mourut le 2 août 1934, le Reich était à ramasser.

## 28

## *La chasse aux Juifs a commencé*

MUNICH, 1933. Un soir, alors qu'elle rentrait à la villa Sanssouci, quatre individus en chemise brune emmenèrent de force Elsa Weinberger dans une BMW 3/15 qui démarra en trombe. La voiture s'arrêta un peu plus loin, et la jeune femme fut jetée sur le trottoir, puis rouée de coups par les paramilitaires aux cris de «*Juden !*».

Elle fut ramenée chez elle en voiture par un couple qui avait assisté à la scène. Appelés à son chevet, son époux Élie et le docteur Weidmann diagnostiquèrent un traumatisme crânien ; trois fractures, au poignet, au genou, au tibia ; trois côtes, deux dents cassées ; de nombreux hématomes, notamment à l'œil, sur le front, les seins, les jambes ; un petit doigt dont l'extrémité avait été réduite en bouillie.

À l'énoncé de ce bilan, Elsa resta stoïque, les mâchoires serrées, les yeux secs. Pour elle, les seules choses qui comptaient étaient le bris des deux dents de la mâchoire supérieure, une canine et une incisive, ainsi que la blessure de l'auriculaire.

«Je me vengerai, murmura-t-elle.

— C'est à moi de le faire », corrigea Élie.

Parmi ses agresseurs, Elsa avait reconnu Werner von Hohenorff. Les cheveux lissés en arrière, le regard perçant, la bouche délicate, il avait un peu forci mais il gardait cette beauté du diable que l'on trouve souvent dans l'aristocratie finissante, quand elle ne croit plus en rien, même pas en elle-même. C'était lui qui avait porté les coups les plus violents.

Élie Weinberger voulait porter plainte mais Elsa l'en dissuada.

« C'est nous qui irions en prison. Tu n'as pas encore compris que l'hitlérisme est une machine à tuer. Nous n'avons pas d'autre solution que de partir.

— Pas dans ton état, mon amour ! C'est impossible ! Avec ton genou, il faudra plusieurs mois de convalescence. On avisera après.

— Pense à nos enfants, Élie. Dans quelques mois, il sera peut-être trop tard. »

Pris d'une envie soudaine d'embrasser Elsa, Élie posa un baiser sur son front. Elle sourit d'un sourire douloureux, et il cita Novalis :

> Seul comprend le mystère du pain et du vin celui qui a bu sur des lèvres chaudes et aimées l'haleine de la vie.

Elle sourit encore :

« Il faut quitter ce pays, Élie. Promets-le-moi.

— Je te le promets, mon amour. »

Les Gottsahl furent si choqués par le tabassage d'Elsa qu'ils retirèrent les tableaux d'Hitler du salon et de leur chambre pour les ranger au grenier où ils prirent la poussière jusqu'à la fin de la guerre, quand ils s'en débarrassèrent. À leur place furent accrochées des toiles expressionnistes de Franz Marc, Oskar Kokoschka, Edvard Munch qu'ils achetèrent les semaines suivantes.

Le soir de l'agression, un ami de son père vint apprendre deux mauvaises nouvelles à Elsa. Le même jour, à Munich, une voiture et un camion semi-officiels s'étaient arrêtés devant le restaurant de ses parents, La Table de l'Isar : dix nervis de la SA en étaient sortis munis de barres de fer. Ils avaient cassé la vitrine et une grande partie du mobilier sous les yeux des aubergistes, Avi et Ursula Kantor, qui n'avaient opposé aucune résistance.

Tout en récupérant les bouteilles d'alcool qu'ils avaient chargées dans le camion, les SA avaient réprimandé les clients qui déguerpissaient :

« Pourquoi allez-vous dans les restaurants tenus par des Juifs qui vous volent et vous empoisonnent ? Soyez patriotes ! Mangez allemand ! »

Ensuite, les mêmes avaient brisé les vitrines du Chic de Bavière, à quelques centaines de mètres de là, mais sans endommager l'intérieur de la boutique. Avant de partir, ils avaient cloué sur la vitrine des Rosenblatt un grand panneau où on lisait : « BOYCOTTONS LES JUIFS ! »

*

Après cette opération, le pays reprit tranquillement ses occupations. Aux yeux d'Hitler, c'était là que le bât blessait : le peuple allemand n'était pas à la hauteur de la tâche immense qui l'attendait. Au lieu de hâter sa purification raciale, il traînait la patte ; il avait pour les nazis le même regard mou que les vaches pour les trains qui passent.

Certes, la populace était toujours là, pour prêter main-forte aux SA dans leurs basses besognes mais le peuple se dérobait. Il n'ouvrait guère la bouche, par crainte de représailles, mais il n'en pensait pas moins. Il aurait mérité d'être « dissous », pour reprendre le mot de Bertolt Brecht.

Dès que les commerces juifs furent remis en état, la plupart des Allemands recommencèrent à les fréquenter, de même que les restaurants juifs comme La Table de l'Isar, qui ne désemplissaient plus. Il était clair que le peuple n'avait pas retenu la leçon, il faisait de la résistance passive ou bien se fichait des mots d'ordre du pouvoir. Le Führer ne décolérait pas.

La SA avait épargné la boulangerie où officiait Moché Kantor dit Hänsel Bauer. Il fut heureux d'entendre plusieurs clients râler contre les exactions des « bandes armées ». L'Allemagne n'était pas un pays à pogroms, se disait-il. Il avait prévu de partir un jour pour les États-Unis mais, auparavant, il faudrait rester encore quelques années en Bavière, le temps de se procurer des papiers.

Sa fille Lila avait cinq ans. Sous l'enfant, il imaginait déjà la superbe femme qui conquerrait le monde. Il ne lui manquait que l'essentiel : l'éducation. Un temps, Moché Kantor avait cru pouvoir prendre en charge l'instruction de la petite mais il avait trop de travail à la boulangerie. Il n'y avait rien, non plus, à attendre des grands-parents de Lila : les yeux battus, la carcasse moulue, toujours sur les dents, ils étaient perpétuellement débordés. Quant à Zita, l'ancienne prostituée, elle avait tenté de jouer les institutrices mais sans succès. Enseigner est un métier.

Désormais entretenue par Gustav Schmeltz, Zita aurait pu lui demander de payer pour l'éducation de Lila ; elle préférait le tenir à distance. Non qu'elle fût jalouse. En vérité, elle aimait la fille de Moché mais elle détestait les regards qu'il posait sur elle lors de ses passages dans l'appartement. Elle était horrifiée par les caresses du colonel sur le visage de l'enfant, ses minauderies, ses sourires effusants, le rougeoiement de ses joues. Sans parler des nombreux cadeaux, jouets ou vêtements, qu'il ne cessait de lui offrir.

De guerre lasse, Zita avait fini par accepter que Lila vienne déjeuner, de temps en temps, avec eux. La petite avait l'âge où l'on ne voit pas le mal partout. Elle appelait Schmeltz « mon bel ours » et ne se méfiait pas de ses élans quand ils se retrouvaient seuls. Un jour, alors que la maîtresse de maison était retenue à l'hôpital, au chevet de sa mère à l'article de la mort, le colonel passa à la vitesse supérieure.

Il l'emmena par la main dans la chambre, prit une serviette blanche dans la salle de bains, allongea dessus la petite, sur le lit, et la déshabilla lentement en la complimentant.

« Tu es la plus belle personne que j'aie rencontrée de ma vie. Regarde ce que tu as fait de moi : un brasier. »

Après l'avoir dénudée, Gustav Schmeltz approcha ses lèvres pour l'embrasser. Elle eut un mouvement de retrait, puis tourna la tête. Au lieu de la forcer, il recula et chuchota, la bouche en cœur :

« Je comprends que tu n'aies pas envie de moi, Lila. Je suis vieux et moche, très moche même, car j'ai tout donné à la patrie. Autrefois, j'étais beau, tu sais, le plus beau gars du régiment, et je sais que je le suis resté à l'intérieur. Ferme les yeux et laisse-toi aller, je ne te ferai pas de mal. »

Gustav Schmeltz caressa les seins de la petite, son

ventre, puis son entrejambe. Sa main était douce, prévenante, mais Lila restait crispée. Le colonel suivit avec ses lèvres le même chemin, des seins à l'entrejambe. Puis il lui demanda de garder les yeux fermés, se redressa et baissa son pantalon, son caleçon.

« Ferme bien tes yeux », répéta-t-il. Elle obéit, les lèvres pincées, avec une expression d'inquiétude.

Quelques minutes passèrent pendant lesquelles il lui murmura des choses gentilles. Soudain, Lila se sentit aspergée, comme s'il lui avait pissé dessus.

« Garde les yeux fermés », insista-t-il en se reboutonnant.

Après quoi, il laissa Lila se lever pour filer à la salle de bains et il alla laver la serviette dans l'évier, la mit à sécher. Ensuite, il demanda à l'enfant de s'asseoir à côté de lui sur le canapé du salon et lui lut pour la vingtième fois au moins un conte populaire allemand repris par les frères Grimm, *Raiponce*. Elle n'était pas à l'aise mais elle appréciait.

On ne se méfie jamais assez du sixième sens des femmes. Quand elle rentra, Zita devina, au regard de Lila, ce qui s'était passé. Elle se planta devant Gustav et hurla : « Tu n'as pas le droit, gros cochon ! »

Le colonel s'attendait à recevoir une gifle, mais non, Zita était trop dévastée pour ça. Deux ou trois larmes mouillèrent les yeux de Gustav et il les baissa avec un air penaud.

« Pardon, Zita. Je ne recommencerai plus. »

Lorsqu'il apprit le forfait dont Gustav s'était rendu coupable, Mochè écouta sa raison qui lui ordonnait de ne rien faire : le colonel était l'un des pontes du nazisme.

Il ne fallait pas qu'il y ait de deuxième fois. Mais comment faire ? Mochè s'en était ouvert à Zita.

« Il en a tellement pleuré, dit-elle, qu'à mon avis il n'est pas près de récidiver. »

Zita avait néanmoins promis de tout faire pour que Gustav et Lila ne se retrouvent plus en tête à tête.

Le dimanche suivant, Mochè se rendit à l'église Saint-Michel et demanda à l'abbé Schulz s'il ne connaissait pas, parmi ses relations, un percepteur occasionnel, capable d'enseigner le b.a.-ba à sa fille. Le curé lui donna plusieurs noms qu'il écrivit sur un papier. En tête de liste figurait Elsa Weinberger qui dirigeait une association de soutien aux réfugiés. « Vous devriez aller voir celle-là en priorité, conseilla-t-il. Son nom de jeune fille est le même que le vôtre : Kantor.

— C'est un nom répandu, dit Mochè.

— Mais si vous voulez mon avis, reprit le père Schulz, ne restez pas, n'écoutez personne, partez, PARTEZ !

— Pourquoi m'enfuirais-je ? protesta Mochè. Le peuple est avec nous, je le vois tous les jours à la boulangerie.

— Le peuple est une putain qui a flagellé le Christ, lapidé des femmes adultères, coupé la tête de Louis XVI. Je vous conjure de ne pas lui faire confiance, ni à lui ni aux nazis. Hier, les sbires d'Hitler m'ont cherché toute la journée pour me passer à tabac. Et je ne suis même pas juif ! »

Quelques jours après l'arrivée des nazis au pouvoir, Hermann Göring, ministre sans portefeuille du chancelier Hitler, avait lancé un appel voilé à la chasse aux Juifs en promettant l'impunité à ceux qui s'en prendraient à eux. On ne peut pas dire qu'il fut vraiment entendu. C'était aux nazis de se dévouer, de pourvoir aux défaillances du peuple. Les semaines suivantes, les pseudo-soldats de la SA, épaves, alcoolos, brigands au rancart, anciens chômeurs, furent partout à l'œuvre, molestant les Juifs dans les rues ou placardant des affiches sur leurs magasins quand ils ne les saccageaient pas.

Même chose pour les cabinets de médecins ou d'avocats juifs : les portes d'entrée étaient recouvertes d'affiches invitant la clientèle à se soigner ou à se défendre en achetant seulement allemand. Les nazis pensaient qu'ainsi ils déchaîneraient la lave qui bouillait contre les Juifs dans la populace. Mauvaise pioche.

L'immobilisme était en marche, rien n'y ferait. Il fallait donc légiférer. Les nazis firent voter, deux mois et une semaine après leur accession au pouvoir, la loi de restauration du fonctionnariat dont les Juifs étaient exclus, à moins qu'ils ne fussent fonctionnaires avant 1914, anciens combattants ou orphelins de guerre.

Dans la foulée, d'autres lois éliminèrent les quatre cinquièmes des Juifs du barreau. Même principe dans les écoles, les universités, les professions médicales où les Juifs n'étaient plus les bienvenus. Furent interdits toutes sortes d'auteurs juifs ou considérés comme enjuivés : Ernest Hemingway, Maxime Gorki, Jack London, Stefan Zweig, Robert Musil, Thomas Mann, Karl Kraus, Erich Maria Remarque dont le roman pacifiste, *À l'ouest, rien de nouveau*, un succès mondial, avait rendu fous les nazis. Le 10 mai 1933, vingt mille livres furent brûlés à Berlin.

Du jour au lendemain, les Juifs devinrent des sous-hommes, des *untermenschen*. Un quart juif, l'ex-lieutenant Élie Weinberger put garder son poste d'urologue mais son hôpital fut contraint de licencier plusieurs de ses collègues juifs, parmi les plus brillants, qui partirent exercer en France, au Canada, aux États-Unis.

En ce temps-là, comme les Noirs sous d'autres cieux, les Juifs allemands étaient appelés à sortir de l'espèce humaine à coups de trique, de lois. Des riens, des brimborions, traités avec à peine plus de considération que les animaux. « Hitler est en train de nous transformer en dhimmis », avait dit un jour Elsa qui venait de lire un ouvrage érudit sur l'Andalousie musulmane.

Que l'on permette à l'auteur d'introduire ici une petite parenthèse. La pureté, voilà l'ennemie du genre humain. Elle a le cul sale et souille tout, les plus grandes civilisations, les plus belles religions. Observez comme ces séides à la bouche de travers demandent à Dieu de leur pardonner leurs péchés en frappant toujours plus fort sur les poitrines des autres, à coups de couteau généralement, jusqu'à ce qu'ils en crèvent.

Même si ce modèle a prévalu sous d'autres formes en Afrique du Sud ou dans le sud des États-Unis, l'Andalousie musulmane, souvent présentée comme le nec plus ultra du « vivre ensemble », incarnait à merveille la pureté par la ségrégation. S'ils voulaient garder leur statut de « protégés », c'est-à-dire ne pas être assassinés sur-le-champ, les membres des communautés chrétiennes ou juives ne devaient pas monter à cheval ni habiter dans des maisons plus hautes que celles des musulmans.

Dans « Al-Andalus », prétendu Paradis sur terre, les « dhimmis », ces « impurs », étaient la préfiguration des sous-hommes à la mode nazie. Accablés d'impôts, ils devaient porter des vêtements distinctifs, vivre leur religion discrètement, ne pas s'approcher des mosquées pour ne pas les profaner et, dans la rue, céder le passage aux musulmans. S'ils se faisaient voler par ces derniers, ils n'avaient aucune chance de récupérer leurs biens : leur parole n'avait aucune valeur juridique devant les tribunaux. Cette ségrégation a longtemps prévalu en terre d'Islam et jusqu'au XXe siècle dans l'Empire ottoman.

Dhimmis du Reich, les Juifs allemands furent peu à peu écartés puis rayés de la société au nom de la pureté raciale. Une photo emblématique de cette époque nous montre une belle femme blonde, digne, élégante, avec un chapeau de paille et de superbes chaussures à lanières, le regard altier, snobant l'objectif. Goy et aryenne, elle a commis la faute de fricoter avec un Juif. Avant les sanctions qui ne manqueront pas de suivre pour son comportement répréhensible, elle a déjà été condamnée à poser avec lui pour la postérité et l'édification des masses.

Le Juif en cause est un petit homme brun aux oreilles décollées, qui porte un nœud papillon et un costume trois pièces. Tenant son couvre-chef à la main, il a les yeux baissés et un air de chien battu, comme s'il avait commis un crime horrible. Entourés par des sbires de la SA raides comme la mort, les deux anciens amants ont de grandes pancartes attachées au cou. Sur l'une, il est dit que la demoiselle est une « grosse cochonne » qui ne couche qu'avec les Juifs. Sur l'autre, il est écrit que, comme tout Juif, l'homme emmène « des jeunes Allemandes dans sa chambre ».

## 29

## *Le genou d'Elsa*

MUNICH, 1933. La guérison du genou d'Elsa s'annonçait mal. Non seulement le coup de barre de fer avait fracturé la rotule et le haut du tibia, mais le tendon du quadriceps, le gros muscle de la cuisse, s'était également déchiré.

Sous le genou, sa jambe ressemblait à une pièce de boucherie, l'araignée de bœuf. Quand elle avait vu sa mère couverte de pansements, Aviva s'était évanouie. Venus lui rendre visite à l'hôpital, ses parents aubergistes manquèrent aussi de défaillir.

L'apparence d'Elsa changeait d'heure en heure. Son œil au beurre noir semblait un astre mourant au milieu de son visage blanc, gris, violet, bleu de méthylène selon les périodes de la journée. Quand ses parents étaient entrés dans la chambre, elle était livide, comme si elle avait perdu tout son sang. Lorsqu'ils partirent, elle virait au mauve.

Parfois, la voix d'Elsa montait si haut qu'elle finissait par se perdre. À en croire le mouvement de ses lèvres, elle continuait à parler mais on n'entendait plus rien. Elle était sujette à des crises d'affolement, entrecoupées de spasmes, de rires étranges, sur lesquelles les calmants n'avaient aucun effet.

Sans s'être concertés, les Kantor, ses parents, s'étaient bien gardés de lui raconter le sac de La Table de l'Isar. Inconsciente de sa condition et de la rééducation qui l'attendait, elle leur confia qu'elle comptait désormais se consacrer pleinement au combat contre le nazisme. Elle lancerait un mouvement politique et une revue d'actualité dès qu'ils auraient émigré.

« Tu cherches les ennuis, soupira son père. Les tueurs d'Hitler iront te chercher partout où tu seras.

— Il faut se battre tant qu'on est vivants…

— Tant que je vivrai ici, dit Avi Kantor, je ferai semblant mais la cause est perdue, je n'ai plus aucun espoir : l'Allemagne est prise d'un vertige suicidaire comme les baleines qui se jettent sur le rivage pour mourir. Franchement, nous n'avons pas le choix, il faut fuir. Pour notre part, nous envisageons de nous installer rapidement au Canada. Et vous ? Toujours en Amérique ?

— C'est encore en discussion avec Élie. »

Avi Kantor posa la main sur le bras d'Ursula, son épouse, qui avait les mâchoires serrées, signe qu'elle menait une bataille intérieure pour ne pas s'effondrer devant sa fille.

« Nous avons mis en vente le restaurant, annonça-t-il.

— Vous allez le vendre pour une bouchée de pain !

— Tant pis.

— Les Juifs vendent tout en ce moment, marmonna Elsa, ça fait baisser les prix de l'immobilier.

— Tu penses bien qu'on le sait, dit Ursula, mais ça ne change rien à notre détermination. On a déjà perdu beaucoup trop de temps. Ici, ça pue la mort ! »

En sortant de l'hôpital, les Kantor croisèrent Élie. Ils lui firent part de leurs inquiétudes sur l'état de leur fille. Il répondit qu'elle était très préoccupée par sa jambe : elle craignait de rester boiteuse, ce qui pouvait expliquait ses sautes d'humeur.

Élie avait mis son épouse entre les mains d'un des meilleurs chirurgiens orthopédistes de Munich, un ami juif, bientôt interdit d'exercice, qui allait s'installer à Londres. Le médecin avait retardé son départ d'un mois pour soigner Elsa : il s'agissait d'« un cas extrêmement compliqué ».

Le lendemain, alors qu'était prévue une première opération sur le tibia, il appela le mari pour lui annoncer que son épouse était atteinte d'une gangrène gazeuse et qu'ils devaient se parler de toute urgence.

Élie accourut au chevet d'Elsa. Pendant l'agression des SA, la jambe de son épouse, ensanglantée par une fracture ouverte, était tombée dans un mélange de boue, de feuilles pourries. Ce fut sans doute à ce moment que s'introduisit dans sa chair la bactérie *clostridium perfringens* qui allait provoquer l'infection. Des cloques rouges lui poussaient à présent sous la peau et le teint de son visage virait au jaune crépusculaire.

« Il n'y a plus une minute à perdre, dit l'ami au couple Weinberger, l'air abasourdi mais digne. Il faut couper cette jambe tout de suite. »

Une heure plus tard, Elsa était amputée au-dessus du genou. À son réveil, elle marmonna : « Tant que j'aurai une bouche pour crier, les nazis auront affaire à moi. » Au lieu de l'anéantir, l'opération accrut encore sa vitalité, son courage, son antinazisme.

*

Les Gottsahl avaient été aussi bouleversés qu'indignés par ce qui était arrivé à Elsa. Harald lui rendait régulièrement visite à l'hôpital. Quant à Karl, le patriarche, il avait fait part de son ire à son vieil ami Gustav Schmeltz, à Ernst Röhm, le chef de la SA, et même à Adolf Hitler lors d'un tête-à-tête en marge d'un déjeuner de patrons dans sa salle à manger de la chancellerie, à Berlin.

« Comment va Adolf ? avait demandé Hitler, d'entrée de jeu.

— Il est à nouveau papa. Avec une maman terrier, je précise. Je ne mélange pas les races. »

Clin d'œil d'Hitler.

« Veux-tu un chiot ? demanda Karl.

— Non merci, répondit le chancelier. Le terrier est un chien trop enthousiaste. C'est fatigant, à la longue. Je préfère les bergers allemands. Ils sont plus dociles, moins expansifs. »

C'est alors que Karl Gottsahl se lança, le visage empourpré, la voix brisée par l'émotion.

« J'ai été très affecté par l'agression dont a été victime Elsa Weinberger, la belle-fille de mon meilleur ami. Des nervis de la SA en sont les auteurs, Ernst Röhm me l'a confirmé. Et il m'a indiqué que les ordres venaient d'en haut… »

Hitler observa un silence, puis grommela :

« Comment peux-tu croire un seul mot sorti de la bouche dépravée de cet homosexuel de Röhm, l'être le plus pervers qu'ait enfanté le Reich ? Je ne sais même pas qui est cette jeune femme.

— C'est la belle-fille de Magdalena Weinberger.

— Ah, celle-là ! Une garce, assez belle au demeurant. Mais toi qui me connais, tu me vois régler des comptes, des années après, avec une sotte dégénérée qui m'a offensé avec cette virulence, cette mauvaise foi dont seuls les Juifs sont capables ? Voyons, Karl, tu penses vraiment que je n'ai que ça à faire…

— Merci, mon Führer, dit Karl Gottsahl. Tu m'as rassuré. »

De retour à Munich, Karl ne fit jamais état de cette conversation : qu'Hitler se souvînt de cette algarade avec Magdalena n'avait pas levé ses doutes, au contraire, sur la responsabilité du chancelier.

Par la suite, Karl multiplia les attentions envers Elsa. Il mit son chauffeur à sa disposition et l'invita à passer sa convalescence dans sa résidence secondaire de Starnberg, au bord du lac. Chaque samedi, elle retrouvait Élie, leurs enfants, les clans Weinberger et Gottsahl au complet.

Il y a un pacte millénaire entre la beauté et la vie : la jeune femme retrouva rapidement des couleurs rien qu'en regardant le bleu azur de la petite mer bavaroise où, selon la thèse officielle, se noya Louis II de Bavière, le lendemain de sa destitution pour aliénation mentale.

Au bout de quelques semaines, grâce à la documentation que venaient lui apporter alternativement Élie et Harald, Elsa se mit à écrire des articles pour la presse française, notamment pour *L'Humanité*, des articles qu'elle faisait relire et corriger par Magdalena : le français de sa belle-mère était plus que parfait.

Son anglais aussi. Des textes d'Elsa, retravaillés par elle, furent publiés par de prestigieux magazines américains, comme *The Atlantic Monthly* ou *The Saturday Review of Literature.* Même si le combat antinazi restait encore confidentiel à travers le monde, elle commençait à se faire un petit nom.

C'était un été à orages. Cachés derrière les montagnes qui dormaient dans les nuages, ils arrivaient toujours en fin d'après-midi avant de tonitruer dans un ciel rose, jaunasse ou orange, selon les jours. Ils écrasaient la terre d'eau fraîche, de torrents bondissants, d'un bonheur gras qui coulait sur les herbes, les arbres. Jamais la Bavière n'avait paru plus belle, plus luxuriante, à Elsa qui aimait se promener au bord du lac avec sa jambe de bois ou bien lire, devant un coucher de soleil et en français, *Voyage au bout de la nuit* de Louis-Ferdinand Céline publié en France l'année précédente, en 1932. Elle sentait déjà en elle les morsures de la nostalgie à l'idée de quitter bientôt son pays.

## 30

## *Le menton de Magda Goebbels*

MUNICH, 1933. À l'approche de l'automne, les forêts commençaient à flamboyer. Chaque feuille se prenant pour le soleil, la Bavière offrait aux promeneurs, dès le matin, un crépuscule à grand spectacle, total et permanent. Une répétition de la fin du monde avant la générale, comme on dit au théâtre.

Elsa venait d'avoir trente et un ans, comme Élie, quelques mois plus tôt. Décidée à recommencer de zéro, elle était prête à l'exil. C'est alors que son mari lui apprit que son père, Helmut Weinberger, âgé de cinquante-huit ans, était atteint d'un cancer de la prostate. Son espérance de vie ne dépassait pas six mois.

« Je ne peux pas laisser mon père », dit Élie.

Conscient des dangers qu'il courait en restant, Élie encourageait son épouse à quitter l'Allemagne avec les enfants « avant qu'il soit trop tard ». « Face au nazisme, répétait-il, il n'y a plus qu'une solution : prendre ses jambes à son cou. »

Leurs papiers n'étaient pas tous encore en règle : il manquait toujours quelque chose, un document, une signature, un nouveau pot-de-vin à verser à un fonctionnaire qui avait tout bloqué. Par l'entremise de Karl Gottsahl qui, en tant qu'Allemand de souche, pouvait circuler librement, le couple avait déjà loué un modeste appartement, rue du Faubourg-Poissonnière, dans le 9ᵉ arrondissement de Paris, non loin des Grands Boulevards.

Harald se proposa de conduire Elsa là-bas et de l'installer avec les enfants, dès que leurs démarches seraient terminées. Mais elle ne voulait pas s'éloigner d'Élie. « Dans ces circonstances, disait-elle, mon devoir de femme est d'être à côté de mon mari. » Le grand départ était donc suspendu à la mort annoncée d'Helmut Weinberger, le père d'Élie.

Si Helmut avait pu nourrir des doutes sur les sentiments que lui portait Karl Gottsahl, ils furent vite levés. Un ami, c'est une main tendue et un sourire entendu quand tout va mal, une béquille pour s'appuyer quand le sol se dérobe sous vos pas, une voiture qui arrive à pleins gaz pour charger dans son coffre le cadavre de l'homme que vous venez de tuer.

Devant son ami qui se tortillait sur son lit de douleur, Karl fut grandiose. Il se rendait à son chevet au moins une fois par jour et, quand la mort s'approcha, il lui lut à sa demande les plus beaux textes de Novalis, l'écrivain préféré d'Helmut, comme celui-ci :

> Qu'est-ce qu'une heure d'angoisse, une nuit déchirée, un mois lugubre de chagrin, en regard de l'éternité, la bienheureuse ?

Il déclamait aussi des vers du jeune poète :

> *Rien qu'un instant suffit, où Dieu me fut donné*
> *Pour valoir de souffrir bien plus que des années*

Karl s'occupait de tout. Il payait l'hôpital, aidait financièrement les Weinberger, convoquait au chevet du malade les plus grands urologues européens, fournissait en secret de la morphine à Helmut. Il se démenait tant pour son ami qu'il suscita l'admiration de Magdalena et d'Elsa qui en oublièrent leurs accusations passées de complaisance envers le Führer et certains chefs nazis.

Politiquement, cependant, elles n'arrivaient toujours pas à suivre Karl Gottsahl qui se disait « agréablement surpris » par les premiers mois du gouvernement d'Hitler sous prétexte que l'apocalypse annoncée ne s'était pas produite.

Certes, Karl avait désapprouvé l'état d'exception instauré par décret après l'incendie du Reichstag, dans la nuit du 27 au 28 février : imputé à un communiste, l'événement était tombé à pic pour les nazis qui en avaient profité pour supprimer les libertés fondamentales, avec le vote, dans la foulée, de la « Loi visant à la suppression de la détresse dans le Peuple et dans le Reich ».

Signant la mort de la démocratie, elle permit au Führer de s'arroger les pleins pouvoirs, de gouverner par décrets, d'interdire les syndicats et les partis pour instaurer bientôt comme en Union soviétique, le système du parti unique.

Karl Gottsahl ne prisait pas la vulgarité de brasserie, consubstantielle au nazisme, des nouveaux dirigeants, leur antisémitisme viscéral, leurs méthodes de gangsters. Ils sentaient « l'égout », comme il disait. « J'ai honte pour mon pays », répétait-il à voix basse, après des regards circulaires, pour être bien sûr de ne pas être entendu par des oreilles nazies. Mais, comme beaucoup de chefs d'entreprise, il appréciait la politique économique antilibérale du Reich qui, sous la houlette de Hjalmar

Schacht, célébrait les joies de l'autarcie, du protectionnisme, en lançant des grands travaux pour réduire le chômage. Il faisait partie des adeptes du « nazisme des autoroutes » qui avaient décidé de refaire l'Allemagne. « Avec lui au moins, disait la vox populi, les affaires sont bien rangées et les vaches bien gardées. »

S'il n'était pas nazi, il s'en faut, Karl continuait à se frotter à ses chefs dans le cadre de ses nouvelles activités. À l'approche de la soixantaine, il avait décidé de se lancer dans l'édition de livres, la production de films, de musique, et le développement de salles de cinéma. Un univers où régnait, après Dieu, Joseph Goebbels, ministre du Reich à l'Éducation du peuple et à la Propagande.

*

Tout semblait aller pour le mieux dans le couple que formaient Karl et Ingrid Gottsahl. Certes, il aimait les femmes, surtout quand ce n'était pas la sienne. Mais il coupait toujours court aux aventures dès lors qu'elles devenaient sérieuses.

Il surveillait ses amours comme le lait sur le feu. Il n'était pas question qu'elles bouillent, montent, débordent. Il avait du mérite. Sur le plan sentimental, Karl avait un caractère entier et détestait la facilité, les compromis, les demi-mensonges à quoi l'obligeait son métier de patron. C'est pourquoi ses histoires duraient rarement plus d'une saison. Ses amours passaient, Ingrid restait.

Karl s'était spécialisé dans la femme mariée. Comme il l'avait dit un jour à Helmut, elle est plus libre et moins jalouse que les autres. De surcroît, si elle a des enfants, ils sont toujours à la charge des maris trompés. Il aimait citer ce mot d'Oscar Wilde : « Il n'y a rien de tel au monde que l'amour d'une femme mariée. C'est une chose dont aucun mari ne se rendra jamais compte. »

À la fin des années 1920, Karl Gottsahl avait frayé pendant plusieurs mois avec Magda Quandt, l'épouse d'un ami industriel qui avait été un roitelet du textile avant de se lancer dans la potasse, les batteries, les accumulateurs, puis de se développer dans les armes, les munitions, l'automobile avec BMW, sigle de Bayerische Motoren Werke. Pendant qu'il faisait ses affaires, sa femme, qui avait vingt ans de moins que lui, s'ennuyait comme un rat mort.

La relation entre Magda et Karl dura d'abord trois mois, pendant l'année 1927, avant de reprendre, une seconde fois, en 1931, pour une durée de deux mois. C'était une belle femme aux cheveux blonds tirés en arrière et fixés avec des épingles, ce qui dégageait son grand front et mettait en lumière ses magnifiques yeux bleus, peut-être les plus beaux du Reich. Une coiffure conventionnelle qui lui conférait un air de Mae West, le charme désuet des actrices du cinéma muet. Sans son menton proéminent de caïd des bas-fonds, à la James Cagney, elle aurait été parfaite.

Mais Karl aimait ce menton en galoche qui en disait long sur son caractère. Son nom de jeune fille était un patronyme juif, celui de son père adoptif : Richard Friedländer. Dans sa jeunesse, elle avait vécu un amour torride avec un jeune sioniste, Victor Arlosoroff, qu'elle continua à voir, plus ou moins discrètement, alors qu'elle était mariée avec Günther Quandt, jusqu'à ce que l'amant émigre en Palestine où il fut assassiné.

C'était une croqueuse de prétendants, de diamants. Les hommes courent souvent après leur queue, la célébrité, les honneurs. Magda, elle, courait après son menton, son instinct de domination, jusqu'à brûler ce qu'elle avait adoré : l'ancienne philosémite avait épousé sans vergogne la cause antisémite.

Pendant leur idylle, Karl et Magda se retrouvaient à l'hôtel Kaiserhof sur la Wilhelmplatz, au centre de Berlin, en passe de devenir le QG des nazis, ou dans un autre palace, l'Adlon, sur la Pariser Platz, longtemps repaire de Charlie Chaplin et de Marlene Dietrich. Il prenait une suite et ils y passaient la journée à forniquer, boire, manger. Pour ne pas se faire repérer, ils arrivaient séparément avec au moins vingt minutes d'écart.

À plusieurs reprises, Günther Quandt, le mari, observa que son épouse rentrait empourprée de ses journées à faire de prétendues courses. En plus, elle sentait l'homme, c'est-à-dire la bête. Avec une odeur de savon à la fleur d'oranger qui n'était pas habituelle, comme si elle venait de se laver pour effacer les effluves suspects.

*

Karl Gottsahl n'ayant rien à lui offrir, Magda Friedländer finit par aller voir ailleurs. Après qu'elle eut divorcé de Günther Quandt, Adolf Hitler fit sa connaissance en 1931 et commença à la courtiser, sans savoir qu'elle passait déjà ses nuits entre les pattes d'un chaud lapin, Joseph Goebbels.

Ils eurent un jour une explication à trois. Humilié, le cœur serré, amoureux transi, le Führer se résolut à laisser Magda Friedländer au diable boiteux du nazisme.

« Qu'est-ce que ça te fait d'avoir partagé la même femme avec Hitler et Goebbels ? demanda plus tard

Helmut Weinberger, sur son lit de cancéreux, à Karl Gottsahl.

— Je préfère ne pas être comparé à Goebbels, l'Hercule de la galipette ! En revanche, face à Hitler, tu as tôt fait de passer pour le Mozart, que dis-je, le Wagner de l'orgasme ! »

Karl reconnut que Magda ne lui avait pas fait de confidences sur la sexualité du Führer. Mais il était sûr qu'Hitler ne l'avait jamais envoyée au septième ciel. Politiquement, c'était sans doute un crack. Sentimentalement, un couillon. Sexuellement, une nouille. Il avait de toute évidence un problème avec les femmes.

Toujours en 1931, la nièce d'Hitler, Geli Raubal, avait été retrouvée morte au domicile de son oncle, à Munich, 16 Prinzregentenplatz : elle ne supportait plus la jalousie possessive de l'oncle Adolf, qui la couvrait de cadeaux et lui demandait de poser nue pour qu'il la dessine dans des postures inconvenantes. Elle se serait suicidée avec le propre revolver du schmock.

Le Führer était-il l'auteur du « suicide » ? Même si une mauvaise rumeur l'en accusa, rien ne permet de l'affirmer. En tout cas, il l'aimait.

Plus tard, à la Noël 1935, Hitler avait fait visiter à son amie Leni Riefenstahl l'ancienne chambre de Geli, fermée à clé, où trônait un buste de la nièce, couvert de fleurs, comme dans un mausolée. La cinéaste officielle du III$^{e}$ Reich raconte dans ses Mémoires que le caporal lui aurait avoué avoir « beaucoup aimé » la jeune fille, la seule femme, selon lui, qu'il aurait pu épouser.

Il l'avait dans la peau, cette petite au minois épanoui de fille de ferme. Mais elle avait peur de lui et s'était même plainte de sa sexualité auprès de plusieurs personnes, sans donner plus de précision. Apparemment, comme avec Stefanie Isak, son premier amour de Vienne, Hitler n'assurait pas. Pétrifié par les complexes, il avait du mal à passer à l'acte.

Après la mort de Geli, les Goebbels se mirent en tête de lui trouver une autre jeune femme. Ils invitèrent, un soir, le Führer avec Gretl, une blonde vive, superbe, fille du chanteur d'opéra, Leo Slezak, dont la grand-mère était juive et qui lui avait ingénument demandé s'il comptait vraiment faire des « misères » aux Juifs. Malgré ça, elle tapa dans l'œil du schmock.

Après le dîner, Hitler raccompagna Gretl Slezak chez elle. Mais, apparemment, rien ne se produisit, ni ce soir-là ni ensuite. Ernst Hanfstaengl, l'un de ses collaborateurs des premiers temps, pianiste hors pair, surnommé le bouffon d'Hitler, était présent à cette soirée. Quand il demanda à la jeune femme quelles étaient ses relations avec le Führer qu'elle continuait à voir, « elle se contenta, pour toute réponse, de lever les yeux au ciel et de hausser les épaules[1] ».

À une question semblable d'Ernst Hanfstaengl, Leni Riefensthal, qui valait le détour et tourna beaucoup autour du schmock, avait réagi de la même façon. Innombrables auront été les amours théoriques et rhétoriques d'Hitler : Erna Hanfstaengl, la sœur aînée d'Ernst ; Henny Hoffmann, la fille de son photographe officiel, qu'il appelait *mein Sonnenschein*, « mon rayon de soleil » ; Unity Mitford, citoyenne britannique qui tenta de se suicider après la déclaration de guerre avec le pistolet en nacre que le Führer lui avait offert pour se protéger ; l'actrice Renate Müller qui raconta qu'il l'aurait suppliée

1. Voir *Hitler, les années obscures* par Ernst Hanfstaengl, Perrin.

à quatre pattes, après qu'ils se furent déshabillés, de lui donner des coups de pied dans le postérieur ; bien d'autres jeunes femmes encore. Mais on ne prête qu'aux riches…

Des rapports de l'OSS, l'Office américain des services stratégiques, qui restent sujets à caution, décrivent Hitler comme un sadomasochiste, un homosexuel refoulé ou un coprophile qui trouvait du plaisir quand sa partenaire lui crottait dessus.

« Le schmock est un impuissant », disait souvent Karl Gottsahl, sans doute à cause des sous-entendus qui avaient échappé à Magda Goebbels pendant leurs conversations sur les oreillers du Kaiserhof. Thèse confirmée par cette pipelette d'Ernst Hanfstaengl qui, après avoir arraché des confidences aux « ex » du Führer, assurait qu'il aimait les « jolies filles » mais que, faute d'avoir « résolu son Œdipe », il était inopérant, improductif.

Liselotte, la belle-fille de Karl Gottsahl, avait écrit une mauvaise épigramme, « L'ectoplasme », sur la tragédie personnelle d'Hitler, qui fit fureur pendant plusieurs semaines dans les salons munichois :

*Quand on est un pauvre hère*
*qui ne s'envoie pas en l'air*
*il vous faut des cache-misère*
*le tonnerre de Jupiter*
*des tornades de pets en l'air*
*des sicaires qui prolifèrent*
*C'est la triste histoire d'Hitler*

En dernier ressort, Hitler avait quand même une femme. Reprenant une citation de *Rienzi* de Richard

Wagner, il disait souvent avec l'autorité de la conviction : « Je n'ai qu'un amour et c'est l'Allemagne ! »

Il n'y aurait jamais personne, disait-il, pour faire écran entre l'Allemagne et lui. Jusqu'à sa rencontre avec Eva Braun, une ravissante tête de linotte, il alla d'un amour platonique à l'autre, sans conclure. Quand on a beaucoup de femmes, c'est qu'on n'en a pas une seule.

Il n'est même pas sûr que le Führer ait honoré Eva Braun, la seule jeune fille avec laquelle il eut une relation durable et qu'il finira par épouser avant qu'ils se suicident. « De l'homme, je ne reçois rien », confia-t-elle un jour à une ancienne petite amie d'Hitler.

Le schmock se suffisait à lui-même. Comme tous les Narcisse, il considérait sans doute que l'amour de soi était le plus sérieux, le plus solide des amours. Lui au moins ne déçoit jamais. Pourquoi aller chercher ailleurs ?

Ce fut la chance de Magda : elle eut pendant quelques années, au bras d'Hitler, le statut de Première Dame d'Allemagne. Bonne fille, dotée d'une qualité assez rare : elle avait la gratitude du sexe. C'est pourquoi elle fut une bénédiction pour ses anciennes conquêtes, de Karl Gottsahl à son ex-mari Günther Quandt, dont elle arrangeait les affaires.

Un jour que Karl racontait à Helmut, très amaigri, son histoire avec Magda, son ami lui avait fait la morale.

« Moi, je n'ai jamais trompé ma femme. Tu devrais essayer. C'est très reposant.

— J'aurai toute la mort pour me reposer.

— La fidélité, c'est le repos de l'âme.

— J'aime ma femme, avait dit Karl, mais j'aime aussi les autres. Les précédentes, les actuelles, les prochaines. Bien sûr, j'aurais préféré avoir besogné mes amantes sans jamais tromper mon épouse. Car, figure-toi, je déteste tromper la mère de mes enfants auprès de laquelle j'ai prévu de pousser mon dernier souffle. C'est la tragédie des hommes.

— Non, avait corrigé Helmut, c'est leur tragi-comédie. Pie VII a tout résumé quand il a dit à propos de Napoléon ce qui pourrait s'appliquer à tous les hommes : "Comediante ! Tragediante !" Don Juan n'est pas un héros, c'est un bouffon. »

## 31

## *Le dernier combat d'Elsa*

MUNICH, 1934. Depuis son amputation, Elsa Weinberger restait d'humeur égale et se levait toujours, que l'on me pardonne cette facilité, du pied droit. Il est vrai qu'elle n'avait plus le gauche.

Quand Mochè Kantor et sa fille arrivèrent au rendez-vous qu'elle leur avait fixé à la villa Sanssouci, Elsa était en train de pépier avec les sept perruches offertes par Karl Gottsahl. Elle parlait leur langage débridé, composé de phrases sans queue ni tête, attrapées à la volée :

« L'évier est bouché. Merci pour les fleurs. Quelqu'un oublie toujours de tirer la chasse d'eau. Vous reprendriez bien un peu de thé ? »

L'amputée semblait ravigotée, presque enjouée. Entourée de son mari, d'enfants, de chiens, elle restait assise une grande partie de la journée à recevoir, lire, écrire dans son bureau, sur un fauteuil roulant, une couverture sur les genoux pour cacher sa jambe unique et éviter les mots de pitié qu'elle abominait.

Mochè, qui ignorait sa phobie, lui demanda d'emblée :

« Que vous est-il arrivé ?

— Les SA. »

Avec une expression de dégoût, elle signifia qu'il valait mieux passer à un autre sujet, avant d'inviter ses deux visiteurs à s'asseoir autour d'un guéridon et de les rejoindre sur son fauteuil roulant.

Kantor étant son nom de jeune fille, Elsa chercha en vain avec Mochè des souvenirs communs. Ils faisaient partie de la même famille dont le berceau était Lvov à qui elle avait donné une flopée de rabbins : elle avait essaimé à travers les continents. Il y en avait jusqu'en Uruguay, au Canada, en Islande.

« Preuve que les Juifs peuvent se reproduire à la cadence des garennes, observa Elsa.

— Là est peut-être leur problème », plaisanta Mochè.

La conversation finit par rouler sur la situation en Allemagne.

« Je crains que le combat ne soit perdu, dit Elsa en levant la main, dans un geste d'abordage. On devrait tous s'y mettre, les Juifs, les bourgeois, les sociaux-démocrates, les communistes, ça ferait beaucoup de monde. Chacun à son poste, comme à la guerre. Moi, je partirai dès que je pourrai. En attendant, je suis en train de préparer un livre sur la vraie nature d'Hitler. Il s'appellera *Le Schmock*. Tant qu'on est là, Mochè, il faudra batailler, résister, ne pas baisser les bras.

— Je n'ai le temps de rien, avec mon travail. Je n'arrête pas, j'ai la tête dans la farine.

— Attention, avec ce type de raisonnement, vous l'aurez vite sur le billot !

— Pour nous autres, Juifs, elle est sur le billot depuis le jour de notre naissance. »

Elsa ne répondit pas. Elle était fascinée par la beauté du visage de Lila où elle retrouvait des traits qui revenaient souvent chez les Kantor et qu'elle aurait aimé avoir : de longs cils, des sourcils bien dessinés, des lobes d'oreille réduits au minimum. Elle n'aimait pas les lobes et jugeaient, à tort, les siens proéminents.

« Comme c'est étrange, dit-elle en regardant Lila. Quand je vous regarde, j'ai l'impression de vous connaître depuis toujours. »

Lila murmura, les yeux baissés, après un silence :

« Moi aussi.

— Quand vous aurez appris à lire et à écrire, ma petite, j'essaierai de vous enseigner l'allemand, l'histoire, la géographie. »

Un sourire éclaira la figure de la petite fille. Elsa lui tendit les bras et elle se jeta dedans, comme la poule pondeuse qui vient vous faire un câlin et enfouir sa tête dans votre aisselle en ronronnant. Sauf qu'elle ne ronronnait pas. Elle pleurait d'amour.

*

Prévoir est un exercice aléatoire quand il concerne l'avenir. Helmut Weinberger mourut du cancer au bout de onze mois, et non des six annoncés par les médecins. Bien avant qu'il expire, la souffrance avait éteint ses yeux et raidi son corps squelettique. Il était même mort depuis longtemps quand il poussa son dernier soupir.

Quelque temps avant de trépasser, alors que sa famille était réunie autour de lui, Helmut avait marmonné :

« Je serais bien resté encore un peu. »

Baptisé après sa naissance, Helmut Weinberger avait demandé à être enterré à l'église. Célébrées dans la nef blanc crème de Saint-Michel, ses funérailles furent grandioses. Juifs, catholiques, luthériens pleurèrent beaucoup. Au-delà de leur volonté de rendre un hommage au défunt, les élites et le bas peuple semblaient enterrer ensemble l'Allemagne éternelle que les nazis détruisaient à coups de pioche, de pelle.

Karl Gottsahl, qui était l'un de ses bienfaiteurs, avait invité l'orchestre philharmonique de Munich à venir jouer plusieurs mouvements du *Requiem allemand* de Brahms, d'inspiration luthérienne, dont son ami louait naguère la force, la joie. Dans son éloge funèbre, un appel à résister à la bêtise et à la haine, le père Schulz avait décrit Helmut comme un « héros allemand » que l'on ne pouvait réduire à une seule race, comme l'attestaient les prénoms de ses enfants, Élie, Waldemar et Magali. Le mort avait un grand tort, dit le curé. Il était gentil. « Nous vivons dans un monde où il ne faut pas être gentil. L'heure est aux barbares, aux crétins, aux brutes épaisses. »

À la sortie de l'église, Karl Gottsahl fut surpris de retrouver le colonel Schmeltz sur le perron.

« Que fais-tu là ?

— J'aimais beaucoup cet homme, un honnête homme, à la manière du XVIIIe siècle, au temps de l'Aufklärung. »

Schmeltz aimait étaler sa culture. Ça étonnait toujours.

« Fais attention, mon vieux, ironisa Karl. Si Hitler apprend, comme c'est probable, que tu étais à l'enterrement du Juif Weinberger, tu risques de le payer cher.

— C'est précisément de Magdalena que je voulais te parler. En tête à tête, pas par téléphone. »

Gustav Schmeltz glissa son bras sous le sien et souffla entre ses dents :

« Hitler revient sans cesse à la charge. Il nous demande de régler le problème de toute urgence.

— Toujours pour cette ridicule dispute dans un déjeuner, il y a plus de dix ans ?

— Tu connais Hitler, soupira Schmeltz. Il ne supporte pas que restent en vie les gens qui, à un moment donné, lui ont tenu tête. Il ne lâche jamais l'affaire. J'ai des ordres précis et répétés : il veut qu'on élimine Magdalena.

— Ce type est fou.

— C'est maintenant seulement que tu t'en rends compte ? »

Karl s'arrêta de marcher et regarda Schmeltz droit dans les yeux.

« Que me conseilles-tu ?

— Il faut que Magdalena émigre de toute urgence, dit Schmeltz. C'est une question de jours, pardon, d'heures. Mets-la dans le premier train pour l'étranger.

— Tu sais bien que ce n'est pas aussi simple que ça. Il y a toutes sortes de démarches à effectuer. De toute façon, après la mort de son mari, elle prévoyait de partir avec ses petits-enfants et sa belle-fille, Elsa, qui est dans un sale état.

— Elsa aussi est dans le collimateur, non pas dans celui d'Hitler mais d'un des chefs de la SA, un aristocrate, un connard de première. Tu dois tout faire pour qu'elles quittent rapidement le pays avec leur marmaille.

— Mais je n'ai aucune autorité sur elles, objecta Karl Gottsahl. Ce sont des pasionarias. Puis-je leur dire que j'ai obtenu des informations de bonne source ?

— Ne te gêne pas. Je ne veux pas avoir leur mort sur la conscience. »

Karl Gottsahl partit à la recherche d'Élie Weinberger dans la foule pour lui donner la nouvelle, mais quand, au pied du perron, il aperçut le meilleur ami de son fils, effondré, dans les bras d'Harald, près du cercueil, il comprit que ce n'était pas le moment d'évoquer le sujet, même si le temps pressait. Tout près d'eux, Magdalena à genoux essuyait, à l'aide d'un mouchoir à carreaux, les larmes d'Elsa en fauteuil roulant.

Karl éclata en sanglots. Il pleurait son ami mort, bien sûr, le chagrin de son propre fils mais aussi l'Allemagne qu'incarnait Helmut Weinberger.

## 32

## *Le jour où Elsa devint cul-de-jatte*

MUNICH, 1934. Werner von Hohenorff avait encore forci. Son double menton était désormais un deuxième ventre, dodu comme une *Weisswurtz*, la saucisse blanche de Bavière à base de veau, porc, lard, oignons, écorce de citron, dont il répandait l'odeur douce et piquante.

En quelques mois, l'ancien prétendant d'Elsa était devenu l'un des chefs des chemises brunes à Munich. L'un des hommes de confiance d'Ernst Röhm qui, pour conforter sa position, s'employait à attiser sa rivalité avec Gustav Schmeltz. Il impressionnait parce qu'il faisait peur.

Il s'était levé vers onze heures du matin, après avoir passé la soirée dans une taverne, au bord de l'Isar. Elle s'était terminée chez lui, avec deux filles de joie particulièrement délurées : surnommées les Walkyries, elles travaillaient en couple et présentaient à leurs clients, avant de les besogner, un certificat médical récent assurant qu'elles n'étaient pas porteuses du tréponème pâle, bactérie de la syphilis.

C'était le printemps. Il suffisait de respirer pour se sentir heureux. Les hêtres n'avaient pas attendu que la feuillaison soit terminée pour arborer leurs tripotées de chatons poilus qui mettaient de l'or et de la joie partout. En se rendant à son travail, Werner von Hohenorff sifflotait le *Chant d'Horst Wessel*, du nom du jeune SA qui l'avait écrit avant d'être assassiné par un communiste, un air entêtant qui était devenu l'hymne de la SA, puis du parti, puis du pays :

*Le jour de la liberté*
*Et du pain arrive*

Les cloches sonnaient deux heures de l'après-midi quand, à une cinquantaine de mètres de la villa Sanssouci, Werner gara sa BMW 3/15 de service, un cabriolet de couleur beurre frais. Attendant que Magdalena et Elsa sortent pour leur promenade quotidienne, il était en planque dans la voiture avec deux nervis de la SA à tête de bœuf, tandis qu'un troisième faisait mine de promener près de la maison son chien d'attaque, un berger allemand à robe noire.

Pas question d'entrer dans la maison où se trouvaient, selon toute vraisemblance, plusieurs enfants. Les opérations de ce genre pouvaient mal tourner : à l'intérieur, il eût été malaisé de distinguer entre la descendance juive des Weinberger et celle, de race pure, des Gottsahl que le chancelier Hitler avait expressément demandé d'épargner, au nom d'une vieille amitié.

Il fallait tuer Magdalena : Hitler avait été formel. Il considérait comme une insulte qu'elle fût encore en vie si longtemps après l'avoir outragé. En ce qui concernait Elsa, il s'en fichait, c'était à Werner de décider de son sort. L'aristocrate hésitait à lui porter le coup de grâce.

Ses trois collègues avaient pour consigne de frapper la belle-mère à la tête pendant qu'il s'occuperait de la bru.

Quand elles apparurent à l'heure prévue, les deux femmes ne pouvaient qu'inspirer la compassion. Depuis la mort de son mari, Magdalena, amaigrie, n'était plus que l'ombre d'elle-même. Blême, voûtée, la tête baissée, elle semblait avoir beaucoup de peine à suivre le fauteuil roulant qu'Elsa faisait avancer avec ses mains, l'air stoïque, le menton levé.

Prenant Magdalena à la gorge, le berger allemand l'avait fait tomber sur le dos et elle gisait sur le trottoir, inconsciente, pendant que les SA s'acharnaient sur la tête de la veuve à coups de chaussure à crampons. Werner von Hohenorff poussa le fauteuil d'Elsa jusqu'à la BMW 3/15 où il l'installa sur la banquette arrière. Elle avait bien tenté de se défendre mais elle s'était ravisée après qu'il l'eut frappée à la nuque, l'étourdissant à moitié.

« Je suis désolé, lui dit-il, mais c'est toi qui m'as obligé à t'assommer, vilaine.

— Que vas-tu faire de moi ? dit-elle.

— Nous avons quelques questions à te poser. »

Vingt minutes plus tard, Elsa Weinberger était traînée dans une pièce sans fenêtre. Installée devant une table sur une chaise branlante, elle attendit longtemps, seule, avant que Werner revienne avec un dossier, deux verres et une bouteille de schnaps à la pêche.

Il s'assit en face d'elle et montra à Elsa l'étiquette sur la bouteille.

« C'est mon père qui a créé et développé cette marque, soupira-t-il. Il a été dépouillé de son affaire par son banquier juif.

— Qu'ai-je à voir là-dedans ?

— Rien. Mais ce qui s'est passé entre nous est une histoire du même genre. J'étais fou de toi, prêt à tout te donner, mon sang, mon nom, mon honneur. Tu as préféré te faire engrosser par un Juif. Dans l'ancien monde, c'était toujours le Juif qui raflait la mise. À l'ère nouvelle, tout va changer. Ne regrettes-tu pas d'avoir choisi le mauvais camp ?

— Non. J'aime Élie.

— Après trois accouchements et des années de mariage ? Je n'en crois pas un mot. Le mariage est le meilleur remède à l'amour, Elsa. »

Il versa du schnaps dans les deux verres. Elle ferma les yeux en murmurant :

« Quand tu me faisais la cour, je te trouvais beau, cultivé, intelligent, mais je suis juive, Werner.

— Nous aurions pu essayer.

— Où en serions-nous aujourd'hui ? Dans ta position, tu ne pourrais pas te permettre de vivre avec une Juive, d'avoir fait avec elle des enfants juifs.

— J'aurais aimé faire au moins une fois l'amour avec toi.

— Qu'à cela ne tienne, dit-elle avec une espèce de gloussement d'ironie. C'est toujours possible. »

Werner sembla chasser une mouche.

« C'est trop tard. As-tu vu à quoi tu ressembles ? Les unijambistes, je laisse ça aux pervers sexuels. Tu m'as fait beaucoup souffrir. Mais nous ne sommes pas là pour parler du passé. Je veux que tu me dises si c'est bien toi qui as écrit ces calomnies contre l'Allemagne et notre Führer. »

Il ouvrit le dossier et en sortit plusieurs coupures de presse qu'il mit sous le nez d'Elsa qui les compulsa, les mains tremblantes. Il y avait plusieurs articles publiés par

*L'Humanité*, *The Atlantic Monthly* et *The Saturday Review of Literature.*

« Je les ai fait traduire, dit Werner. Si tu étais une vraie Allemande, ce serait déjà intolérable. Mais de la part d'une Juive… De quoi te mêles-tu ? »

Elsa ne répondit pas. Elle semblait perdue dans ses pensées. Werner but d'un trait la moitié de son verre.

« Tu es une ennemie de l'Allemagne, reprit-il, après s'être essuyé les lèvres. Et sais-tu ce que nous faisons avec nos ennemis ? Tu mérites un châtiment sévère. »

Il se leva, s'approcha d'Elsa assise, déboutonna sa braguette et urina sur elle.

*

Trois heures plus tard, un appel téléphonique anonyme informa l'hôpital municipal de Munich qu'une jeune unijambiste gisait au milieu d'une flaque de sang sur un trottoir de la Maximilianstrasse, non loin de la Max-Joseph-Platz. Elle avait l'expression christique des morts qui sont encore un peu vivants.

On appela une ambulance. Après avoir examiné Elsa, le chirurgien-chef du service orthopédique décida qu'il fallait amputer de toute urgence sa deuxième jambe. Ce n'était plus qu'un lambeau sanglant, sans vie, tant les chemises brunes avaient tapé dessus. Sa chair était froide, signe que la gangrène, comme l'attestaient les premières taches sombres, serait bientôt à l'œuvre.

Élie Weinberger, qui avait fait le tour des commissariats et des hôpitaux de la ville, arriva en sueur, essoufflé, alors que l'opération était terminée. Le chirurgien lui annonça avec une fierté mal placée qu'il avait coupé la cuisse au même niveau que l'autre.

« La double amputation, c'est toujours mieux quand elle est symétrique.

— Soit, dit Élie d'une voix blanche.

— Qu'est-il arrivé ?

— Elle a été enlevée par des SA en début d'après-midi.

— Pourquoi ?

— Elle est juive. Comme moi. »

Le chirurgien dodelina de la tête comme pour dire sa compassion et sa consternation.

« Je suis désolé, dit-il.

— Ce n'est pas votre faute. »

L'avant-bras gauche d'Elsa était rouge carmin et sa main recouverte d'un bandage. L'avant-bras disparaissait sous des pansements, ce qui laissait à penser que son sort restait en suspens.

« Croyez-vous qu'elle pourra retrouver un jour l'usage de ses mains ? demanda Élie.

— Je ne désespère pas de sauver la main droite. L'autre, je ne crois pas. Sous le pansement, sachez-le, ça ressemble à de la charpie. On dirait qu'on lui a tapé dessus à coups de marteau.

— Elle est droitière, soupira Élie. Quelle chance !

— Il semblerait que la chance soit devenue une denrée très rare en Allemagne. »

Élie resta à veiller son épouse qui ne reprit conscience qu'à la fin de la nuit. Elle réclama de l'eau et, après qu'il l'eut fait boire à petites gorgées, elle marmotta :

« Excuse-moi.

— De quoi, mon amour ?

— De tous les ennuis que je te cause. »

Peu après, Elsa se rendit compte que sa deuxième jambe avait été coupée. Élie attendait ce moment avec appréhension ; quand elle s'en aperçut, elle ne cria pas. Après avoir regardé sa main bandée, elle ferma les yeux et chuchota :

« Si mon sacrifice me permet d'exaucer mes vœux, que le Führer aille en enfer ! »

*

La politique tourne souvent à la tragédie quand, après la conquête, arrive l'heure de l'exercice du pouvoir. Au bout d'un an de gouvernement, la relance économique tardant à venir, le nazisme était déjà en proie à la désillusion et à des guerres picrocholines.

Bien que le parti nazi fût le seul à être autorisé, Adolf Hitler n'avait pas encore totalement aboli la démocratie ; il en restait quelques débris, des rogatons. Or, ce système met toujours le chef dans la position ridicule du paysan qui conduit une brouette de grenouilles en sinuant entre les bosselures, les nids-de-poule : elles se sauvent en chemin.

Ces temps-ci, elles se carapataient. Au grand dam d'Adolf Hitler, Ernst Röhm, le patron de la SA, annonçait son intention de prendre le contrôle de l'armée régulière, la Reichswehr, qui dépendait encore du chef de l'État, Paul von Hindenburg. N'hésitant pas à effrayer le chaland, il répétait que la révolution nazie n'était pas terminée et se disait toujours partisan de renverser l'ordre social, tandis que ses nervis aiguisaient leurs « longs couteaux » en prévision du grand soir à venir.

Ernst Röhm défiait ouvertement Adolf Hitler qui avait

annoncé dès le 6 juillet 1933 qu'il fallait savoir terminer une révolution qui « ne saurait être un état permanent » en dirigeant son « torrent » vers le « lit tranquille de l'évolution ». En quête de respectabilité, le Führer se disait incommodé par la violence ostentatoire des SA, putschistes dans l'âme, qui écumaient les rues du pays, terrorisant les uns, tabassant les autres, traînant de prétendus opposants au régime dans leurs caves, transformées en petits camps de la mort, pour les assassiner.

Des pouacres populistes, des braillards sodomites, « socialistes » par-dessus le marché, voire « bolcheviques », qui attentaient à l'ordre public. Au moment de prendre le pouvoir, les SA avaient bien servi les intérêts d'Hitler. Désormais, avec deux millions de membres, vingt fois plus que les soldats de la Reichswehr, ils étaient devenus un poids, une menace. Hermann Göring et Heinrich Himmler avaient beau le mettre en garde contre les menées d'Ernst Röhm, Hitler, toujours sensible au rapport de force, rechignait à porter le fer. Tout en lui donnant des gages, il l'avait prévenu, à sa façon : il noierait « dans le sang » toute tentative de « deuxième révolution ».

En attendant, tel l'âne de Buridan, il hésitait et procrastinait.

*

Était-ce la fin ? Le 17 juin 1934, dans son célèbre discours de Marbourg, Franz von Papen, le vice-chancelier, tenta de porter le coup de grâce au nazisme. Chaque phrase y faisait l'effet d'une provocation : « Il serait condamnable de croire que l'on peut unifier un peuple par la terreur... » « L'Allemagne ne saurait vivre dans un état de troubles perpétuels dont nul ne voit la fin. »

Après avoir proféré d'autres critiques sur le « culte de la personnalité mensonger » ou le mauvais penchant des nazis pour l'« insurrection par le bas », le machiavélique Papen, sans doute effrayé par son courage, s'était hâté d'expédier un télégramme au chancelier Hitler pour lui dire sa « fidélité ».

Hitler tempêta. L'interdiction de la diffusion du discours de Marbourg ne changeait rien, ses mots se propageaient déjà dans le pays, le mal était fait : ébranlé, Hindenburg menaçait de décréter la loi martiale si le chancelier Hitler ne donnait pas rapidement un coup d'arrêt aux agissements de Röhm. Il fallait frapper, purger, éradiquer.

Coïncidence miraculeuse, Göring et Himmler apportèrent alors au Führer un « dossier » qui montrait, « preuves » à l'appui, qu'Ernst Röhm fomentait un putsch avec Gregor Strasser, l'ex-chef de la gauche nazie, Kurt von Schleicher, son prédécesseur à la chancellerie, et l'ambassade de France à Berlin. Qu'importait la véracité de cette conspiration, pourvu qu'Adolf Hitler y crût.

Le Führer était en transe. Quelques jours plus tard, dans la nuit du 29 au 30 juin 1934 qu'on appelle « Nuit des longs couteaux », il fut lui-même à la manœuvre pour tuer dans l'œuf le prétendu putsch. Au comble de l'hystérie, un pistolet dans une main, son fouet en cuir d'hippopotame dans l'autre, il alla jusqu'à réveiller lui-même Ernst Röhm dans la chambre de l'hôtel Hanselbauer, à Bad Wiessee, pour lui annoncer qu'il était en état d'arrestation.

L'état-major de la SA, Ernst Röhm en tête, fut décimé en quelques heures. Sans parler d'opposants comme l'ancien chancelier Kurt von Schleicher et sa femme Elisabeth ; Gregor Strasser, l'ancien concurrent au sein du parti, exécuté alors qu'il n'avait plus d'activités politiques ; des collaborateurs de Franz von Papen comme l'avocat Edgar Julius Jung qui avait rédigé le discours de Marbourg ; Erich Klausener et Fritz Gerlich, deux grandes figures du catholicisme allemand, antinazis de la première heure.

Je cite ces noms parce que, Gregor Strasser mis à part, ils symbolisent la vieille Allemagne qui, comme la gauche, était révoltée par le nazisme et qui, comme elle, fut persécutée, massacrée par la diablaille hitlérienne. Devant le Reichstag, Adolf Hitler a prétendu que le bilan de la Nuit des longs couteaux s'élevait à soixante-dix-sept morts, mais il y en eut davantage, peut-être mille, les tueries étant souvent devenues officiellement des « accidents ». Parmi les victimes, des Juifs qui n'avaient rien à voir dans cette histoire de « putsch », mais telle était la force de l'habitude. Quand on tuait les Juifs, il y avait toujours une raison, ils savaient pourquoi...

De retour à Munich, Adolf Hitler convoqua, avec des SS, plusieurs chefs de la SA considérés comme « loyalistes ». En sueur, il se plaignit d'avoir été victime de « la plus grande trahison du monde » avant de demander à Gustav Schmeltz et Werner von Hohenorff de le suivre.

Le Führer les entraîna dans le couloir où il les remercia à voix basse pour leur soutien dans la « pire période de sa vie », avant de les inviter à régler, selon un mode opératoire qu'il indiqua, le « problème Stempfle », un prêtre « pervers » qui lui avait manqué de respect.

Après avoir contribué à la rédaction de *Mein Kampf* dont il avait corrigé les épreuves, le père Bernhard

Stempfle avait fait partie du cercle des intimes d'Adolf Hitler jusqu'au jour où il osa divulguer l'étrange relation entre le Führer et Geli Raubal, sa nièce, fille de sa demi-sœur Angela.

Bernhard Stempfle fut abattu, au camp de Dachau, d'une balle dans la nuque après avoir été blessé en tentant de s'enfuir.

« C'est ton combientième mort ? » demanda Schmeltz à son collègue sur la route du retour de Dachau.

Werner von Hohenorff hésita.

« Mon cinquième, dit-il. Toi, je ne te demande pas.

— Avec la guerre, je ne les compte plus.

— Tu t'y habitues ?

— Quand on tire de face, on ne s'y fait jamais, les regards nous obsèdent longtemps. Mais quand c'est dans le dos, après avoir demandé à la future victime de s'enfuir, alors là, c'est une formalité, comme à la chasse. »

Schmeltz réfléchit, puis reprit sur un ton dégagé :

« As-tu tué toi-même Magdalena Weinberger ?

— Non, ce sont mes hommes : je dirigeais l'équipe qui l'a tuée.

— A-t-elle souffert ?

— Je n'en ai pas le souvenir. On l'a laissée pour morte sur le trottoir.

— Est-ce Hitler en personne qui t'a demandé de la tuer ?

— Pourquoi cette question ?

— Il m'avait déjà demandé de la tuer, dans le passé. »

Après plusieurs dodelinements de la tête, Hohenorff confirma :

« Oui, c'est Hitler qui m'a demandé de le faire, par téléphone, un dimanche matin.

— Il m'a juré qu'il n'y était pour rien.

— Alors, pourquoi me parles-tu d'elle ?

— Parce que c'était la femme du meilleur ami de mon frère d'armes, Karl Gottsahl. Je la connaissais bien. Elle avait mauvais esprit, mais elle n'était même pas juive.

— Le peuple allemand n'a qu'à bien se tenir. Juif ou pas, nous sommes tous les otages d'Hitler. »

Ruminant tous les deux cette phrase, ils n'échangèrent quasiment plus un mot jusqu'à leur retour à Munich.

# VI

# DANS LE VENTRE DE LA BÊTE

## 33

## *Comme un air d'Apocalypse*

MUNICH, 1938. Le jour où son épouse lui annonça qu'elle était enceinte, Élie Weinberger sentit sa tête lui tourner.

« Comment est-ce possible ? » dit-il d'une voix où perçait une sorte d'indignation métaphysique.

Attristée par la réaction d'Élie, Elsa haussa les épaules.

« Rassure-toi, finit-elle par dire, c'est toi le père. Et il ne sera pas handicapé : les culs-de-jatte ne font pas des culs-de-jatte.

— Mais comment va-t-on faire ?

— Ne fais pas cette tête, Élie. C'est une bonne nouvelle. La grossesse donnera un sens à ma vie.

— Nous sommes obligés de rester en Allemagne, alors.

— Moi, oui, mais pas toi, ni les enfants. Je te le répète, je veux que vous partiez.

— Pas maintenant, Elsa. »

Interdit de médecine pour des raisons obscures alors qu'il n'était qu'un quart juif, Élie Weinberger avait été embauché par Karl Gottsahl pour développer les activités d'édition, une nouvelle filiale de LL. Il avait lancé, entre autres, une collection de classiques de la philosophie antique qui faisait un malheur : Épicure, Sénèque, Virgile, Tacite, Épictète, Marc Aurèle, etc. Les autorités nazies n'avaient rien trouvé à redire. Elles encensaient même l'initiative.

Élie Weinberger aimait tellement son nouveau travail qu'il trouvait toujours une bonne raison pour retarder son exil en France. Une fois, c'était à cause d'une nouvelle opération de la main droite d'Elsa que le chirurgien, après lui avoir amputé l'avant-bras gauche, ne désespérait pas de remettre en état de marche. Une autre fois, à cause des enfants qu'il ne voulait pas traumatiser en les déracinant.

Élie observait qu'elle était heureuse dans la résidence secondaire des Gottsahl, au bord du lac de Starnberg, où des domestiques se relayaient à son chevet. Karl, qui la surnommait « la princesse », entendait qu'elle soit traitée comme telle et ne lésinait pas sur les frais. Comme elle aimait la musique, il faisait souvent venir un quatuor qui jouait pour elle du Bach, du Brahms, du Schubert.

Elsa était retombée à l'état de nouveau-né. Elle portait des couches la nuit et il fallait lui donner à manger à la cuillère. Elle ne pouvait même pas se gratter là où ça la démangeait. Des servantes la trimbalaient respectueusement dans leurs bras, la torchaient avec délicatesse, la couvraient de crème hydratante, la lavaient dans une bassine, l'emmenaient en promenade le long du lac dans une grande poussette tintinnabulante.

Malgré son handicap et les humiliations qu'il lui imposait, Elsa Weinberger n'avait pas perdu le goût de la vie, de l'amour. Quand Élie venait la rejoindre avec leurs trois enfants, en fin de semaine, elle aimait qu'il lui caresse les lèvres, la nuque, les seins, la croupe, en lui murmurant des choses gentilles à l'oreille. Pour lui signifier son contentement, elle émettait, parfois, de petits cris de chatte en chaleur.

Élie semblait toujours trouver son épouse désirable. À cause de ses yeux, mais aussi de ses dents, de ses oreilles si bien dessinées. Au lieu d'aigrir Elsa, ses amputations avaient au contraire endurci son caractère : jamais elle n'avait été aussi déterminée, aussi admirable, même si elle se sentait parfois comme un animal de compagnie contre lequel on se serre et qui absorbe votre tristesse, vos angoisses. C'était souvent elle qui consolait son mari du chagrin qu'il éprouvait pour elle.

Le dimanche, quand il ne pleuvait pas, il la prenait dans ses bras et l'asseyait bien droite, face au lac, sur un banc. Côte à côte, les yeux perdus dans l'eau aussi pure et aussi bleue que l'air alpin, ils parlaient, riaient, échangeaient de petits baisers comme de jeunes amoureux.

« Comment faites-vous ? » lui demanda Harald Gottsahl quand il apprit qu'Elsa était enceinte.

Élie se mordit les lèvres.

« De quoi parles-tu ? »

Il feignait de ne pas comprendre.

« De l'amour, répondit Harald.

— Depuis ses amputations, nous n'avons fait l'amour qu'une fois, finit-il par dire. Nous étions tous les deux pompettes. Même s'il n'y a plus grand-chose de sexuel entre nous, nous sommes au sommet de l'amour.

— Vous êtes donc plus amoureux qu'avant ?

— Oui, parce que nous savons que ça ne durera pas. On ne connaît rien à l'amour si on n'est pas capable d'avoir des conversations futiles sur les qualités et les défauts de tels pains, biscottes, gâteaux... »

*

Acte fondateur du régime nazi, la Nuit des longs couteaux fut une entourloupe géniale qui permit à Hitler de faire croire aux Allemands qu'il les avait sauvés d'un mal dont il était lui-même à l'origine avec la création de la SA.

Le 30 juin au matin, quand il entendit la version officielle des événements de la nuit, Karl Gottsahl s'exclama, la bouche pleine de gâteau au kirsch :

« J'ai toujours pensé qu'Hitler reviendrait à la raison. C'était son intérêt.

— J'aimerais tant te croire, murmura Ingrid.

— Maintenant qu'il a tous les leviers en main, son ressentiment devrait disparaître. »

C'est ce que beaucoup d'Allemands croyaient. Or, la Nuit des longs couteaux n'avait pas seulement éradiqué la canaille de la SA ; la propagande nazie avait occulté l'assassinat d'opposants de la première heure, des personnalités conservatrices ou catholiques, perpétré dans la foulée.

Après ça, le Führer devint à lui seul l'incarnation de l'Allemagne, et cela n'est pas une métaphore : quelques semaines après la Nuit des longs couteaux survint la mort d'Hindenburg, qui permit à Hitler de cumuler la présidence et la chancellerie, coup de force légitimé par un plébiscite organisé le 19 août 1934, dans un climat de terreur. Un scrutin où il obtint près de 89,93 % des voix.

Qu'on ne s'y méprenne pas, Hitler était bien plus qu'un banal tyran accaparant tous les pouvoirs. Porté par une mystique qui le transcendait, il était l'âme du pays, ses bras, son cerveau, son histoire. Sa légitimité était métaphysique. D'où la folie des saluts nazis au cri de « Heil Hitler », d'où les crises d'hystérie collective qu'il provoquait dans les réunions publiques où il semblait en fusion avec son auditoire. Selon le juriste officiel du nazisme, Ernst Rudolf Huber, le régime n'était pas fondé sur l'autorité du peuple mais sur celle du Führer, « seule source d'autorité dans le Reich ».

C'était comme si un coup d'État avait fait imploser le monde d'avant pour remplacer le peuple par un homme, un seul, qui parlait à sa place, exprimait ses rêves, ses pulsions, ses colères. L'Allemagne n'était plus qu'un grand corps pétrifié sur lequel avait été greffée la tête à mèche et moustache du Führer. Infantilisée, elle vivait sous le régime de la dénonciation, de la rééducation, de la surveillance permanentes.

Hitler avait des oreilles partout. Ce qu'elles lui dirent les années suivantes était de moins en moins plaisant. Certes, depuis son accession au pouvoir, l'Allemagne s'était remise au travail mais, avec les ponctions opérées dans les finances pour le réarmement, son économie n'était pas vaillante. Le peuple avait beau être patient, il râlait entre ses dents.

Que pouvait faire Hitler devant la montée des mécontentements ? Ce qui lui avait toujours réussi, du moins parmi la populace. Devant les obstacles, les politiciens refont sans cesse ce qui a marché une fois : quand le doute distillait son poison, le Führer remettait des pièces dans la machine antisémite et s'époumonait contre le « péril juif ». Un réflexe payant qui lui permettait de reprendre en main, de fanatiser sa base électorale.

En 1935, pour détourner l'attention du malaise social et d'une fronde catholique, il avait encouragé plusieurs pogroms, vite imputés, toute honte bue, aux Juifs eux-mêmes. Ensuite, pour permettre au peuple allemand d'entretenir « une relation supportable » avec les Juifs, il avait édicté les lois de Nuremberg qui leur retiraient leur citoyenneté et les sortaient de la communauté nationale.

Était considérée comme juive toute « personne issue d'au moins trois grands-parents pleins par la race ». Il lui était interdit, entre autres, de hisser le drapeau du Reich comme de se marier ou d'entretenir des relations sexuelles extraconjugales « avec des citoyens de sang allemand ou apparenté ». Des crimes d'une extrême gravité, dits de « honte raciale », qui envoyaient les contrevenants en prison, aux travaux forcés.

Enclouée dans sa poussette, Elsa était ainsi, comme elle disait elle-même, « la Juive idéale, impotente, légumineuse, offerte à ses bourreaux ». Telle une bête de boucherie, elle paraissait attendre tranquillement la suite des événements mais elle n'avait rien perdu de sa combativité contre les nazis. « On les aura, répétait-elle, on les jugera. »

Toujours décidés à fuir, ses parents restaient empégués dans d'interminables tractations : ils se refusaient à céder leur auberge du bord de l'Isar pour une somme symbolique, ridicule. Quant à Mochè Kantor, son cousin éloigné, il était trop absorbé par la boulange pour s'inquiéter de son sort, encore que sa rage à travailler semblât un exutoire.

Alors que l'Allemagne redoutait que son maître ne l'entraînât dans une nouvelle guerre mondiale, le Führer organisa ce qu'on peut appeler un « pogrom d'État ». Le

Juif était en effet un puissant dérivatif, la proie idéale, le bouc émissaire éternel. Horripilant était son détachement : les campagnes antisémites ne semblaient pas l'émouvoir outre mesure ; il refusait de reconnaître que cette terre n'était pas la sienne et s'y incrustait sans vergogne, avec la complicité d'une partie de la population.

Les expulsions de Juifs se déroulaient sûrement mais lentement, beaucoup trop lentement. « Le petit-bourgeois allemand est vraiment un tas de merde », observait finement Goebbels, accablé par sa pleutrerie. Si le Reich rechignait à devenir la « communauté de combat » qu'il importait de mettre en œuvre, c'était précisément à cause du mauvais esprit du « *Juden* », toujours à ricaner, chicaner, couper les cheveux en quatre.

*

Pour impressionner les Juifs qui restaient et les pousser à fuir l'Allemagne, il fallait frapper un grand coup. C'est à cet effet que fut programmée, quatre ans après celle des longs couteaux, une autre nuit mortifère, la « Nuit de cristal » avec un goût du détail qui, avec la folie des grandeurs, aura été l'une des marques de fabrique du nazisme.

Il ne fallait pas trop compter sur le peuple. Furent mobilisés, sous l'égide de Joseph Goebbels, la *Sturmabteilung* (SA), la *Schutzstaffel* (SS), le *Sicherheitsdienst* (SD), la Jeunesse hitlérienne, la Gestapo, toutes les organisations nazies.

Maître des horloges, le Führer n'attendait qu'une bonne occasion d'agir. Le 7 novembre 1938, alors que le régime venait d'expulser vers leur territoire d'origine

18 000 Juifs polonais vivant en Allemagne, Herschel Grynszpan, un beau ténébreux âgé de dix-sept ans, tira cinq coups de pistolet sur le troisième secrétaire de l'ambassade d'Allemagne à Paris, qui devait succomber à ses blessures.

Le jeune homme, un Juif allemand, savait ce qu'il faisait. « Mes chers parents, je ne pouvais agir autrement, écrivit-il avant l'attentat. Je dois protester pour que le monde entier entende mon cri, et je vais le faire, pardonnez-moi. »

Dans la nuit du 9 au 10 novembre 1938, Hitler riposta en donnant l'ordre à la Gestapo d'arrêter de 20 000 à 30 000 Juifs tandis que, dans tout le pays, plus de deux cents synagogues étaient incendiées, des milliers d'entreprises ou commerces saccagés, des domiciles pillés par des militants du parti ou de ses organisations paramilitaires, habillés en civil.

Comme d'habitude, le Führer feignit de n'être pour rien dans ces exactions et, dès le 10 novembre, un communiqué officiel appela à la fin de « toutes nouvelle manifestation et représailles contre le judaïsme ». Aux Juifs de nettoyer ensuite les dégâts provoqués par la Nuit de cristal appelée ainsi à cause des bris de verre des vitrines qui, le lendemain, jonchaient les rues.

Dans bien des cas, les victimes juives furent expropriées. Elles ne furent pas autorisées à toucher les indemnités des assurances, qui furent versées au Reich. Elles durent s'acquitter, au surplus, d'une « amende de réparation » d'un milliard de reichsmarks pour l'assassinat du diplomate allemand. Les mois suivants, elles furent interdites de wagons-couchettes, de stations thermales et de beaucoup d'autres choses. Chaque jour qui passait amenuisait leur « espace vital », pendant que le Reich nazi se préparait à étendre le sien.

*

À Munich, la Nuit de cristal commença avant la tombée du soir, sans saccage ni bris de vitres, à la boulangerie de la Neuhauser Strasse, où se démenait Mochè Kantor, la tête enfarinée. Au lieu de s'y rendre pour superviser l'opération, Gustav Schmeltz avait envoyé quatre hommes sûrs avec des instructions précises : ne rien casser et se contenter d'arrêter les propriétaires juifs, les Garfinkel dits Gartner, et leur commis qui se faisait appeler Hänsel, ainsi que sa fille, Lila, à remettre à une certaine Zita.

Malgré les sanglots indécents de Mme Garfinkel, tout se passa pour le mieux. Au petit matin, quand il rentra dans l'appartement qu'il partageait avec Zita, Gustav Schmeltz vérifia, avant de se coucher, que Lila Kantor dormait bien dans la chambre qui avait été préparée pour elle. Passant par l'entrebâillement de la porte, un rai de lumière éclairait son visage virginal. Il s'assit sur le bord de son lit et caressa ses cheveux, son front, ses bras, sa poitrine, en prenant soin de ne pas la réveiller.

« Mon petit trésor, chuchota-t-il, n'aie pas peur. Je suis là… Je serai toujours là… Plus personne n'aura le droit de te faire du mal. Je ferai de toi la plus heureuse des jeunes filles.

— Laisse-la, veux-tu ! »

C'était la voix de Zita. Elle était pieds nus. Il ne l'avait pas entendue arriver.

« Ne me dis pas que tu es jalouse, murmura-t-il. Avec elle, il n'y a rien de sexuel.

— Je ne te crois pas.

— C'est autre chose, j'aimerais que tu comprennes. Je la vois comme l'enfant que j'ai perdue. Une sorte de revenante. Une deuxième chance que je n'ai pas le droit de rater. »

Gustav sortit de la chambre à pas de loup et Zita referma doucement la porte.

« Inutile de me raconter des histoires, dit Zita en suivant Gustav à la cuisine. Je suis sûre que tu n'as jamais abusé de ta propre fille. Avec celle-là, tu ne t'es pas gêné.

— C'était une erreur. Je t'ai juré de ne pas recommencer et j'ai tenu parole.

— Admettons. Mais comment va-t-on faire pour la garder chez nous ? On ne peut même pas l'adopter. Elle est juive, comme moi, mais beaucoup plus que moi, à cent pour cent.

— Qu'est-ce qui prouve qu'elle est juive ?

— Tout. L'accent, le nez, les cils, la beauté triste. »

Zita avait préparé à son homme une salade de pommes de terre avec des échalotes, des poireaux, des carrés de bleu de Bavière, son plat favori quand il rentrait tard du travail. Elle le regarda manger avec des yeux aimants.

« J'ai trop faim, marmonna-t-il, la bouche pleine. On a tellement travaillé que je n'ai même pas eu le temps de manger.

— J'ai tout entendu. Les cris. Les coups de barre de fer sur les gens, les vitrines. Une répétition de l'Apocalypse. Combien de personnes avez-vous tuées ?

— Est-ce que je sais ? »

Il soupira en haussant les épaules, puis, d'une voix d'outre-tombe :

« Il y a des années que je ne m'étais pas senti aussi cassé, moulu.

— C'est l'âge.

— Ou bien ma mission, Zita. Avec la SA, j'ai trouvé une raison de vivre mais je n'en suis pas fier. J'en ai même honte. Je déteste avoir honte. La honte fatigue.

— Sais-tu ce que va devenir le père de Lila ?

— Je l'ai fait envoyer à Dachau, répondit Gustav. Je te donnerai des nouvelles demain.

— J'espère qu'elles seront bonnes.

— Vas-y, chérie. Je te rejoins. »

Par ces mots, Schmeltz invitait Zita à aller se coucher. Après une nuit comme celle-là, il ne pourrait s'endormir qu'en prenant une bonne cuite au schnaps. Il avait tant de choses à expurger. Quand il s'allongea auprès de sa concubine, il était tellement soûl qu'il ne retira pas son pantalon, ni sa chemise ni ses chaussures.

« Bonne conscience fait bon repos », dit l'adage. La mauvaise conscience est, comme chacun sait, la mère de l'insomnie. Schmeltz dormit très mal cette nuit-là. Il n'avait certes pas tué le père Schulz de ses propres mains mais il était à la tête de l'équipe de la SA qui le battit à mort. Le dernier regard du vicaire, au moment où la mort voilait ses yeux bleus, ne le laissait pas en paix.

*

L'assassinat de l'abbé Schulz, quelques heures plus tôt, avait été l'un des premiers faits d'armes des nazis de Munich pendant la Nuit de cristal. Comment les nazis avaient-ils pu s'en prendre à un homme pareil, la bonté même ?

L'abbé Schulz, messie des Juifs et des miséreux, était leur ennemi juré. La grande force des nazis fut de n'avoir jamais été impressionnés par le Bien, apeurés par le scandale, embarrassés par la pitié.

« Il l'a bien cherché », avait dit Himmler en apprenant sa mort.

Des années durant, le vicaire de l'église Saint-Michel avait mené avec une sorte de fébrilité une campagne de tous les instants contre « la religion de la haine », « la fascination de la folie », « l'idéologie de la mort », « le culte de la croix gammée ».

Convaincu que le christianisme, condamné par l'Histoire, était « mûr pour la destruction », Hitler voulait hâter le mouvement en liquidant les serviteurs de Dieu qui, tel l'abbé Schulz, pouvaient être des modèles, susciter des vocations. En faisant des exemples, il entendait comme toujours intimider, épouvanter.

Quelques années plus tôt, pendant l'oraison funèbre d'un grand banquier proche des nazis, l'abbé Schulz s'était permis de dire, l'index pointé sur le Führer qui était dans l'assistance, flanqué de Göring et Hesse : « Nous sommes tous Juifs comme le Christ. Nous sommes tous Juifs allemands. »

Hitler n'avait pas digéré l'affront. Avant que commence la Nuit de cristal, il avait téléphoné à Schmeltz pour lui ordonner d'éliminer le père Schulz.

« Mon Führer, avait objecté Schmeltz, c'est quand même un curé et pas n'importe lequel. Je crains que son assassinat ne soit très mal interprété.

— Ce Schulz est une infection, une punaise, un agitateur enjuivé, avait hurlé l'autre.

— Ses paroissiens le considèrent comme un saint.

— Les saints sont faits pour être martyrisés. Martyrisez-le ! Crucifiez-le ! »

Peu après minuit, les hommes de la SA tambourinèrent à la porte du presbytère et, après qu'elle fut ouverte, s'emparèrent de lui pour le traîner sur l'Ettstrasse où ils commencèrent à le frapper. À leur grande surprise, il se défendait en essayant de griffer ses assaillants au visage.

« Vous n'avez pas un comportement très chrétien, dit avec humour l'un des hommes de la SA.

— Contre d'affreux scélérats de votre espèce, le Christ se serait déchaîné. »

Sa frêle constitution ne lui permit pas de tenir longtemps. Avant de perdre connaissance, il marmonna d'une voix faible : « Je vous maudis ! »

## 34

## *La Nuit de cristal, Saint-Barthélemy allemande*

MUNICH, 1938. Werner von Hohenorff profitait bien. Son nez s'était épaté et sa bouche avait bouffi, tandis que ses joues ressemblaient maintenant à deux fesses.

« Je bedonne des joues, aimait-il dire avec cette autodérision qui lui conférait un certain charme. C'est faute à la réussite. J'ai tout le temps faim. Il faut que je mette du charbon dans la chaudière, vous comprenez. »

Werner n'avait plus de menton. Celui-ci s'était peu à peu fondu dans son cou. D'où venait qu'il n'avait pas tourné laid ? De son haut front dégagé, de son regard distrait, comme s'il pensait toujours à autre chose, de son air mélancolique, voire romantique, qu'éclairait de temps en temps une lueur d'ironie. Il restait un frivolet.

Il n'était pas un nazi à la Heydrich qui vous glaçait le sang, le teint livide, les yeux vides, le visage ascétique, raide comme la mort. Il y avait en lui une légèreté existentielle que les kilos gagnés ne parvenaient pas à chasser.

À l'heure où nous le retrouvons, pendant la Nuit de cristal, Werner était en réunion à la Maison brune, un immeuble pompeux, siège du parti nazi, où il donnait ses instructions, quand un grand escogriffe en imperméable beige entra dans la pièce avec une grande poussette.

Après avoir demandé à ses collaborateurs de sortir, Werner s'écria :

« Mais qu'est-ce que c'est que ce gros ventre ?

— Je suis enceinte, répondit Elsa. De trois mois.

— De qui ? Du chien ?

— D'Élie.

— C'est pareil. Sauf qu'il ne frétille pas de la queue qu'il a triste, j'en suis sûr. »

Werner prit une chaise qu'il plaça près de la poussette. Après réflexion, il la retourna et s'assit à l'envers, les mains sur le dossier, avec l'expression d'un policier qui commence un interrogatoire.

« Avec qui étais-tu en relation, ces derniers temps ?

— Je ne vois quasiment plus personne.

— Mais tu continues toujours à écrire des articles pour des journaux français que tu signes Clawdia Chauchat, du nom du personnage de *La Montagne magique*, le pensum de cet abruti de Thomas Mann, la reine des fiottes. »

Elsa hésita, puis bredouilla :

« C'est possible.

— Soit dit en passant et sans vouloir te vexer, tes articles sont beaucoup moins bons qu'avant.

— Je suis obligée de les dicter, maintenant.

— Comment fais-tu pour les faire parvenir aux ennemis de l'Allemagne en France ?

— Par la poste. J'envoie tout à une personne à Paris, qui se charge de les répartir entre différents organes de presse.

— Tu as forcément des complices ici. Élie ?

— Ne me dis pas que tu m'as fait venir pour que je le dénonce.

— Ça ne changerait rien pour lui. Élie est cuit. Quand je pense que tu m'as abandonné pour ce crétin !

— Non, je t'ai quitté pour Harald, souviens-toi.

— Ce sont les mêmes. Les deux faces d'une Allemagne dégénérée, juive ou enjuivée, dont le peuple allemand ne veut plus. »

Un silence. Soudain, une lueur d'émotion passa dans le regard de Werner.

« Nous étions faits l'un pour l'autre », murmura-t-il.

Il posa sa main sur la poitrine d'Elsa.

« Quel gâchis ! Quand je songeais à toi, j'avais les mêmes mots qu'Hans Castorp pour sa dulcinée : “Je t'aime, je t'ai aimée tout le temps, car tu es le Toi de ma vie...”

— Tu as bien lu *La Montagne magique*.

— J'en ai dit du mal tout à l'heure parce que Thomas Mann s'est vautré dans un antinazisme primaire, nauséabond. Mais c'est un grand livre qui parle bien du baiser, de l'amour charnel, de “l'étreinte touchante et voluptueuse de ce qui est voué à la décomposition”.

— Quelle culture ! »

Werner secoua la tête et un sourire mauvais étira ses lèvres.

« Que ne ferais-tu pas pour sauver ta peau ? »

Tout en caressant la poitrine d'Elsa avec un air absorbé, il murmura :

« J'adore tes seins de femme grosse. Ils sont tellement vivants. Ils n'ont jamais été plus beaux. »

Werner s'excitait. Il mit deux doigts dans la bouche d'Elsa. Elle les suça, les yeux fermés, avec rage.

Werner leva le nez, comme un chien qui a flairé quelque chose.

« Je sens comme une mauvaise odeur, ricana-t-il. Ne faudrait-il pas changer tes couches ? »

Elsa secoua la tête. Werner se leva, sortit du bureau en emmenant Elsa, se dirigea vers son cabriolet Adler 2,5 litres garé dehors, sur la Brienner Strasse, posa délicatement Elsa sur la banquette arrière, rangea la poussette dans le coffre, enfila ses gants de conduite beurre frais, et la voiture disparut dans la nuit.

On ne revit plus jamais Elsa Weinberger.

*

À minuit passé, un camion militaire s'approchait de l'entrée de Dachau, un porche en pierre surmonté par un grand aigle nazi en bronze, quand il s'arrêta brutalement, précipitant tous ses passagers vers l'arrière.

« *Raus ! Raus !* »

Comme les autres prisonniers amenés là en camion, Mochè Kantor et le couple Garfinkel furent invités par les SS en tenue à descendre, puis à s'enfuir en courant dans un pré à vaches dont la barrière était ouverte.

À peine étaient-ils partis que des tirs de mitraillette les abattirent. La thèse officielle fut qu'ils avaient eux-mêmes attenté à leurs jours. Pendant la Nuit de cristal, qui fut à l'Allemagne antijuive ce que la Saint-Barthélemy fut à la France catholique, il y eut beaucoup de suicides de ce genre…

Dès la première mitraillade, Mochè eut la présence d'esprit de se coucher en simulant la mort, ce qui abusa la « chemise brune » chargée d'achever les blessés d'une balle dans la nuque mais soucieuse de ne pas gâcher le matériel : le prétendu cadavre resta hiératique, sinon héroïque, quand un violent coup de pied lui fut administré dans les côtes.

Le camion reparti, Moché rampa dans les herbes sales de l'automne jusqu'à un petit bois où il passa la journée suivante dissimulé dans les broussailles. Après avoir bu la rosée du matin sur les feuilles des arbres, il engloutit plusieurs cèpes dodus, fermes, gluants. Après quoi, il s'endormit repu. À la montée du soir, il prit la route, en direction de Munich, pour chercher Lila.

Quelle différence y a-t-il entre la joie et l'ivresse ? À y regarder de près, les symptômes sont les mêmes. Perte d'attention. Griserie dans la poitrine. Sensation d'invulnérabilité et de plénitude métaphysique. Tout heureux à la pensée de retrouver bientôt sa fille, Moché avançait comme un pochtron, zigzaguant entre la route et le bas-côté. Percuté par une voiture qui arrivait derrière, il fut projeté à plus de cinq mètres du point de collision. Il mourut sur le coup.

Ce fut une sale nuit pour les Kantor. Les parents aubergistes d'Elsa furent déchargés par un camion militaire à l'intérieur du camp de Dachau où ils restèrent parqués pendant plusieurs jours avant d'attraper le typhus et d'en mourir à quelques heures d'intervalle. Le bilan de la Nuit de cristal s'éleva officiellement à 91 morts, mais rares furent les Allemands à croire à ce chiffre, tant avait été grande la fureur qui se déchaîna dans le pays.

*

Le lendemain, Karl Gottsahl se rendit à la villa Sanssouci. Il y régnait une odeur de gâteau, de saucisse, de cochon grillé. Quand Karl était arrivé, Élie prenait le petit déjeuner dans la cuisine avec Harald, Liselotte et tous les enfants. Il donna l'accolade à tout le monde, ce qu'il faisait rarement, avant d'inviter les adultes à le suivre dans le salon.

« Des nouvelles d'Elsa ? demanda-t-il.

— Toujours pas, répondit Élie.

— Maintenant, murmura Karl en regardant Élie dans les yeux, tu n'as plus le droit de tergiverser, de chercher encore des excuses pour rester. Il faut foutre le camp de toute urgence.

— Je ne peux pas m'en aller tant que je n'ai pas retrouvé Elsa.

— Je crains que…

— Moi aussi, je crains qu'il ne soit arrivé quelque chose mais il est hors de question que je la laisse derrière moi. Dès que j'ai appris qu'elle avait disparu, j'ai fait le tour des commissariats, des hôpitaux. Je vais continuer.

— Je ferais la même chose à ta place, murmura Karl. Sache qu'en ce moment Ingrid est chez son cousin, le bourgmestre, pour le convaincre de nous aider à retrouver Elsa. Mais bon, soyons réalistes… Quand on sait ce qui attend les Juifs de ce pays, on doit avant tout protéger tes enfants.

— D'autant qu'ils sont plus juifs que moi.

— Ah bon ? s'étonna Karl.

— Mes enfants ont trois grands-parents juifs. Selon les critères nazis, ils n'ont aucun avenir dans notre pays. Ils sont condamnés. »

Deux enfants apparurent dans l'embrasure de la porte que Liselotte ferma après leur avoir dit :

« C'est une conversation entre grandes personnes. »

« Je peux emmener tes gosses à Paris, souffla Harald à Élie. Demain, si tu le veux. Je suis à ta disposition.

— Merci, souffla Élie, visiblement ému. Je vais prévenir Esther, leur grand-tante. Elle les accueillera à bras ouverts, malgré son manque de moyens.

— Ne t'inquiète pas, assura Karl. Je paierai tout. Les pots-de-vin aux nazis pour faciliter leur départ, sans parler du logement et du couvert en France. Je lui donnerai aussi un gros pécule pour la suite. »

Les yeux d'Élie se mouillèrent.

« Je ne sais pas comment te remercier », bredouilla-t-il.

Une semaine plus tard, alors que l'on était toujours sans nouvelles d'Elsa, Harald convoya les enfants d'Élie en train jusqu'à Paris, chez tante Esther, qui quitta son studio du Marais pour la rue du Faubourg-Poissonnière, dans l'appartement loué par Karl, non loin de la synagogue Buffault, qu'elle commença à fréquenter.

Tante Esther se disait pourtant athée. « Dieu nous méprise tellement qu'il ne répond jamais quand on lui parle, aimait-elle répéter. Autant faire comme s'il était mort. Comme ça, on n'est pas déçus. Mais il nous serait quand même bien utile, avec tout ce qui se passe en ce moment. Alors, j'essaie de l'apitoyer. »

Née Kantor, Esther était la sœur aînée du père d'Elsa, de dix ans son cadet. Un petit bout de femme, tortue comme une crevette, le cul bas, les dents jaunes, les cheveux clairsemés. Elle vivait au milieu des photos de son mari, un chanteur de cabaret, mort il y a longtemps de la tuberculose. Elles l'avaient suivie dans son déménagement, tapissant tous les murs du nouveau logis, jusque dans les toilettes, la salle de bains, où il vous observait avec son regard ironique.

« Atmosphère » fut l'un des premiers mots que les enfants d'Élie entendirent dans la bouche de tante Esther. Alors qu'Harald soulignait l'insouciance débridée qui régnait à Paris, elle reprit la phrase-culte d'un film sorti quelques jours plus tôt, qu'elle avait déjà vu deux fois. Arletty, l'actrice principale, s'y exclamait avec sa gouaille de titi parisien après que son homme lui eut dit qu'il voulait changer d'atmosphère : « Atmosphère ! Atmosphère ! Est-ce que j'ai une gueule d'atmosphère ? »

Harald Gottsahl resta quinze jours à Paris, le temps d'inscrire les enfants Weinberger au lycée et de remplir les formulaires, pour obtenir un visa, à l'ambassade des États-Unis.

« Ce sera plus sûr. »

Avant de regagner Munich, Harald donna à tante Esther l'argent que lui avait confié son père et lui fit promettre de quitter très vite la France pour l'Amérique avec les trois enfants.

## 35

## *L'empire des cochons*

MUNICH, 1939. L'hiver se traînait et la Bavière sommeillait sous de longues filandres brumeuses qui cachaient la chaîne des Alpes. Il avait beaucoup plu, une pluie grise, sale, qui attristait l'âme des gens : les sourires devenaient rares.

Karl Gottsahl était pourtant de bonne humeur quand Élie Weinberger, qu'il avait convoqué, entra dans son bureau directorial, refait à neuf. Les meubles étaient clairs, en bois de merisier, et les murs repeints en blond vénitien. La pièce semblait inondée de soleil, une insulte au ciel bas, nocturne.

« J'ai voulu être joyeux, à contre-courant », commenta Karl, fier du réaménagement.

Un tableau d'Egon Schiele représentant un homme au visage tortu était la seule note sombre du bureau, contredite par une toile gaie de Vassily Kandinsky, une « étude de couleurs » accrochée sur le mur d'en face.

« Mais c'est de l'art dégénéré, s'étonna Élie. Tu vas avoir des problèmes.

— Je sais. J'ai prévu de remplacer ces toiles, dès la semaine prochaine, par des gravures d'Albrecht Dürer. »

Deux ans auparavant, Élie avait visité avec Harald et Liselotte l'exposition d'« art dégénéré » qui présentait à Munich sept cents œuvres sur les milliers saisies par les nazis dans les musées allemands, avant d'être brûlées ou revendues. Étaient stigmatisés, pour l'essentiel, des artistes du mouvement expressionniste allemand, qualifié par Alfred Rosenberg, l'« idéologue » du nazisme, de « syphilitique, infantile et métis ». Même s'il n'était pas représenté, l'impressionnisme, incarné par des étrangers tels que Cézanne, Van Gogh ou Gauguin, était pareillement condamné par les autorités du III^e Reich.

Pour l'édification des deux millions de visiteurs qui se pressèrent dans la cour de l'Institut archéologique de Munich, les œuvres de Marc Chagall, Franz Marc, Edvard Munch, Paul Klee, Oskar Kokoschka, Kurt Schwitters étaient placées à côté de productions de malades mentaux. Des artistes que Karl Gottsahl connaissait parfois personnellement et qu'il vénérait pour la plupart. Un an avant l'exposition, il avait été très affecté par le suicide d'Ernst Kirchner, peintre sauvage et désinvolte, dont il possédait deux beaux paysages, accrochés dans la chambre conjugale : après que les nazis eurent détruit une grande partie de son œuvre, ce dépressif, pilier de sanatorium, réfugié à Davos, avait mis fin à ses jours.

« À ma connaissance, dit Karl Gottsahl, même s'il y aurait eu toute sa place, Egon Schiele ne figure pas sur la liste des artistes dégénérés. Avant de remballer sa toile et celle de Kandinsky pour les cacher chez moi, j'éviterai quand même d'inviter mon ami Hitler dans mon bureau. »

Il eut un rire forcé, dentu, puis reprit :

« Ça sent la guerre, Élie, et les Juifs en seront les premières victimes.

— C'est pourquoi je veux partir retrouver mes enfants.

— Non, tu dois te faire une raison. Il y a des mois que je me démène pour te faire sortir. J'ai graissé la patte de tas de gens. Sans succès. J'en ai déjà parlé deux fois à Hitler et il ne se passe rien. Je ne sais pas ce qui bloque.

— C'est sans doute une punition posthume contre ma pauvre mère que le Führer veut tuer une deuxième fois à travers moi.

— Je crois qu'ils vont finir par monter un mauvais coup contre toi.

— Quel intérêt ? s'étonna Élie. Regarde-moi. Je ne suis déjà plus que l'ombre de moi-même.

— Détrompe-toi : tu peux encore servir. Le régime pourrait t'intenter un procès pour complicité avec l'ennemi. Il prépare déjà le terrain : Elsa était, m'a-t-on dit en haut lieu, une traîtresse à la patrie qui envoyait à la presse étrangère des informations ultraconfidentielles sur le IIIe Reich. »

Élie Weinberger ressentit une forte bouffée d'affection quand Karl Gottsahl mit sa main sur son épaule et murmura :

« Ne crois pas que tu es protégé sous prétexte que tu n'as qu'un quart de sang juif, c'est un quart de trop. Le Juif est une poire pour la soif, le coupable idéal, il faut que tu comprennes ça. Quand tout va mal, on le sort de sa boîte et on le sacrifie en grande pompe, ça fait diversion. Contrairement à ce qu'on peut penser, les nazis ont besoin de se garder en réserve quelques Juifs à immoler pour les périodes sombres dans lesquelles nous allons entrer. Je t'ai trouvé une cachette.

— Où ?

— Je t'y emmène.

— Et mes affaires ?

— Harald s'occupera de tout. »

*

Dans la voiture, un cabriolet Mercedes 230 B blanc, borduré de bleu clair, Élie Weinberger n'en menait pas large. Il se demandait si Karl Gottsahl n'allait pas le livrer aux nazis : c'était idiot, mais ne pouvait-on pas s'attendre à tout de la part de cet esprit tortueux, capable de penser une chose et son contraire ?

Au fur et à mesure qu'ils s'approchaient de la destination, les craintes d'Élie disparurent.

Après des heures de route, ils arrivèrent devant une grande porcherie à Puchenau, près de Linz, dans l'ancienne Autriche annexée par l'Allemagne, l'année précédente. C'était là, au pied d'un mamelon hérissé de squelettes d'arbres, non loin du Danube, qu'Élie allait passer les mois à venir : au milieu des porcs charcutiers.

Après l'avoir présenté à Kurt Becker, le propriétaire de la porcherie, un poussah débonnaire, Karl dit à Élie sur un ton mélodramatique :

« N'essaie pas de me joindre, tu te mettrais en danger. Je m'occuperai de tout. De tes enfants, surtout. Le jour où tu me reverras devant cette porte, ça voudra dire que le cauchemar est fini et que la vie reprend.

— Et si le cauchemar s'éternise ?

— Les cauchemars sont comme nous. Ils meurent aussi. Je te jure que je reviendrai te chercher. »

Le maître des lieux était un vague cousin de Karl. Un ancien professeur de physique de Graz qui, à la mort de son père, avait décidé de reprendre la porcherie familiale, une affaire réputée qui produisait la meilleure charcutaille de la région. Élevés en plein air dans des grands parcs boueux, ceints de planches en bois, les cochons de Kurt Becker disposaient de cabanes bourrées de paille où ils pouvaient se ventrouiller quand il faisait mauvais.

C'était le paradis des porcs. Engraissés aux farines de blé, maïs, orge, aux pommes de terre cuites, ainsi qu'au petit-lait mélangé à de la bière et à sa levure fournie par un voisin brasseur, ils semblaient toujours de bonne humeur, le sourire en coin, l'œil qui frisait, jusqu'au jour où les tueurs venaient serrer leur groin avec une ficelle qu'ils nouaient puis les tiraient jusqu'à l'abattoir de fortune, près de la maison, pour les transformer en charcuteries.

Les cochons font partie, avec les humains, des animaux les plus intelligents de la planète. Les plus attachés à la vie aussi. Avant et pendant la saignée, ils poussaient des cris de merluche, d'enfant, de vieillard, tous les genres y passaient. Ils affolaient les autres. À la première contrariété, les cochons stressent autant que nous. D'où la bière qu'Élie leur servait pendant les tueries. Le reste du temps aussi, il est vrai.

Tout en les calmant, la bière rendait la viande de porc plus persillée, plus goûteuse aussi, comme le confirmait le succès de la gamme des pâtés, escalopes, saucisses au fromage, aux asperges, vendus sous la marque « Die Tante Kunigunde », prénom de la grand-mère paternelle de Kurt Becker, dans ses charcuteries de Linz, Wels, Gmunden.

Les cochons étaient tués, découpés, désossés, conditionnés sur place. La grande spécialité de « Die Tante

Kunigunde » était son célèbre *leberkäse*, un pain de viande charcutière que les Allemands et les Autrichiens mangent comme des tartines et dont voici la recette secrète obtenue, après de longues tractations, auprès d'un ancien cuisinier de la marque : 1 kg de porc haché, 1 kg de chair à saucisse, cinq œufs, quatre cuillères à soupe de fécule de maïs, une cuillère à café d'armagnac, un oignon blanc, deux gousses d'ail, du jus de citron, des petits dés de concombre mariné, du gingembre frais, des fines herbes, une pincée de paprika, des noisettes concassées, une pincée de poudre de thym.

D'abord affecté à l'abattoir où son maniement du couteau s'avéra lamentable, Élie Weinberger fut muté en cuisine avant de se retrouver à l'élevage et à l'engraissage, les semelles crottées, dans la gadoue, où, en bon porcher, il se transforma rapidement en homme-cochon. Il n'avait pas le choix. Kurt Becker lui avait intimé de jouer les sourds-muets et de n'avoir de contact avec personne.

« Dans un régime policier, avait dit Kurt, il faut se méfier de tout, même des murs.

— Même des amis », avait renchéri Élie. Pour échapper aux enquêtes, aux dénonciations, Élie devait se rendre invisible comme ces garçons de ferme plus ou moins simplets qui, en ce temps-là, dans les campagnes, se confondaient avec leurs bêtes dont ils avaient tout adopté, l'odeur, le comportement, les goûts alimentaires.

Désormais, Élie vivait de bière, moût et pommes de terre. Se nourrissant comme ses bêtes, il forcissait comme elles, mais pas autant. Les porcs charcutiers de « Die Tante Kunigunde » étaient devenus ses amis et il ne supportait pas l'idée de manger ses amis. En tout bien tout honneur, il avait noué des relations très fortes avec une truie qui, dans les périodes où elle n'était pas allaitante, le suivait partout comme un chien, se frottant contre lui, la queue frétillante, quand elle avait ses chaleurs. C'était une grande sentimentale, experte ès câlins. Ils dormaient ensemble sur une paillasse, dans une dépendance de la porcherie. La nuit, le dos collé contre lui, elle le réchauffait mieux qu'un radiateur. Il l'avait appelée « Dame Holle », du nom du conte des frères Grimm.

Leur relation était fusionnelle, amoureuse pour ainsi dire, mais platonique. Un an plus tard, quand Kurt Becker décida d'envoyer « Dame Holle » au couteau pour la transmuer, entre autres, en pain de viande, il fallut à Élie des mois pour s'en remettre. Tout étant bon dans le cochon, il ne put récupérer que les os et les yeux qu'il fourra dans un chiffon avant d'enterrer le tout au sommet de la collinette, sous une petite dalle mortuaire faite pour quelqu'un d'autre, sans doute un enfant, et sur laquelle était gravé un nom dont presque toutes lettres avaient été effacées par le temps, les gels. Alors qu'il n'avait plus personne à qui parler, intérieurement du moins, il alla souvent se recueillir, le dimanche, devant les restes de sa coche.

*

Gustav Schmeltz ronflait à faire trembler les murs, comme un verrat. C'est pourquoi Zita avalait toujours, avant de se coucher, trois comprimés de barbiturique, du phénobarbital, un antiépileptique qui permettait aussi de traiter l'insomnie et qui, en ralentissant le système nerveux, l'assommait au sens propre.

Dès que Zita s'endormait, elle poussait d'adorables halètements de vierge pure. C'était le signal. Gustav se levait et allait rejoindre Lila dans sa chambre d'un pas étouffé de religieux. Une fois glissé sous les draps, il suivait le même rituel, du moins le mardi et le dimanche, jours de sexe. Il la dégoûtait toujours autant et il lui fallait chaque fois l'apprivoiser.

D'abord, il parlait un moment avec Lila, la caressait puis l'embrassait de plus en plus goulûment, sans jamais chercher à la pénétrer, avant de se soulager sur la serviette qu'il avait posée sur les draps et qu'il remportait dans la salle de bains où il la rinçait.

« Mon Dieu, ce que tu es belle ! » s'exclamait-il souvent pendant l'amour.

Ensuite, ils parlaient. Lila avait une grande maturité pour son âge, la femme commençait à percer sous la petite fille. Un jour, alors que Gustav louait son intelligence, elle ironisa.

« C'est normal que je sois brillante. Je suis juive.

— Et alors ? Je n'ai rien contre les Juifs. J'aurai réussi ma vie quand nous pourrons nous marier.

— C'est impossible, voyons : je ne veux pas faire de peine à Zita et, en plus, je suis juive et apatride !

— Ne t'en fais pas, je m'arrangerai.

— Mais rien ne peut s'arranger, Gustav. Avec les nazis qui rôdent, j'ai tout le temps peur. Quand je fais les courses. Quand on me regarde. Quand on frappe à la porte.

— Même quand je suis là ?

— Non, jamais quand tu es là, murmura-t-elle.

— C'est la plus belle chose que tu m'aies dite. »

Elle eut droit à un baiser. Gustav était si effusant qu'il en devenait pathétique, et comme chaque fois qu'il lui faisait ses fredaines, Lila était sur ses gardes. Avec son odeur sucrée de barrique d'alcool, son ventre avantageux, son visage sombre comme un fondement, il n'inspirait pas l'amour. Mais en ces heures noires pour les Juifs, il était son assurance-vie. Il n'y avait pas d'autre explication à cette histoire qui dura des mois, sans que Zita semblât s'en douter.

Gustav attendit qu'elle ait quatorze ans pour se satisfaire autrement. Quand il la prenait, elle étouffait sous son ramas de chair, le cœur au bord des lèvres. Elle avait la hantise de se faire engrosser par ce cochon lubrique, si attentionné fût-il. C'est pourquoi elle essayait de privilégier la fellation qui tournait la tête de cet homme.

Quand Gustav n'avait pas répandu la sainte crème entre les lèvres du haut mais entre celles du bas, Lila se précipitait dans la salle de bains et se purifiait le vagin à l'eau chaude puis avec un morceau d'éponge vinaigrée avant de mâcher une petite cuillère de graines de carotte sauvage et une autre de feuilles de menthe pouliot, les contraceptifs de grand-mères que Zita stockait dans un placard de la cuisine et qui marchaient apparemment bien.

Après l'amour, ils restaient souvent allongés pendant une heure l'un à côté de l'autre. Gustav racontait à Lila la vie qu'il comptait mener un jour en Floride, avec Zita et elle, quand il pourrait enfin monter son entreprise de jus d'orange.

« Le jus d'orange, disait-il, c'est du soleil, de l'amour, de l'énergie, du bonheur. Bientôt, il y aura une ruée vers l'orange comme il y a eu une ruée vers l'or. »

## 36

## *« Un Hitler, il n'y en a même pas un par millénaire »*

DUNKERQUE, 1939. Jamais Harald Gottsahl n'aurait cru que la guerre serait aussi facile. Une partie de plaisir, pour ainsi dire. Des récits de son père sur « 14-18 », il avait retenu les images d'attentes interminables, la trouille au ventre, dans la fange, la bouillasse, interrompues régulièrement par de sanglantes attaques surprises où les soldats tombaient comme des lapins.

Ce temps-là était révolu. En quelques semaines, la nouvelle génération avait donné une sacrée leçon à l'ancienne. Non pas de courage, tout le monde en avait, mais d'efficacité, de professionnalisme. Étonnées par leur propre progression, les troupes du III^e^ Reich entraient comme dans du beurre dans les flancs ennemis. Rien ne leur résistait. Soudain, l'Allemagne revenait dans l'Histoire d'où le désastre de 1918 l'avait chassée.

Grâce à qui ? Dans une lettre qu'il écrivit à Liselotte, dans son campement de Dunkerque, face au vent et à la mer, le lieutenant Harald Gottsahl observa :

« Tu sais ce que je pense d'Hitler mais je dois reconnaître que, sous son commandement, j'ai retrouvé la fierté d'être allemand. Comment nier qu'il nous a réarmés sur tous les plans ? Nous avons gagné la guerre en moins de temps qu'il n'en faut pour lire *Les Odes* d'Hölderlin. Après avoir fait pitié, nous faisons peur, et j'ai de la peine pour les Français ou les Anglais qui fuient devant nous comme des abeilles devant les frelons. Mieux vaut tard que jamais : je me suis inscrit au parti national-socialiste. »

Ses chefs ne tarissaient pas d'éloges sur Harald Gottsahl qui était certes un excellent médecin dans le civil mais qui semblait avoir trouvé sa vocation dans l'armée où il faisait des étincelles, et le mot est faible. Le lieutenant avait tout ce qui fait les grands officiers. La prudence, l'audace, la rouerie, la force d'entraînement. En quelques semaines, il avait décroché la croix de fer 1re classe et la croix de chevalier de la croix de fer pour ses actes de bravoure.

Une semaine après, Liselotte reçut une nouvelle lettre où Harald lui annonçait son intention de s'engager dans l'armée.

« Je sais qu'il est tard pour commencer une nouvelle carrière mais j'ai tellement besoin d'aventure, d'héroïsme, d'amitié vraie, de sensations fortes. Je veux servir le Führer et, s'il le faut, me sacrifier pour lui et pour la patrie. »

Le lendemain, quand Liselotte, catastrophée, montra à son beau-père la lettre d'Harald, Karl Gottsahl murmura, le visage impénétrable :

« La jeunesse serait une si belle chose s'il n'y avait pas les jeunes. On dirait qu'ils font tout pour la foutre en l'air.

— Harald n'est pas si jeune, objecta Liselotte.

— On est jeune tant qu'on n'a pas tué l'enfant qui était en soi. Il suffit d'être naïf et inconséquent, deux adjectifs qui définissent parfaitement l'état mental d'Harald aujourd'hui. »

Il n'osa dire à Liselotte qu'il était heureux de n'avoir eu qu'un fils, ni qu'il lui avait toujours préféré ses deux filles, tellement plus mûres, plus réfléchies. « Sur le plan de la maturité, observait-il, les garçons ont toujours au moins dix ans de retard sur les filles. » Élie Weinberger, petit écrivain mais grand médecin, n'aurait-il pas été un fils plus digne de lui ?

Au moins Élie ne risquait-il pas de devenir nazi : le meilleur ami d'Harald avait été réformé sous prétexte qu'il était juif. « Je ne suis qu'un quart juif par mon père, avait-il protesté comme d'habitude. — Vous êtes plus infecté que vous le croyez », avaient répondu les autorités militaires, prétendant contre toute évidence que sa mère était juive.

Jusqu'à présent, Karl Gottsahl n'avait jamais voulu écouter la petite voix intérieure qui lui disait que son fils était un jobard. Grand, beau, solaire, cultivé mais aussi infantile, voire niais, Harald était devenu la honte de la famille. Une insulte à son patronyme. L'échec d'une vie.

Avec Hitler, Karl était passé de la pitié au mépris, puis du dégoût à la haine. Depuis toujours, le patriarche des Gottsahl avait fait sienne la devise attribuée à Mazarin : « Simule et dissimule. » La meilleure façon de ne pas avoir d'ennuis avec les autres, c'est de les imiter, de se fondre dans la masse, de ne pas se faire remarquer. Jusqu'à présent, ça lui avait bien réussi.

Mais de là à se retrouver avec un fils nazi... As de la simulation, Karl Gottsahl passait encore, aux yeux des ingénus, pour un compagnon de route du national-socialisme alors qu'après une phase plus ou moins complaisante il le vomissait chaque jour davantage. Sauf qu'il gardait ses renvois pour lui. Question d'éducation, de sagesse aussi.

Après avoir croisé son regard, Karl éprouva de la compassion pour Liselotte dont il pinça légèrement la joue, son grand signe d'affection. Elle se mit à pleurer avec dignité.

« Que va-t-on faire de lui ? » murmura-t-il.

Il prit Liselotte dans ses bras et la serra longtemps comme on le fait aux funérailles, à la sortie de la messe, avec les membres de la famille du défunt. Quand il se dégagea, les yeux de Karl aussi étaient pleins de larmes.

*

Quelques mois plus tôt, Karl Gottsahl avait acquis la conviction qu'Hitler, jouant « le tout pour le tout », comme il le confia à Göring, conduisait l'Allemagne à la guerre et à la catastrophe. Simple produit de l'Histoire, du fiasco de 1918, du traité de Versailles, de la Grande Crise économique, le Führer imaginait maintenant, après avoir enfilé l'uniforme de la Wehrmacht, qu'il allait faire l'Histoire à la façon d'Alexandre le Grand. Le pitre !

Nombreux furent les militaires de haut rang consternés par l'hubris d'Hitler qui se prenait pour le Reich, la Wehrmacht, la Luftwaffe et beaucoup d'autres choses. Parmi eux, deux hommes que Karl connaissait et fréquentait : l'amiral Wilhelm Canaris, grand manitou de l'Abwehr, service de renseignement de l'armée allemande, et Ludwig Beck, chef adjoint de l'armée de terre qui avait démissionné de son poste l'année précédente.

Comment pouvait-on être nazi si on n'était pas un imbécile ? Qu'est-ce qui avait bien pu pousser son fils à le devenir ? Depuis qu'il avait précipité l'Europe dans la guerre, Hitler paraissait au-dessous de tout, mené comme un enfant par les événements, incapable d'en maîtriser le cours. Rien ne s'était passé comme il l'avait prévu ou souhaité.

Il n'est pire fou que celui qui ne veut pas écouter. Avant d'envahir la Pologne, le 1er septembre 1939, pour « purifier » la région « des Juifs et des Polacks », le schmock pensait pouvoir enrôler l'Italie dans son combat et, surtout, arracher à la Grande-Bretagne qu'il admirait une neutralité bienveillante. Dans les deux cas, ce fut le contraire qui se produisit.

Il fallait ne rien connaître à l'Histoire, à la fierté d'Albion, à la bravoure anglaise, pour croire que quelques bonnes paroles suffiraient à amadouer la Grande-Bretagne et à en faire une comparse avec laquelle l'Allemagne dominerait cet hémisphère. Hitler était convaincu qu'il suffisait de l'endormir pour n'avoir plus rien à craindre des Français : sans elle pour les soutenir, ils se coucheraient, passeraient sous la table. Selon lui, ils n'étaient plus faits pour les premiers rôles.

Or, voilà que la Grande-Bretagne était prête à entrer en guerre pour honorer ses obligations envers la Pologne que le Reich avait décidé d'envahir. Officiellement, Hitler prétendait sauver les Allemands qui y vivaient, sous prétexte qu'ils étaient victimes d'une « terreur sanguinaire ». En vérité, il entendait détruire le pays en éliminant ses Juifs mais aussi sa noblesse, son clergé, selon les trois objectifs prêtés à Heydrich, le chef de la Gestapo. Pendant plusieurs jours, le Führer s'échina à convaincre les Britanniques de rester en dehors du conflit, de ne pas se solidariser avec les « races inférieures ». En vain.

Le Führer n'avait-il pas perdu la main ? Le poison du doute s'instillait dans le pays qui semblait préventivement en deuil. Alors que les dés étaient jetés, le journaliste américain William Shirer, correspondant du bureau européen de la radio CBS, observait, la veille du déclenchement du conflit, que tout le monde, en Allemagne, était « contre la guerre », avant de demander : « Comment un pays peut-il s'engager dans une grande guerre avec une population qui y est à ce point hostile ? »

Les personnes sensées s'interrogent tout le temps. Les fous, jamais. On pouvait tourner la chose dans tous les sens, Hitler était foldingue et on était en droit de se demander s'il n'avait pas été envoyé sur terre par le Diable pour détruire l'Allemagne de Nietzsche, de Brahms et d'Hegel, comme semblait l'attester son haleine satanique, à faire tomber dans les pommes.

« J'ai très peur pour Adolf, il prend tout trop à cœur », avait dit Magda Goebbels, hitlérienne patentée et Première Dame du Reich, lors d'un déjeuner auquel Karl l'avait conviée à Berlin, quelque temps avant la déclaration de guerre, au cœur du mois d'août 1939, alors que les portes ne cessaient de claquer dans les chancelleries du vieux continent.

Karl avait invité son ancienne maîtresse chez Horcher, le restaurant préféré de Göring, expert en bonne chère.

« As-tu remarqué comme le Führer est blême ces temps-ci ? demanda-t-elle.

— Il y a longtemps que je ne l'ai vu. J'ai l'impression qu'il ne veut plus me recevoir.

— Ce n'est pas bien, après tout ce que tu as fait pour lui.

— Les politiciens oublient tout, sauf d'être ingrats.

— Il a de plus en plus de tics, soupira Magda, ses mains tremblent, son ventre le fait souffrir. Il ne peut pas continuer à se ruiner comme ça la santé pour l'Allemagne. Je ne suis pas sûre qu'elle le mérite. »

Il faisait moite et son ancienne amante transpirait abondamment, cela rappelait à Karl leurs étreintes dans les chambres de l'hôtel Kaiserhof. Les sept grossesses de Magda lui avaient quand même laissé de beaux restes. Ses yeux brillaient et elle avait au visage les exquises rougeurs des femmes qui viennent de s'envoyer en l'air. En l'espèce, était-ce le cas ? Elle était arrivée en soufflant comme une vache, avec trois quarts d'heure de retard.

Son couple venait de connaître une mauvaise passe : Joseph Goebbels était tombé amoureux fou d'une actrice tchèque de vingt-cinq ans, Lída Baarová. Une pure beauté, maligne, drôle, promise à une grande carrière.

Que son mari la trompât au vu et au su de tous, Magda Goebbels aurait pu le comprendre, elle n'était pas bégueule. À cocue cocu et demi. Au début de cette liaison, elle citait souvent la formule de La Fontaine à propos du cocuage : « Quand on l'ignore, ce n'est rien. Quand on l'apprend, c'est peu de chose. » Pour passer le temps, elle se trouva même un amant en la personne du propre secrétaire d'État de Joseph à l'Éducation du peuple, Karl Hanke.

Goebbels décida de divorcer. Lída Baarová était elle-même tellement éprise de lui qu'elle refusa un contrat de sept ans à Hollywood. L'erreur de sa vie. Ne supportant pas l'idée que vole en éclats le couple mythique du IIIe Reich, Hitler avait fini par ordonner, lors d'une réunion orageuse, à son ministre à l'Éducation du peuple et à la Propagande de rompre avec la jeune actrice.

« C'était normal que le Führer ait réagi comme ça, observa Magda. D'une certaine façon, Joseph est son fils et moi sa femme. J'ai été tellement heureuse de voir, à cette occasion, à quel point il tenait à moi. »

En attendant Mme Goebbels, Karl avait commandé une bouteille de montrachet grand cru et il n'en restait que la moitié quand elle était arrivée. Elle prétendait souvent que, comme le Führer, elle ne buvait pas d'alcool mais elle en siffla deux verres de suite, très vite, avec une expression d'enfant pris en faute.

C'était le moment pour Karl de lui demander de plaider auprès de son mari la cause du film qu'il préparait depuis trois ans. Une adaptation du chef-d'œuvre de Charles Dickens, *Oliver Twist*, qu'il avait coécrite et qui se déroulait dans la Bavière du XIXe siècle. Il ne lui manquait plus qu'un cinquième du financement, une paille.

« Tu m'as souvent dit que Joseph m'appréciait, dit-il.

— Cela dépend des jours. Il te surnomme la couleuvre. Pas la vipère. Nuance.

— Je tiens des deux, en définitive.

— Ne lui dis jamais, s'amusa Magda en regardant la carte, que j'ai déjeuné dans l'établissement préféré de Göring et qu'en plus j'ai pris son plat favori : du poulet frit à la viennoise. S'il l'apprend, il me tuera.

— Quel mal y a-t-il à manger du poulet frit ?

— Mon mari, tu ne peux l'ignorer, déteste Göring, sa vulgarité, son sans-gêne. »

Après que Karl eut évoqué son projet cinématographique, Magda secoua la tête.

« Ce sera compliqué. Aujourd'hui encore, alors que les risques de guerre sont au maximum, le Reich ne veut rien faire qui puisse détériorer durablement ses relations avec la Grande-Bretagne dont le Führer compte faire l'un de nos principaux alliés avec la Turquie pour les siècles à venir.

— Quel rapport avec le film ?

— En germanisant l'histoire, nous risquons de froisser les Britanniques qui pourraient nous accuser de vouloir nous emparer de l'œuvre de Dickens. Je veux bien parler à Joseph mais je connais déjà la réponse.

— Pourquoi ne pas en toucher un mot à Hitler ?

— Il est inaccessible, irascible, toujours sur les nerfs. »

Le montrachet aidant, Magda lui décrivit un Hitler qui décidait seul de tout, humiliant ses généraux, informant à peine Goebbels, pourtant l'un de ses favoris, de la tournure des événements. Un Narcisse foutraque, inquiet pour sa santé, pressé par le temps, obsédé par ses lubies comme par des poux, qui disait avoir tout prévu. Il avait prédit qu'une guerre ferait un jour de lui le plus grand homme de l'histoire de l'Allemagne. Il l'imaginait éclater entre 1943 et 1945, quand l'armée serait prête. Or, la machine s'était emballée.

Avant la déclaration de guerre, le schmock avait dit au ministre roumain des Affaires étrangères, Grigore Gafencu, qu'il préférait déclencher les hostilités à cinquante ans, l'âge qu'il venait d'avoir, « plutôt qu'à cinquante-cinq ou soixante ». Il ne savait combien de temps il lui restait à vivre et il était sûr d'être le seul à pouvoir mener à bien la mère des batailles qui donnerait enfin à l'Allemagne l'espace vital dont elle manquait si cruellement.

« Un Hitler, il n'y en a même pas un par millénaire, dit Magda Goebbels, la bouche pleine de poulet frit. Il ne faut pas laisser passer cette chance quand on en a un sous la main. »

Elle termina la cuisse avec les doigts qu'elle suça ensuite un à un mais, à aucun moment, l'extrême sensualité du spectacle ne troubla Karl Gottsahl.

*

Le lendemain de son déjeuner avec Magda Goebbels, Karl Gottsahl reçut une visite étrange à son domicile, le soir, alors qu'il s'apprêtait à dîner avec son épouse : vêtu d'un manteau d'officier, un ancien beau garçon, le visage gras, abîmé par l'alcool, le ressentiment, les plaisirs, c'était Werner von Hohenorff.

Venu à l'improviste, il se présenta comme le chef de la Gestapo munichoise. Il avait le même regard que Reinhard Heydrich, celui de la belette pour le rouge-gorge blessé.

« J'ai deux ou trois questions à vous poser, dit-il, ça ne prendra pas longtemps. »

Karl invita son visiteur à le suivre dans le salon et lui proposa un verre de bière avec des bretzels qu'Ingrid alla chercher à la cuisine. Dieu merci, en prévision d'une visite de ce genre, les toiles expressionnistes, symboles de l'« art dégénéré », avaient disparu depuis longtemps des murs pour rejoindre les œuvres d'Hitler au grenier. Elles avaient été remplacées par des dessins de Wilhelm Busch, illustrateur humoristique, précurseur de la BD avec *Max et Maurice* qui raconte les aventures de deux sales gosses.

Après avoir regardé les dessins de Busch avec mépris, Werner commença :

« J'irai droit au but : vous avez hébergé pendant plusieurs mois, dans votre résidence de Starnberg, une dangereuse terroriste, Elsa Weinberger, qui menait sous votre toit des activités anti-allemandes.

— Dangereuse terroriste, l'expression me paraît quelque peu exagérée. Infirme et impotente, elle avait à peu près la mobilité d'une pomme de terre.

— C'est votre opinion.

— Je n'étais pas au courant de ses activités.

— C'est impossible. »

Il fallait remettre ce paltoquet à sa place.

« Je crois être l'une des dernières personnes que vous puissiez suspecter d'intelligence avec l'ennemi, dit Karl. Si vous vous étiez renseigné, vous sauriez que je connais personnellement Hitler.

— Moi aussi.

— Il est venu chez moi.

— Je ne peux pas en dire autant.

— Sachez que je le tutoie comme je tutoie Himmler.

— Je n'ai pas cet honneur, mais vous ne m'impressionnerez pas en me sortant tous les noms de votre carnet d'adresses. J'enquête pour la Gestapo sur les complicités dont cette dangereuse terroriste – je maintiens – a pu bénéficier. »

Werner von Hohenorff soutint le regard de Karl Gottsahl.

« Cette dangereuse terroriste que vous abritiez a fait beaucoup de mal à la patrie en écrivant des mensonges éhontés dans la presse juive internationale.

— Elsa ne pouvait pas écrire, elle était manchote et, en plus, elle avait dernièrement perdu l'usage de son deuxième bras.

— Je sais. Avant de mourir, elle a avoué que c'était Élie, son mari, qui écrivait tout sous sa dictée. Il était en contact avec les opposants au Führer, à l'étranger, et s'occupait de leur transmettre ses textes de propagande judéo-bolchevique. Il en a rassemblé plusieurs dans un recueil ignoble qui sera bientôt publié par les éditions Barnes & Noble sous le titre : *La Vérité sur le nazisme.* Or, j'ai appris avec tristesse que ce Juif…

— Un quart juif, corrigea Karl.

— Demi-juif, mais qu'importe, ça ne change rien : juif un peu, juif toujours. J'ai donc appris qu'Élie avait un poste à responsabilité dans votre entreprise et qu'il était par ailleurs le meilleur ami de votre fils. Ne me dites pas que vous n'étiez pas au courant de son antinazisme forcené…

— Je tombe des nues, protesta Karl.

— Nous ne savions pas, renchérit Ingrid.

— N'en faites pas trop. J'oublierai tout si vous me dites où se cache ce salopard.

— Pour ce que j'en sais, il s'est enfui en France, répondit Karl sur un ton dégagé.

— Non, en ce moment, il est en Autriche. Nous avons intercepté une lettre qu'il a envoyée à votre fils, Harald. »

Rien, sur le visage de Karl, ne trahit l'effroi qu'avait provoqué la nouvelle. Pas un tremblement de paupière ni un battement de cils. Après un sourire ingénu, il murmura :

« Si vous retrouvez Élie, dites-le-moi. Il me doit beaucoup d'argent.

— Est-ce pour lui que vous avez sorti de grosses sommes de votre compte en banque, ces derniers temps ? »

Cette fois encore, malgré la violence de la charge, les traits de Karl restèrent immobiles. Il était arrivé à cet âge où l'on surplombe sa vie, spectateur de soi-même, dans cette douce plénitude qu'on appelle la sagesse.

« Il faudra me dire où va cet argent, reprit Werner. Aux

nécessiteux ? Aux Juifs ? Aux catholiques ? Aux sociaux-démocrates ?

— Aux nazis. J'ai toujours beaucoup donné aux nazis.

— C'est vrai. J'ai vérifié. Mais vous avez aussi beaucoup donné à tout le monde, notamment aux sociaux-démocrates. Quand on fait les comptes, on peut même dire que vous leur avez donné plus qu'à nous. »

Nouveau silence. Karl avait envie de prendre congé et d'aller se coucher mais il prit sur lui.

« Resteriez-vous avec nous pour le dîner ? Ma femme et notre cuisinière viennent de préparer des *spätzle.* Ce sont les meilleures du monde.

— Je ne prends jamais de repas avec mes suspects. Mais ça sent tellement bon que je vais déroger à ma règle : les *spätzle* me rappellent ma maman qui est morte quand j'avais douze ans.

— Nous sommes désolés », murmura Karl.

Pendant que les deux hommes parlaient des différentes manières d'accommoder leurs plats bavarois préférés, Ingrid disparut avant de revenir derrière la cuisinière de la maison qui tenait comme un trophée son plat de pâtes à l'œuf, une sorte de grand nid de moineau avec du fromage râpé, des oignons caramélisés, de la ciboulette hachée.

« Je vous présente Hilda, dit Karl. Elle est à notre service depuis plus de vingt ans, et Hitler, qui apprécie beaucoup sa cuisine, l'a fait applaudir plusieurs fois chez nous.

— C'est vrai, approuva Hilda. M. Hitler est un homme tout à fait charmant, très humain. Je ne sais ce que notre pays serait devenu sans lui. »

Sur quoi, Hilda fondit en larmes. Karl songea qu'il venait de marquer un point et se félicita d'avoir une femme comme Ingrid, aussi vive qu'inventive, qui avait su imaginer ce scénario pour amadouer Werner.

« Hitler l'a embrassée, rappela-t-il.

— J'ai hâte de goûter vos *spätzle*, dit Werner avec un sourire gourmand. C'est le goût que j'aimerais avoir dans la bouche le jour où je mourrai. »

## 37

## *Quand le soleil ne se leva plus à l'est*

BALTIQUE, 1941. C'était pendant une permission d'Harald, alors qu'ils venaient de faire l'amour et demeuraient côte à côte sur le lit défait à regarder le plafond de leur chambre de la villa Sanssouci. Liselotte demanda tout à trac à son mari combien de personnes il avait tuées.

« Quelle question ! soupira Harald Gottsahl.

— J'ai le droit de savoir. »

Harald Gottsahl plissa les yeux, puis marmonna :

« Je n'ai pas compté… Au moins une centaine…

— C'est considérable, s'étonna Liselotte. N'est-ce pas très lourd à porter ?

— Non. À la guerre, on n'a pas le choix. Il n'y a pas de place pour la pitié, l'hésitation. Je n'ai pas tué depuis plusieurs mois et, si tu veux la vérité, je m'en porte bien. Je dors mieux. Car je ne suis pas un monstre, Liselotte. Je crois en des valeurs que l'on considère souvent désuètes : la force, la volonté, le dépassement de soi, le refus des compromis. Comme Hitler. »

Après avoir multiplié les étincelles sur le front de l'Ouest, Harald Gottsahl avait végété quelque temps à Paris avant d'être nommé lieutenant-colonel et envoyé à l'est avec les trois millions deux cent mille hommes, bientôt rejoints par les alliés du III^e Reich, qui envahirent l'Union soviétique, le 22 juin 1941, dans le cadre de l'opération « Barbarossa », du nom du premier empereur germanique Frédéric 1^er Barberousse.

Cette fois encore, une flopée de généraux allemands avait émis les plus expresses réserves sur l'attaque programmée par Hitler contre l'empire de Staline. Tous des pétochards, toujours plus morts que vifs, des pleutres qui, devant les périls, ne pensaient qu'avec leurs jambes. Le Führer était convaincu que cette guerre-là ne durerait pas plus de quelques mois : tout serait fini avant l'hiver. Il prétendait avoir retenu la leçon de la campagne de Russie de Napoléon qui s'était perdue dans le froid, la neige, en essayant de prendre Moscou. Comme pour l'offensive de l'Ouest contre la France, il avait décidé de ne pas écouter la hiérarchie militaire. De jouer à nouveau « le tout pour le tout ». La suite lui donnerait raison, forcément.

L'intervention allemande tournant assez bien malgré les morts, pendant les premières semaines, Harald Gottsahl ne dégrisa pas. Ne dormant jamais plus de deux ou trois heures par nuit, toujours sur tous les fronts en même temps, le ravitaillement, le terrain, l'armement, les munitions, il s'imposa comme un grand chef militaire. « Commencez par tuer tout le monde, disait-il. Après, vous pouvez tendre la main et essayer de discuter. »

Même si l'armée soviétique, forte également de trois millions d'hommes, la dominait largement en armements, en chars notamment, rien ne semblait freiner l'avancée de la Wehrmacht, l'armée régulière, sauf quand elle empruntait les routes non goudronnées que les pluies de la rapoustitsa avaient transformées en bourbiers. Les chars, les camions, les soldats, tous s'empéguaient alors dans une vase noire à perte de vue. À la fin, ils semblaient perdus ; ils ne savaient plus où était la guerre.

En juillet, la Wehrmacht perdit 172 214 hommes. En août, 196 593. En septembre, la saignée continua. Mais ça ne troublait pas Harald qui ne doutait pas du succès final et pouvait espérer, au rythme de ses exploits, accéder rapidement au grade de général que lui faisaient miroiter ses supérieurs hiérarchiques. Dans une lettre très courte, écrite à Liselotte trois semaines après le début de l'offensive, il observait :

> Enfin, ma vie a un sens. Me voici colonel. Je me suis longtemps cherché, mon amour, mais je sais désormais où me trouver. Debout sur un char, sur le toit d'une maison ou d'une église, à contempler la plaine qui s'offre à moi et à mes soldats. Je sais où je vais. Nous allons raser Moscou et conquérir, repeupler, coloniser l'Union soviétique pour que l'Allemagne retrouve la place qu'elle mérite. Les Slaves qui l'habitent ne valent pas mieux que des animaux. Ils deviendront nos esclaves. Le Caucase nous fournira le pétrole, la Crimée du coton, du caoutchouc, la Russie des métaux ferreux, l'Ukraine le blé et le bétail, tout comme le bassin de la Volga. Avec toutes ces matières premières, nous n'aurons besoin de personne, nous serons les rois du monde pour les siècles des siècles.

Après avoir parcouru la lettre que Liselotte lui avait donnée à lire, Karl Gottsahl grogna avec un air contrarié :

« On dirait qu'il a bu.

— Non, il prend des comprimés.

— Quel genre ?
— Celui que tout le monde prend, à la Wehrmacht. De la pervitine. Il paraît que ça donne du courage et le sentiment d'être invincible. Ça transforme les soldats en machines à tuer.
— Je le plains, soupira Karl. De mon temps, pendant la guerre de 14-18, on prenait du schnaps. Ça détend et ça réchauffe. L'idéal sur un champ de bataille. Surtout l'hiver. Ça n'a jamais empêché personne de regarder la mort en face. Nous n'étions pas drogués.
— Je crois que la pervitine fait perdre la boule. Harald n'a plus sa tête, ce qu'il écrit ne lui ressemble pas.
— J'imagine ce que tu ressens, Liselotte. Quoi qu'il arrive, sache que tu pourras toujours compter sur moi. »
Karl serra Liselotte dans ses bras. Cette fois, elle ne pleura pas.

*

L'odeur de mort qui flottait sur Riga était régulièrement balayée par le vent glacé de la mer, piquant comme du piment : les charognes puent toujours moins dans le froid.

Aux premiers accrochages avec les Soviétiques, la guerre à l'Est était apparue au colonel Gottsahl moins pénible que, pendant l'été 1939, à la saison des mouches, dans le nord de la France.

Mais cette guerre était impitoyable. Les instructions de l'état-major venaient directement d'Hitler. Il fallait être « sévère », tirer à vue, sans répit, sur tout ce qui bougeait, y compris les vieux, les femmes, les enfants. Tuez-les tous, Dieu reconnaîtra les siens, tel était le mot d'ordre.

Harald Gottsahl veillait à ne pas prendre directement part à cette boucherie.

Quand il était en tournée d'inspection à Riga et qu'il voyait des monceaux de cadavres sur la chaussée, il ordonnait à ses hommes de faire « nettoyer ça de toute urgence » par les soldats lettons. Souvent coopératifs, ces derniers sauvaient, aux yeux des nazis, « l'honneur » d'un peuple quasi enjuivé, souvent sensible au sort des Juifs, rétif aux pogroms, même si celui de la capitale lettonne, début juillet, avait connu un certain succès avec quatre cents victimes.

Le macchabée est la plaie des guerres : il brise le moral des troupes. Il est au demeurant très rare que les soldats morts fassent d'aussi beaux cadavres que les civils qui, la plupart du temps, restent dignes, enluminés, la mâchoire bien fermée avant la rigidification, jusqu'à ce que les cercueils se referment sur eux.

Un officier digne de ce nom doit donc faire disparaître toutes les dépouilles mortelles, d'une manière ou d'une autre. Dès que le régiment du colonel Gottsahl prenait une ville, il faisait creuser des tranchées pour y jeter les cadavres. Il insistait toujours pour qu'elles fussent profondes, qu'il y ait au moins cinquante centimètres de terre au-dessus des premières charognes, que soient placés par-dessus des tronçons d'arbres qui empêchent celles-ci de remonter à la surface avec les pluies et que les chiens errants les déterrent pour s'en nourrir.

« Il n'est de bonne guerre que propre » : telle était la devise officielle de la Wehrmacht qui ne pouvait la respecter, tant sa charge était immense. Cette guerre-là, à l'Est, devenait même de plus en plus sale. C'était à cause des Einsatzgruppen, les unités de police politique militarisées qui suivaient les troupes pour sécuriser les territoires et liquider tous les opposants, communistes, saboteurs et, surtout, juifs. Aux yeux du colonel Gottsahl, ces tueurs désobéissaient au Führer et souillaient la cause nazie.

Lors d'une réunion avec des officiers de la Wehrmacht, Hinrich Lohse, le commissaire du Reich pour les territoires de l'Est, avait fait part de son indignation devant les exterminations systématiques de Juifs par l'Einsatzgruppe A :

« Mais qui sont ces gens pour décider à notre place de ce qu'il faut faire des Juifs ? Ce n'est pas parce qu'ils sont couverts de diplômes qu'ils ont le droit de piétiner notre autorité ! C'est à nous de régler la question juive ! Le Reich a besoin de bras et nous avons là une main-d'œuvre gratuite à notre disposition. Au lieu de massacrer tous les Juifs à l'aveuglette, ne serait-il pas plus intelligent d'exploiter ceux qui sont valides ? »

Hinrich Lohse portait la coiffure au bol, la moustache fine et les lunettes rondes d'Heinrich Himmler, chef suprême de la SS et de la Police, étoile montante du nazisme, massacreur en chef, qui avait par ailleurs été nommé par le Führer en 1939 « commissaire du Reich pour le renforcement de la race allemande ».

Malgré ses gesticulations, et quoique très proche d'Alfred Rosenberg, l'idiot du village nazi, promu ministre des Territoires de l'Est, Hinrich Lohse ne put empêcher la liquidation du ghetto de Riga, décidée par Himmler et où 25 000 Juifs perdirent la vie. Comme son maître à penser Rosenberg, c'était un auguste crétin, inapte en tout, perpétuellement perdu dans les détails, et le colonel Gottsahl avait rapidement compris qu'il ne pouvait pas s'appuyer sur lui. Il ne pouvait, en vérité, s'appuyer sur personne.

Dans une lettre à Liselotte, datée du 19 décembre 1941, Harald restait prudent, de crainte qu'elle ne soit ouverte par la censure militaire. Il laissait néanmoins percer son désarroi :

J'ai un moral d'acier et chaque jour que Dieu fait, je me félicite que le Führer ait lancé cette offensive à l'Est. Mais notre tâche est dure, mon amour : plus que le Juif et le Bolchevique, nos deux grands ennemis sont, en ce moment, le froid et la boue. Le premier nous transforme en statues de glace. La deuxième s'infiltre partout, sous les manches, dans le cou, au fond des bottes. Comme il fait trop froid pour prendre des douches, je dors tout crotté, comme une bête de ferme.

Il y a quatre jours, je me suis rendu sur la plage de Skēdé, près de Liepāja, pour vérifier, en tant qu'observateur de la Wehrmacht, la qualité du travail de notre armée qui était venue prêter main-forte à la SS pour régler la question juive. Devant le spectacle qui s'offrait à moi, je me suis mis à pleurer. J'ai prétendu que j'avais du sable dans les yeux mais la vérité est que j'étais plein de honte et que je ne me sentais pas à la hauteur.

En repartant, je me suis arrêté deux fois pour vomir. Je crois que j'ai mangé trop gras, ces derniers temps, mais j'avais aussi des idées noires. Après cet accès de sensiblerie, j'ai pris de la pervitine et pensé au Führer, à son courage, à ses prédictions, et tout est rentré dans l'ordre. Si je ne sentais pas en moi sa force qui me guide, je ne sais ce que je ferais. Je serais bon à jeter à la poubelle.

*

Que l'on permette une parenthèse à l'auteur. Il ne faut pas longtemps pour savoir ce qui s'est passé sur la plage de Skēdé le 15 décembre 1941. On apprend vite sur la Toile que 2 731 Juifs et 23 communistes ont été assassinés, en trois jours, par les SS de l'Einsatzgruppe A et des policiers lettons.

Les soldats avaient été placés sous l'autorité de « Fritz-belle-gueule ». Promu chef de la police régionale, c'était un lieutenant-colonel de la SS, docteur en physique et en chimie, qui se faisait appeler et signait tous ses ordres « Docteur Dietrich ». Le colonel Gottsahl avait été chargé de superviser l'opération d'abattage et de rapporter à ses supérieurs ce qu'il avait vu.

Quelque temps plus tôt, les policiers lettons étaient venus choisir le lieu où serait perpétré le forfait, un ancien terrain d'entraînement de l'armée nationale. Ils avaient creusé de longues tranchées d'une profondeur de trois mètres. Quand tout fut prêt, le « Docteur Dietrich » ordonna aux Juifs de Liepāja de rester à leur domicile où ils furent raflés pour être emmenés en cortège le long de la mer Baltique, les vieux et les invalides étant transportés en camion.

Sur la route verglacée, sous un vent qui mordait leur chair, les Juifs surent faire preuve d'une dignité qui désarmait ceux de leurs bourreaux qui avaient encore une âme. Comment faisaient-ils pour ne pas crier ? Sans doute une question d'habitude. Observez comme ce peuple garde toujours tout pour lui. Ses sentiments, ses économies, ses vieux habits, ses restes de repas. Il n'aime pas gâcher. C'est pourquoi on le dit pingre. Il est simplement modeste, mesuré.

Arrivés sur la plage, on ordonnait aux Juifs de se déshabiller afin que leurs vêtements fussent récupérés. Amenés par groupe de dix sur un chemin qui longeait le haut des tranchées, ils étaient placés face à la mer et tués de deux balles dans le dos par deux tireurs d'un peloton de vingt soldats, situé de l'autre côté du fossé et relevé par une autre équipe, sitôt la besogne achevée.

Ingénieuse, la méthode consistant à faire tirer deux balles par deux soldats permettait de diluer la responsabilité : à la fin, on ne savait pas lequel avait assassiné le Juif. C'était comme à l'abattoir, où l'on ne parvient jamais à déterminer si le tueur est le saigneur ou celui qui étourdit. Tout était fait pour que les exécuteurs gardent le moral. Heinrich Himmler recommandait ainsi qu'on les laissât boire, le soir. En attendant, pour se donner du courage, ils avaient droit de siffler du rhum pendant les heures de travail.

Carl-Emil Strott, un sous-officier SS, a immortalisé la tuerie avec son appareil photo, un Minox letton, devant lequel il a fait poser avant leur exécution des femmes juives dénudées, frigorifiées, les yeux baissés, quasi mortes de honte. Poignante est Mia Epstein, superbe jeune fille dont le regard sombre dit qu'elle sait ce qui l'attend. Elle a plus froid que peur, et l'expression un peu butée de la brebis devant le couteau. C'est l'innocence outragée. Par quel enchaînement d'événements avait-elle été condamnée à mourir ?

À regarder les clichés de plus près, il y a une force incroyable chez ces victimes qui regardent la mort en face, sans se plaindre, crânement. Aucune larme dans leurs yeux. Elles sont au-dessus d'elles-mêmes et méprisent leurs bourreaux.

L'attitude des Juifs sur la plage de Skēdé troublerait longtemps Harald qui, dans ses lettres à Liselotte, les semaines suivantes, parlerait souvent du massacre du 15 décembre. Même s'il n'osait pas l'écrire, il en était arrivé, semble-t-il, à se demander s'ils n'étaient pas les vrais héros de la Deuxième Guerre mondiale.

La légende du Juif docile, soumis à ses bourreaux, est une voie détournée, empruntée par les révisionnistes de tous bords pour relativiser le Mal. Ils font le silence sur les soulèvements de ghettos, à Varsovie, Białystok, Lvov, Mir, Kletsk, etc. Ou bien sur les révoltes dans des camps de la mort comme à Treblinka, Sobibor, Chelmno, Auschwitz. Sans parler des groupes de partisans juifs qui harcelèrent les soldats nazis notamment en Biélorussie, Lituanie, Pologne, France, Belgique.

Un jour que son fils Harald était venu en permission à Munich, Karl Gottsahl lui avait dit que l'un des legs du nazisme avait été de mettre au jour la vraie nature des Juifs : christiques et combatifs, ils gardaient leur sens de l'humour dans les pires moments. Et il lui parla de Fritz Grünbaum, un célèbre comique antinazi qu'il avait vu, avant la guerre, avec son ami Karl Kraus, dans un cabaret de Vienne, le Simpl. Acteur de cinéma, metteur en scène, auteur de chansons, Grünbaum avait tous les talents. Arrêté en 1938, il fut déporté à Buchenwald puis à Dachau où, jusqu'à son décès, il fit le pitre pour ses compagnons de malheur auxquels il voulait apporter un « petit bonheur », déclarant par exemple que « les privations et l'affamement étaient les meilleurs remèdes contre le diabète ! »

Grünbaum mourut à Dachau sans rien abandonner, pas même son humour.

## 38

## *La « prophétie » d'Hitler et le mouton pleureur*

LE BERGHOF, 1942. Un soir, alors qu'ils allaient se coucher, les Gottsahl reçurent un coup de téléphone : on les invitait à dîner le lendemain, avec le Führer, au Berghof, son nid d'aigle, près de Berchtesgaden, à cent cinquante kilomètres de Munich.

Quelque temps plus tard, le téléphone sonna de nouveau. C'était Liselotte. Elle avait reçu la même invitation. Plus aiguë que jamais, sa voix tremblait d'excitation :

« Je suis tellement fière.

— Moi, j'ai peur », souffla Ingrid.

Après avoir raccroché, Ingrid Gottsahl grimaça, comme si elle venait d'avaler une moule avariée, puis reprit :

« Nous avons une belle-fille très versatile. Un jour, elle est violemment antinazie. Le lendemain, elle ne jure que par Hitler. Il est hors de question que j'aille au Berghof. Ce type me fait peur.

— Je suis obligé d'y aller, dit Karl. Il y a trop d'affaires en jeu. »

Karl arriva au Berghof avec Liselotte à l'heure pile de la convocation, après avoir passé un long moment dans une auberge à boire du thé en contemplant les montagnes.

Devant le paysage, il lui sembla mieux comprendre Hitler : on aurait dit que les Alpes bavaroises étaient sorties de la tête d'un de ces immenses artistes anglais, virtuoses du grandiose, du pompier, comme Gainsborough, Turner, Constable, qui sont à la peinture ce que sont Haendel, Wagner, Berlioz à la musique.

Hitler habitait au milieu des nuages, entre les pics enneigés. Quand ils entrèrent dans le grand hall dont l'impressionnante baie vitrée donnait sur les Alpes, ils le cherchèrent en vain : le schmock n'était jamais à l'heure. « S'il est en retard, disaient les farceurs, c'est qu'il va venir. » En l'attendant, ils conversèrent avec les autres invités, Martin Bormann, son factotum, et sa femme, Gerda ; un général de la Wehrmacht avec un sourire d'enfant et d'autres invités, inconnus d'eux.

Tartufe de brasserie, Martin Bormann n'inspirait confiance à personne sauf au Führer qui avait menacé de faire « fusiller » ses ennemis. Il raconta à Liselotte et à Karl les derniers faits d'armes d'Harald qui, avec son art de la *blitzkrieg*, avait réussi à reprendre un village à des Soviétiques dix fois plus nombreux que les Allemands, avant de faire sauter, dans une opération commando, un dépôt de munitions.

« C'est mieux qu'un héros, dit-il. C'est un dieu vivant pour ses soldats. »

Le Führer ne se montra qu'à dix heures du soir. Vêtu d'une veste et de pantalons chiffonnés, il était absorbé dans ses pensées, le regard inexpressif, la poignée de main fuyante. Avant de saluer ses invités un par un, il annonça à Karl qu'il avait demandé à son cuisinier de préparer l'un de ses plats préférés : des pommes de terre à la crème, nappées d'huile de lin. Il lui tapota le bras avec une expression bonasse.

« J'ai demandé ça pour toi parce que je sais que tu adores les pommes de terre. Comme moi, comme les cochons, hi, hi. Une façon de te remercier pour ton soutien constant et pour la bravoure exceptionnelle de ton fils Harald, un sacré bonhomme. Nous allons lui donner bientôt le titre de Grand Héros allemand que je lui remettrai de mes mains dans mon QG. Tu seras invité. Nous voulons faire un film sur lui.

— Très bonne idée, mon Führer. »

Hitler prit Karl à part et lui chuchota à l'oreille :

« Je n'oublierai jamais que tu as été l'un des premiers à croire en moi. Je me souviendrai à tout jamais de notre conversation dans les tranchées, en 1915. Tu m'as donné confiance en moi. Mais je suis arrivé à un moment de ma vie où j'ai besoin comme jamais de ton soutien, de ta loyauté. Je compte sur toi, Karl. Je ne supporterais pas que tu me déçoives. »

Était-ce une menace ? Hitler embrassa chaleureusement la femme du Grand Héros allemand, mais Liselotte, incommodée par son haleine, détourna légèrement la tête. Une infection. Ça sentait le rat mort, les intestins putréfiés, les pourrissoirs de l'Enfer. Magda Goebbels avait dit un jour à Karl que le liquide gastrique du Führer lui rongeait tout, l'estomac, l'œsophage, le palais, en provoquant des ballonnements, des rots, des pets inopinés. C'était une bonbonne de gaz.

On passa à table et, dès qu'il commença à manger, Hitler reprit vie mais ni lustre ni éclat. Son teint restait gris terreux, sa couleur préférée à en juger par la décoration et les peintures du Berghof. Il parlait d'une voix sourde, avec de temps en temps des embardées rauques que son organe vocal n'arrivait pas à suivre et qui s'achevaient en chuintements mélancoliques.

Ce fut un long monologue qui commença par un panégyrique de Bruckner, « le plus grand symphoniste de tous les temps », d'origine paysanne, qu'il disait préférer à Brahms, « talent de salon », « théâtral », « porté aux nues par la juiverie ». Il en vint ensuite au christianisme qu'il expédia en deux phrases : « Le communisme est un enfant illégitime du christianisme. L'un et l'autre sont une invention du Juif. »

« Tout prouve que le Christ est juif, s'amusa Karl Gottsahl. À trente ans, il vivait toujours chez sa mère. Il était sûr qu'elle était vierge et elle le prenait pour Dieu. »

Il fut, avec Liselotte, le seul à rire de sa blague. Après quoi, le schmock en vint à son sujet favori : le Juif.

Que ceux qui connaissent les innombrables et assommantes litanies du Führer sur les Juifs veuillent bien pardonner à l'auteur de ce livre, mais il lui faut bien rapporter les propos qu'Hitler tint, ce soir-là. Écoutons :

« Pendant la Première Guerre mondiale, les Juifs n'ont pas cessé de nous saper le moral. Aujourd'hui, ils recommencent. C'est pourquoi il faut les écarter. Pour nous, il s'agit d'une question de survie. Je vous rappelle la prophétie que j'ai faite dans mon discours du 30 janvier 1939 devant le Reichstag : si les Juifs parviennent à provoquer de nouveau une guerre mondiale, elle se terminera par leur destruction. Eh bien, nous y sommes, ils sont parvenus à leurs fins. Cette guerre ne finira pas, comme ils l'imaginent, par l'extermination des peuples aryens mais par l'anéantissement de la juiverie. Qui détruit la vie s'expose à mourir lui-même. Les Juifs sont beaucoup moins intelligents qu'ils le croient, ce sont même les démons les plus sots qui soient. Ils n'ont pas un seul musicien ou penseur authentique, aucun artiste, rien, absolument rien. Ce sont des menteurs, des faussaires, des fourbes. Ils n'ont réussi à s'insinuer partout qu'en raison de la naïveté de ceux qui les entourent. Si l'Aryen n'était pas là pour laver le Juif, il serait incapable de voir avec ses yeux faits pour la crasse. Nous pouvons vivre sans les Juifs. Mais ils ne sauraient vivre sans nous. Notre patience a ses limites. »

Martin Bormann et son épouse buvaient les paroles du Führer, ce qui n'était pas le cas d'autres convives dont les paupières papillotantes indiquaient qu'ils luttaient contre le sommeil. De temps en temps, Hitler lui-même semblait s'endormir au milieu d'une phrase. Il ne la finissait pas et, après qu'un frisson lui avait traversé le corps, il en commençait une autre. Même mort, songeait Karl Gottsahl, il continuerait à pérorer.

L'heure tournait. Hitler changea soudain de sujet et s'en prit aux généraux qui, sur le front de l'Est, avaient montré qu'ils n'étaient pas à la hauteur. Des badernes sans conviction idéologique dont il stigmatisa l'absence de jugement, le manque de responsabilité et de courage moral. Il n'y en avait pas un pour rattraper l'autre. Pensez ! Ils s'inquiétaient pour la santé psychologique de leurs soldats auxquels ils demandaient de tirer sur des civils désarmés et qui, souvent, faisaient preuve d'une compassion indigne. Il fallait châtier les faibles au lieu de les plaindre. Cette guerre contre le communisme serait totale ou elle finirait mal. Dans la foulée, Hitler s'en prit au peuple allemand qui, ces derniers mois, l'avait beaucoup déçu.

Craignant une campagne internationale contre le Reich, Hitler avait longtemps refusé d'obliger les Juifs à porter des signes distinctifs comme au Moyen Âge. C'était le combat personnel de Goebbels. Pour plaider sa cause, le ministre à l'Éducation du peuple et à la Propagande faisait état de l'indignation des soldats de la Wehrmacht en permission quand ils découvraient que la juiverie continuait à vivre sans gêne dans des appartements luxueux où elle était servie par des domestiques aryens qu'elle exploitait sans vergogne. Incapable de tirer les leçons du passé, ajoutait-il, elle ne cessait de cancaner contre le régime, notamment quand elle faisait les courses, au grand dam des commerçants. Comment pouvait-on laisser les Juifs se goberger en toute impunité pendant que les jeunes générations se sacrifiaient au front ?

Quand les premières étoiles jaunes apparurent sur les poitrines juives, une grande partie du peuple allemand sembla souvent éprouver une gêne non dénuée de honte, ce qui mit Hitler hors de lui. Ce peuple n'avait décidément ni fierté ni gratitude. Toujours à geindre contre les efforts demandés, les pénuries imposées, il ne méritait pas que le Führer se décarcassât à ce point pour lui. « Notre blason, dit Hitler, c'est l'aigle, héritage du Saint Empire romain germanique avec un seul corps et deux têtes, en signe d'intelligence supérieure. Mais ce symbole ne nous correspond plus. Il va falloir en changer. Il est beaucoup trop agressif avec son bec grand ouvert, sa langue qui vrille et ses serres, prêtes à déchirer la chair de ses proies.

— Mon Führer, nous sommes tous très attachés à l'aigle, protesta Bormann.

— Il faudra se faire une raison. Quand nous aurons gagné la guerre, je choisirai un nouveau blason qui ira bien mieux au peuple allemand : un mouton pleureur ! »

Alors, Hitler rit, d'un rire sinistre, grimaçant, qui entraîna celui, faux, des invités.

« Un mouton pleureur », répéta-t-il avec dégoût.

Il avait bien parlé deux heures et demie d'affilée. Il demanda à l'un de ses valets de passer le troisième acte d'*Aïda* sur le tourne-disque. Dès la première note, il se tut et ferma les yeux, l'air flapi, les traits mous, défaits. On aurait dit une statue en yaourt.

Hitler donna encore à ses convives des conférences sur Verdi, Wagner, le végétarisme, la création du monde, la culture du poireau en Poméranie, les stratégies de harcèlement du maréchal von Blücher à la tête de l'armée prussienne qui remporta, avec les Britanniques, la bataille de Waterloo contre Napoléon.

Karl et Liselotte luttaient contre le sommeil. Quant aux Bormann, ils étaient affalés, la bouche ouverte, sur le canapé. Rien ne semblait pouvoir arrêter les déjections verbales de l'ego du Führer, si vaste qu'il donnait une idée de l'infini. Il était quatre heures moins dix du matin quand Hitler libéra ses invités.

Karl et Liselotte dormirent au Berghof. Le matin, quand ils se retrouvèrent dans la salle à manger pour le petit déjeuner, la belle-fille avait le regard mort, le visage chiffonné d'une personne qui a passé la nuit dans les toilettes, à vomir.

« Cette nuit, quelqu'un est venu dans ma chambre, bredouilla-t-elle.

— Martin Bormann ? »

Liselotte hocha la tête en baissant les yeux.

« S'est-il mal comporté ? demanda-t-il.

— Devine… Avais-je le choix ?

— Le salaud, siffla Karl entre ses dents. Celui-là,

j'aimerais bien pouvoir le tuer un jour de mes propres mains. Comment cela s'est-il passé ?

— Il a frappé à ma porte. Je n'ai pas voulu lui ouvrir. Mais il avait un passe-partout… »

Sur la route du retour, Karl attendit d'avoir roulé un kilomètre avant de dire à voix basse à Liselotte :

« Maintenant qu'on est sûrs que personne ne nous écoute, on peut le dire, Hitler est l'homme le plus ennuyeux du monde. L'ennui est l'autre nom de la mort. Que nous est-il arrivé, Liselotte, pour que nous soyons les prisonniers d'un ancien *Muttersöhnchen*, un garçon à sa maman, pourléché d'amour, qui a fini par se prendre pour un envoyé de la Providence, un Messie chargé de rendre sa grandeur à l'Allemagne ?

— Il parle bien, il faut le reconnaître.

— De moins en moins bien, Liselotte. Il tremble, c'est à se demander s'il n'a pas la maladie de Parkinson.

— Je suis heureuse qu'Harald soit promu Grand Héros allemand mais, franchement, Hitler aurait quand même pu faire un effort et le nommer général, c'eût été la moindre des choses. »

Quelques minutes passèrent, puis elle demanda, sans se tourner vers Karl, les yeux fixés sur la route qui défilait, comment il avait pu être proche de lui.

« J'ai sympathisé avec lui pendant la Première Guerre, répondit Karl. Ensuite, tout en reconnaissant son talent oratoire, son éloquence quasi mystique, je l'ai toujours sous-estimé. D'abord, j'ai pensé qu'il était trop bête pour arriver au pouvoir. Ensuite, que son programme était trop bête pour qu'il cherche à l'appliquer. On ne se méfie jamais assez des imbéciles. On ne les voit pas venir. Ils ne ressemblent à rien. C'est ce qui les distingue. »

# 39

## *Le Grand Héros allemand*

UKRAINE, 1942. Son statut de Grand Héros allemand donnait beaucoup d'avantages au colonel Gottsahl. Pourvu d'un aide de camp, il circulait d'un régiment à l'autre pour donner des conférences ou se lancer avec des volontaires dans des expéditions commandos qu'il préparait avec soin et dont, à la surprise générale, il revenait toujours vivant.

La libération de prisonniers allemands et la destruction de dépôts de munitions étaient ses deux spécialités. Après avoir fait la « une » de journaux nazis comme le *Stürmer* ou le *Völkischer Beobachter*, Harald ne se déplaçait jamais, sauf pour ses raids derrière les lignes ennemies, sans un journaliste, un cameraman et un preneur de son qui rendaient compte de ses activités pour les actualités cinématographiques de la *Deutsche Wochenschau* : touchant vingt millions d'Allemands, elles étaient de surcroît diffusées en dix-huit langues et dans trente-sept pays.

« Comment fait-on pour devenir un héros ? lui avait demandé un jour un reporter du *Stürmer*.

— Je ne le fais pas exprès : je n'ai pas peur, c'est tout.

— Est-il vraiment possible de rester serein quand les balles sifflent autour de vous ?

— Il suffit de ne pas penser avec ses jambes.

— Quel est votre secret pour réussir vos opérations ?

— D'abord, la préparation et la connaissance du terrain : je ne laisse rien au hasard, je travaille avec les autochtones dont j'ai acquis la confiance. Ensuite, la sidération. Il faut jouer la surprise, pétrifier l'ennemi et, si possible, avec des bombardements intensifs, lui crever les tympans : l'épouvante lui fait perdre ses moyens et tout devient plus facile. »

Quand on regardait de près la photo qui illustrait l'article, le colonel Gottsahl avait la même expression d'exaltation absolue que celle de Thérèse d'Ávila sculptée par Filippo Della Valle, qui trône dans la basilique Saint-Pierre de Rome. Tels étaient les effets de la pervitine mais aussi de son adhésion totale au nazisme.

Harald avait le même air enfantin le jour où il fut présenté au Führer dans la « Tanière du loup », en Prusse-Orientale, qui était devenue son QG, depuis l'invasion de l'Union soviétique.

« Nous allons gagner cette guerre, déclara Hitler aux actualités de la *Wochenschau,* avec Harald à ses côtés, parce que nous avons beaucoup d'hommes qui, comme le colonel Gottsahl..., se sont donnés corps et âme à l'Allemagne. C'est grâce à eux que... nous sommes invincibles. »

Hitler avait la bouche très sèche et sa langue collait de temps en temps aux parois de son palais, l'interrompant subitement au milieu d'une phrase. Il faisait une grimace et puis reprenait son fil.

« Vous n'imaginez pas le bonheur pour moi de... voir

des gens comme vous. Vous êtes la vraie Allemagne, celle pour… laquelle je suis prêt à me sacrifier. »

Sur quoi, le Führer remit à Harald la croix de fer avec feuilles de chêne, glaives et brillants, une décoration en sautoir court, décernée pour un ou plusieurs actes de bravoure. Hitler lui remit ensuite le diplôme encadré, sous verre, sur lequel était écrit en lettres gothiques : « Grand Héros allemand ».

Apparemment plus sombre et plus tendu que d'ordinaire, les sourcils froncés, avec quelque chose de hagard dans le regard, Hitler mettait souvent la paume contre sa mâchoire, en un geste compulsif. Sans doute souffrait-il d'une rage de dents. À moins qu'il s'agît d'un nouveau tic ou du symptôme d'une maladie.

Lors de la réception qui suivit, il y eut un aparté entre Harald et le Führer. Si l'on se fie à une lettre qu'il adressa à Liselotte quatre jours avant sa mort, on peut restituer ainsi leur conversation :

« S'il y avait plus de militaires comme vous, lui dit Hitler, nous aurions gagné la guerre depuis longtemps. Mais nous sommes un pays de pleutres.

— Pas l'armée, mon Führer. Elle est derrière vous comme un seul homme.

— Je suis heureux de l'entendre. C'est peut-être vrai pour les soldats mais au niveau… de l'état-major, alors là, non, sachez que je n'ai affaire qu'à des dégonflés qui veulent battre en retraite. Or, nous devons en finir avec ces foutus Russes.

— Nous pouvons nous entendre avec eux, vous savez. Il m'est souvent arrivé de dormir à la ferme, sans protection.

— C'est une ruse, objecta Hitler en haussant la voix. Les Russes veulent notre mort. Grattez-les tous, il y a toujours des barbares asiatiques dessous. Des animaux qui profitent du premier moment d'inattention pour vous attaquer par-derrière. »

Harald exécuta un hochement de soumission.

« La confiance est toujours traîtresse, je suis bien d'accord avec vous.

— Pour que mes généraux fassent leur métier, il faut donc... que je les menace, ces lopettes. Ils me font honte.

— Ne vous en faites pas, mon Führer. Nous, les soldats qui vous servons, rien ne nous arrêtera.

— Non, quelque chose peut nous arrêter, colonel Gottsahl : le peuple allemand. Il m'a beaucoup déçu, ces dernières années. Par exemple, son espèce de compassion à l'égard des Juifs est révoltante. Il n'est pas en état de comprendre mon œuvre et je crois... qu'il ne le sera jamais. C'est pourquoi je suis obligé de lui cacher certaines choses et de faire régner la terreur.

— On ne fait pas d'omelette sans casser des œufs.

— C'est la seule expression stalinienne que j'apprécie. Je la reprendrais volontiers... à mon compte. »

*

Harald Gottsahl avait une passion pour Mark Twain, l'auteur d'*Huckleberry Finn*, chef-d'œuvre du XIXe siècle. C'était Elsa qui le lui avait fait découvrir et il répétait souvent à ses hommes l'une des formules de l'écrivain américain, souvent plagiée : « Ils ne savaient pas que c'était impossible. Alors, ils l'ont fait. »

L'opération baptisée « Souffle de vent » ne pouvait avoir été décidée que par un fou, un imbécile ou un inconscient. Harald disait volontiers qu'il était les trois à la fois. Que serait le monde sans les cinglés ? demandait-il. Un grand mouroir, encloué dans la préhistoire. Ce sont eux qui ont inventé le feu, la roue, les cerfs-volants, les avions de chasse.

L'objectif de l'opération « Souffle de vent » était une série de grands bâtiments grisâtres qui émergeaient d'une mer de brume, derrière une houle d'arbres sombres. Le principal dépôt de munitions de l'Armée rouge dans la région de Stalingrad. Harald avait pour mission de faire exploser cette forteresse. S'il réussissait, la Wehrmacht pourrait effectuer une percée décisive dans les lignes ennemies et s'emparer bientôt de Stalingrad.

Affecté au groupe d'armées List, en hommage au premier officier d'Hitler, le Grand Héros allemand avait préparé l'opération avec un ancien capitaine de l'Armée rouge, Ivan, un petit moustachu aux yeux bridés, qui respirait la franchise et parlait un allemand parfait.

Militaire de carrière, élégant et cultivé, Ivan aimait raconter des blagues comme celle-ci : « La force du socialisme est d'avoir emprunté à toutes les époques de l'humanité. À la préhistoire, la technique. À l'Antiquité, l'esclavage. Au Moyen Âge, le féodalisme. Au capitalisme, la folie des grandeurs. Au socialisme, le nom… »

Recommandé par l'Abwehr, le service de renseignement de l'état-major, Ivan avait basculé dans l'antibolchevisme après que Staline eut fait périr sa famille pour une raison inconnue, alors qu'il se battait au front. Ses parents, sa femme, ses enfants, tout le monde avait disparu.

« Un jour, racontait-il, j'ai rencontré un ami qui rentrait du Goulag. "Pourquoi t'a-t-on envoyé là-bas ? lui ai-je demandé. — Pour rien, a-t-il répondu. — Pour rien, ai-je dit, je ne te crois pas : tu aurais été au moins condamné à la perpétuité !" » Ses rires étaient tristes et ses sourires, douloureux. C'était une caricature de Slave : même quand il se gobergeait en se tapant les mains sur les cuisses, il était au bord des larmes.

« Quand on pense que Staline a donné son nom à une ville ! soupira Ivan un soir qu'il avait bu. La place d'un type comme lui est chez les aliénés, dans une camisole de force. »

Puis, à voix très basse :

« Entre nous, ce serait aussi la place d'Hitler. »

Pourquoi Harald n'avait-il pas contredit Ivan ? Même si, à la grande honte de ses parents, il était fier d'être nazi, il gardait la fâcheuse habitude, héritée de son père, de penser parfois une chose et son contraire. Il avait ainsi de brusques et fugaces poussées d'antinazisme à cause des crises de déraison du commandement suprême et dont il se délivrait à coups de pervitine, d'amphétamines.

Avec Ivan et ses hommes, le colonel Gottsahl était parti plusieurs fois en reconnaissance pour, comme il disait, « apprendre le terrain par cœur ». Avant une offensive, il ne laissait jamais rien au hasard. Tout était calculé, minuté, millimétré. Pour tétaniser l'ennemi, dans la phase précédant l'attaque, Harald allait utiliser la pointe de la technologie du III^e^ Reich : deux bombes volantes expérimentales, ancêtres du V1, premier missile de croisière de l'histoire de l'aéronautique, déployé par l'Allemagne nazie à partir de 1944, contre Londres puis Paris, Anvers.

Trois experts de la société Fieseler (pour le missile) et un autre d'Argus (pour le moteur) étaient venus apporter leurs compétences. Il était prévu d'envoyer les bombes volantes sur le dépôt de munitions, puis de profiter du désordre pour le prendre d'assaut et le faire exploser. Avec un périmètre d'erreur de vingt-cinq kilomètres, les missiles avaient peu de chances d'atteindre l'objectif. Mais Harald ne doutait pas qu'ils feraient perdre leurs moyens aux soldats de l'Armée rouge avec leurs sifflements, puis leurs déflagrations.

Détestant le hasard, Harald Gottsahl avait toujours cherché à s'en prémunir. Il savait que c'était souvent le pseudonyme de la mort qui aime se cacher sous des noms d'emprunt et qui, cette fois, avait pris la forme d'un des deux prototypes. Au lieu d'atteindre sa cible, il tomba sur la colonne en marche vers le dépôt.

Cinquante hommes de la Wehrmacht passèrent une journée entière à rechercher le corps du colonel et ceux de ses hommes, mais apparemment il s'était éparpillé, volatilisé, dissous dans l'air humide. Ils retrouvèrent bien quelques carcasses calcinées, noires comme la mort, mais surtout beaucoup de morceaux de chair brûlée qui gisaient dans la boue ou pendaient sur les squelettes des arbres, comme s'il avait plu des épluchures de cadavres.

Le Grand Héros allemand fut promu général à titre posthume, et Joseph Goebbels représenta le Führer à ses funérailles. Ivan figurait parmi les survivants. Affecté à l'Abwehr, il fut chargé de cuisiner les prisonniers de guerre haut gradés.

# VII

# L'APOCALYPSE SELON LE SCHMOCK

## 40

## *La substitution*

MUNICH, 1943. Karl Gottsahl n'avait parlé de rien à personne, pas même à sa femme, avant d'aller chercher Élie Weinberger à Puchenau, en Autriche, dans la porcherie de son cousin Kurt Becker.

C'était une de ces sales journées d'automne, où des traînées de nuit s'amoncellent dans un brouillard bien trop lourd pour se lever. On aurait dit que le monde vivait sous une plaque de béton qui obstruait le ciel. Même s'il faisait frais dessous, l'air était quand même pesant, qui sentait l'odeur, affreusement humaine, du fumier de cochon.

Une truie ne met pas bas. Elle défèque ses petits. Sous les caresses d'Élie Weinberger, celle-là semblait sourire de satisfaction pendant qu'elle poussait comme un bébé sur son pot. Elle avait déjà crotté neuf porcelets gluants et maladroits quand Karl frappa à la porte, puis entra.

« Bonjour, dit-il à Élie. Harald est mort. »

Élie Weinberger fondit en larmes et se jeta dans ses bras.

« Notre Grand Héros allemand, balbutia-t-il.

— Tu étais au courant ? demanda Karl.

— Harald était devenu un instrument de la propagande nazie. Sa tête était à la “une” de tous les journaux. Même les cochons en avaient entendu parler.

— Je ne te cache pas, dit Karl avec emphase, que j’ai été très déçu par l’engagement de mon fils en faveur du IIIe Reich.

— Ça m’a beaucoup étonné de sa part. Sur les photos, il ne se ressemblait plus. Il avait l’air complètement allumé. Mais je connaissais ses pulsions masochistes et sa passion pour les perdants, les damnés. Comment est-ce arrivé ?

— Une opération qui a mal tourné. Sur le front de l’Est.

— Il a souffert ? demanda Élie d’une voix brisée.

— On n’a pas retrouvé son corps.

— Mon meilleur ami… »

Élie était maintenant secoué de sanglots comme des hoquets. Karl lui souffla à l’oreille :

« Je voudrais que tu reviennes à Munich prendre sa place auprès de nous. »

Planèrent un silence et un malaise. Élie se dégagea des bras de Karl.

« Excuse-moi, dit Élie, je ne comprends pas bien.

— C’est très simple, souffla Karl. Je te propose de changer d’identité. De sortir de ta porcherie, de revenir à la vraie vie et de t’appeler désormais Harald Gottsahl… »

Élie semblait interdit.

« À la vérité, je suis heureux avec mes cochons, dit-il. Ils sont attachants, sentimentaux, tu ne peux pas t’imaginer. Je ne suis pas sûr qu’avec les nazis je gagnerais au change. »

Élie dodelina de la tête, puis murmura :

« Es-tu sûr que cette substitution soit une bonne idée ?

— Harald et toi, vous vous ressembliez comme deux gouttes d'eau. Je me souviens que la différence de taille était minime. Il était un peu plus enveloppé que toi. Il faudra que tu forcisses. Après ça, il faudra que l'on raconte une histoire, à savoir comment tu as pu te volatiliser à Volgograd et réapparaître par la suite en Allemagne.

— Sans séquelle ?

— Bien sûr que non, fit Karl. Pour faire passer la supercherie, tu devras te laisser infliger de fausses blessures. On a assez d'amis médecins pour nous aider à faire ça bien. »

Élie avait des questions.

« Liselotte est-elle au courant de ton projet ? demanda-t-il.

— Non. J'adorerais que vous refassiez votre vie ensemble et que tu t'occupes avec elle de mes petits-enfants.

— C'est une très belle femme.

— Belle mais aussi intelligente, cultivée, très cultivée. Quand on sait d'où elle vient, notre ancienne petite couturière, on n'en est que plus fasciné.

— Elle sera peut-être révulsée par mon odeur : à force de fréquenter les cochons, je crois que j'en suis devenu un.

— L'odeur passera. Mais l'amour est un mystère que personne n'a jamais réussi à percer : on ne sait pas pourquoi ça commence ni pourquoi ça finit. Rassure-toi, je ne m'en mêlerai pas. Si ça ne marche pas entre vous, tu pourras faire chambre ou maison à part. Allez, je t'emmène. »

Élie hocha la tête. Ils allèrent ensuite informer Kurt Becker de leur décision, ce qu'il désapprouva sans ambages.

« Ma parole, vous avez perdu la tête ! Que se passera-t-il si l'imposture est découverte ?

— Élie et moi serons condamnés à mort. C'est un risque à prendre.

— Êtes-vous bien conscients que les nazis savent tout sur chacun d'entre nous ? insista Kurt Becker. Ils ont des yeux et des oreilles partout, ils croulent sous les informations.

— Encore faut-il savoir les traiter, répondit Karl. Ils en ont beaucoup trop, c'est comme s'ils n'en avaient pas ! »

Kurt regrettait de perdre un porcher d'exception comme Élie, amoureux de ses bêtes. Par qui le remplacer ? Sans doute par l'un de ses charcutiers qui avaient déjà fait ce travail.

Avant de retourner à Munich avec Karl, Élie tint à préparer les porcelets à la vie, selon son expression. Il meula les dents des nouveau-nés pour empêcher les défenses de pousser, castra les mâles au bistouri, sectionna les queues avec une pince avant de badigeonner les blessures d'antiseptique. Quand il les rendait à la coche allongée voluptueusement sur sa paillasse, les porcelets semblaient toujours dégoûtés du monde, et il leur fallait ensuite un temps de réflexion avant de prendre le chemin des pis.

*

Camarade de promotion d'Élie et Harald, Lothar Frank était l'un des plus grands chirurgiens de Munich. Le dos voûté, le nez crochu, le menton en avant, les lèvres épaisses, il avait tous les attributs physiques du Juif éternel, cliché que les nazis ne cessaient de stigmatiser sur les affiches, dans les livres, les films de propagande. Mais il ne coulait pas une goutte de sang juif dans ses veines. Ses parents étaient originaires de Suisse romande.

« Ce médecin est la preuve que le Juif est partout, même chez les goys », avait blagué un jour Karl Gottsahl.

Au-delà de toutes les espérances, le docteur Frank avait réussi à transformer en grand blessé de guerre Élie-Harald qu'il avait opéré en grand secret, dans la maison de Karl. Tel un survivant de l'enfer de l'Est, le prétendu Grand Héros allemand serait désormais criblé de cicatrices. Qu'on en juge :

— un morceau d'oreille coupé
— un sourcil en partie arraché
— une entaille sur le haut du front
— un grattage à l'arrière du crâne
— un pouce émondé
— deux grandes brûlures dans le dos
— une troisième sur l'avant-bras gauche
— un mollet droit atrophié
— un morceau de fesse arraché
— une blessure profonde au quadriceps.

Pour soulager sa douleur au réveil, Lothar Frank lui donna de la morphine à si haute dose qu'Élie resta pendant quatre jours dans le coaltar, au milieu des oiseaux, parlant avec Elsa, embrassant une poule, insultant Hitler et Orff. Le cinquième jour, quand Karl lui apporta le miroir qu'il réclamait, il poussa un cri :

« On dirait Frankenstein !

— Mais non, le visage est à peu près épargné. Tu verras, ça te donnera un charme de bourlingueur… Parfois, il suffit d'un détail, les gens se focalisent dessus, et ils oublient que la personne a changé de gueule. D'où le sourcil amoché, l'oreille coupée… »

Ensuite, pendant les semaines de convalescence dans un appartement à quelques pas de la villa Sanssouci, Élie-

Harald eut le temps d'imaginer un scénario à peu près plausible avec Karl et Ingrid. Recueilli par l'Armée rouge qui l'avait remis sur pied, il se serait évadé avant de franchir mille kilomètres, de Volgograd à la mer Noire en marchant dans les forêts, en montant dans des trains de marchandises, en se nourrissant de baies, de fruits.

Passager clandestin sur un cargo turc chargé notamment de tonneaux de noix, pistaches, grenades, Élie-Harald aurait débarqué à Marseille avant de remonter la vallée du Rhône, jusqu'à Besançon et aux ballons des Vosges, pour arriver dans la Forêt-Noire, à Fribourg-en-Brisgau, où il se présenterait à la police allemande. Pour ne pas prendre le risque de s'embrouiller en répondant avec précision à toutes les questions, il prétendrait souffrir d'amnésie et de troubles neurologiques.

Quelque temps plus tard, quand les plaies d'Élie-Harald furent cicatrisées, Karl Gottsahl le conduisit en voiture à Fribourg-en-Brisgau et le déposa devant l'entrée de la ville. Comme prévu, les autorités nazies émirent quelques doutes sur l'histoire qu'il leur raconta, d'autant que ses blessures étaient superficielles. Afin de les lever, le Grand Héros allemand fut amené à Berlin, au Bendlerblock, siège des services secrets, pour être interrogé par l'amiral Wilhelm Canaris en personne.

Polyglotte, connaissant le monde entier, le patron de l'Abwehr était un petit homme aux cheveux blancs. Son regard intense était comme une ventouse dont on ne décollait plus et que contredisait de temps en temps un sourire ironique. Une sorte de mille-pattes, ancien homme lige du social-démocrate Noske et du conservateur antihitlérien Schleicher. Avec ses pieds partout, dans les capitales, les institutions, les dîners en ville, l'amiral Canaris fascinait tous ses interlocuteurs, même Hitler.

Après un interrogatoire de plus de trois heures, l'amiral emmena Élie-Harald marcher sous les arbres, dans la cour centrale du Bendlerblock, et murmura :

« Je ne crois pas un mot de ce que vous m'avez raconté. »

La peur envahit Élie jusque dans la moelle des os.

« C'est pourtant la vérité, bredouilla-t-il.

— Non, je ne sais pas si vous êtes le héros allemand que l'on dit mais une chose est sûre : vous êtes un antinazi enragé, un ennemi du IIIe Reich, vous êtes tombé dans tous mes pièges.

— Qu'est-ce qui vous permet de dire ça ?

— J'ai démasqué des imposteurs d'un autre niveau que vous, croyez-moi. Ils ont tous la même caractéristique : ils en font trop, comme s'ils essayaient de se convaincre eux-mêmes. C'est ce qui vous perdra si vous persistez dans cette posture. »

Le cœur d'Élie-Harald battait le tambour et son épaule frissonna quand Wilhelm Canaris, paternel, posa sa main dessus.

« Avant de vous laisser repartir, un petit conseil, dit l'amiral à voix basse. Méfiez-vous. De vous, des autres, des murs, des trous de serrure, de tout. Sous le règne d'Hitler, le monde appartient aux matois, aux suspicieux, aux sournois. »

Quand il quitta le Bendlerblock, Élie-Harald accéléra le pas et jeta régulièrement des regards par-dessus son épaule comme s'il avait des tueurs de l'Abwehr à ses trousses. C'est seulement après la guerre, quand les langues se délièrent, qu'il comprit pourquoi il avait été libéré : combattant Hitler de l'intérieur, Canaris laissait volontiers filer les opposants. Sans oublier de transmettre aux Anglo-Saxons, par l'entremise du Vatican, des informations sensibles, parfois énormes. Ils eurent le tort de ne pas le croire quand il leur annonça l'offensive du 10 mai 1940 contre l'Europe de l'Ouest.

On lui prêtait beaucoup. On alla même jusqu'à se demander s'il n'avait pas été derrière l'attentat qui coûta la vie à Reinhard Heydrich, souvent présenté comme son ennemi personnel. Après la tentative d'assassinat ratée contre Hitler, le 20 juillet 1944, l'amiral Canaris fut accusé d'avoir participé à la conspiration. Torturé, jugé, condamné, il aurait été pendu à un fil de fer, procédé destiné à ralentir la mort des condamnés.

Mourir lentement, c'est mourir beaucoup. Le petit amiral aurait même été tué une deuxième fois après avoir été accroché par une côte à un croc de boucher.

41

## *La deuxième vie d'Élie*

MUNICH, 1943. Que l'on permette à l'auteur d'appeler Élie par son nouveau prénom, qui sera désormais affublé de guillemets, pour qu'on ne le confonde pas avec le disparu de Volgograd : « Harald ».

Devenu sombre et taciturne, le prétendu « Harald » ressemblait bien plus au nazi dont il usurpait l'identité qu'au résistant juif qu'il avait été, sous la coupe d'Elsa. Soulignée par une ridicule petite moustache à la Himmler, sa métamorphose était sidérante.

« Harald » avait même enfilé les bottes nazies de son meilleur ami et lisait religieusement *Der Stürmer*, le journal le plus antisémite de tous les temps, auquel feu l'époux de Liselotte s'était abonné. En bas de la « une » était écrit en grosses lettres : « Les Juifs sont notre malheur ! »

Le soir où « Harald » était arrivé en uniforme de la Wehrmacht chez Liselotte, les trois enfants n'avaient manifesté aucune surprise apparente, comme si c'était leur père, preuve, songea-t-il, que l'habit fait l'homme, en tout cas le père. Sans oublier que, comme les animaux dans la nature, les enfants ne prêtent pas une grande attention à leur géniteur. Il est vrai qu'ils ne l'avaient pas vu souvent, ces derniers temps. Seule Melissa, l'aînée, indiqua à sa mère qu'elle trouvait son père différent.

« Qu'est-ce qui te permet de dire ça ? s'étonna Liselotte.

— Il est encore plus distant qu'avant.

— C'est normal, c'est la guerre, tu sais bien. Elle transfigure les hommes. Ou bien elle les retranche de tout quand elle ne les enfonce pas plus bas que terre.

— Papa a changé, je te jure, insista Melissa. Je ne reconnais plus son visage.

— Moi, si. Es-tu sûre que tout va bien dans ta tête ? Tu divagues, ma parole ! »

Sans être vraiment épris, « Harald » aimait Liselotte. Mais le premier soir, en se couchant dans le lit conjugal, il sut que ce ne serait pas demain la veille qu'il remplirait son devoir de faux mari. Depuis qu'Elsa avait disparu, il la voyait toujours partout, dans l'obscurité, le jardin, sa propre tête, au bout du couloir. Il jugeait inconcevable que son ancienne épouse, toujours si vivante en lui, puisse le regarder en train de forniquer avec la nouvelle.

Liselotte n'insistait pas. Sûre de ses charmes, elle avait décidé de laisser « Harald » mariner dans l'appartement proche de la villa Sanssouci, où il passait ses journées à essayer de ressembler à son meilleur ami, s'échinant à retrouver les mêmes intonations de voix, la même calligraphie sophistiquée, les mêmes gestes emphatiques des bras.

L'éloignait cependant de Liselotte sa propre odeur qui lui répugnait. C'était quasiment les mêmes effluves sexuels que le verrat de Puchenau à la viande immangeable, qui sentait la transpiration sous les bras, l'urine, l'ammoniac.

« Harald » connaissait la propagande antisémite : selon les experts nazis, le « chimisme » particulier des glandes sudoripares du Juif l'amenait à dégager des remugles aillés, la célèbre « *odor judaeus* » qu'avait étudiée Hans Günther, le grand « spécialiste » des races du IIIe Reich, l'homme qui écrivit un jour : « Par la conscience de sa mission et la vision presque orientale de son fanatisme, Hitler pourrait bien évoquer la figure de Mahomet. »

*

« Harald » fut convoqué par Hitler à son QG militaire, la Tanière du loup, blockhaus immergé sous les mousses en Prusse-Orientale, pour la remise de la plus prestigieuse des décorations du Reich : l'Ordre allemand. Liseré d'or avec un médaillon en émail blanc sur lequel figurait une croix gammée noire, c'était un hochet censé honorer ses services rendus « de la plus haute importance à l'État et au parti ».

« Harald » n'eut jamais plus peur de sa vie que ce jour-là, qu'il passa sous terre, dans l'antre du schmock. Il redoutait qu'Hitler, Himmler ou Bormann, les trois dignitaires annoncés à la remise de décoration, ne lui posent des questions personnelles, ne fassent allusion à d'anciennes conversations et ne découvrent la supercherie. De plus, il régnait dans ces lieux une oppressante atmosphère de défaite. À ce stade, le Mal ne se cachait même plus, il s'affichait : comme sortis d'un musée des Horreurs, les nazis avaient tous des visages de vaincus cruels, lugubres, souvent émaciés.

Arrivé à la Tanière du loup avec trois heures d'avance, « Harald » avait attendu seul dans un petit salon tapissé de cuir bleu. Cloué au lit par une sciatique, Karl Gottsahl n'avait pas pu l'accompagner. Ç'aurait été tellement plus simple s'il avait été là. Livré à lui-même, le Grand Héros allemand souffrait de nausée, migraine, reflux gastrique. Son estomac ne cessait de coasser : il était comme une mare à grenouilles à la saison des amours. Il sentait plus mauvais encore que d'ordinaire. C'était l'odeur de la peur.

La peur redoubla quand Hitler parut, la bouche en cœur, à la tête d'une cour bottée et galonnée, avec une heure et demie de retard. « Harald » se sentit en état de panique quand le Führer le dévisagea, les bras croisés, avec le regard glaçant du boucher devant le chevreau qu'il va égorger.

Le Führer s'approcha et dit en s'inclinant devant lui :

« Vous êtes beau. Les héros sont toujours beaux. »

Un silence de mort. Chacune des paroles du Führer était bue par les siens pour être répétée, comme celles du Christ par ses Apôtres.

« Je vais faire afficher votre visage dans tout le pays, ajouta Hitler. Pour faire honte à tous ceux qui, dans notre peuple fourbu, ont perdu le sens du devoir. »

Hitler avait perdu le ton d'antan, rocailleux, impérieux, torrentiel. Dans le bref discours qu'il prononça avec lenteur, d'une voix monocorde, il salua la « bravoure exemplaire » du Grand Héros allemand, avant de s'en prendre au peuple allemand comme il l'avait souvent fait en petit comité, ces derniers temps.

« Qu'attendons-nous pour nous inspirer d'hommes comme vous ? Harald, vous êtes ce dont nous avons cruellement besoin : le courage, la confiance en soi, la conscience de son destin. Si les Allemands n'ont plus la foi et ne sont pas capables de se sacrifier pour survivre, alors je vous le dis, ils sont condamnés à disparaître de la surface de la terre. »

Le Führer demandait toujours que ce type de propos défaitistes ne fût pas repris par la presse et les organes officiels. Malgré la présence de caméras des actualités cinématographiques, il ne reste donc aucun film de la remise de décoration : les bandes ont été détruites. Mais l'auteur a pu retrouver plusieurs photos d'« Harald » avec Hitler, Himmler et Bormann : le soi-disant fils de Karl Gottsahl semble terrorisé, comme un agneau au milieu d'une meute de loups.

Après avoir épinglé les insignes de l'Ordre allemand sur son uniforme, Hitler ne regarda même pas le Grand Héros allemand quand il marmonna de sa voix rauque et plaintive qui semblait venir de l'estomac :

« Pardonnez-moi mais je n'étais pas au mieux de ma forme : j'ai toujours du mal à faire des discours dans les réunions de famille, je perds mes moyens. À propos, vous passerez le bonjour à ce bon vieux Karl.

— Il m'a demandé de vous saluer.

— On me dit que vous ne pouvez pas reprendre les armes à cause de toutes vos séquelles, notamment de vos problèmes d'équilibre, de mémoire.

— Mais je me soigne, mon Führer. Je compte bien revenir au front.

— En attendant qu'aimeriez-vous faire ?

— De la médecine, mon Führer.

— Nous sommes en train de réinventer l'homme, de le purifier, de revenir à ses origines.

— C'est un domaine passionnant, mon Führer.

— Auriez-vous envie de travailler dans la recherche médicale ?

— C'est mon rêve. »

« Harald » avait dit ça sans réfléchir. Heinrich Himmler, qui ne quittait pas son maître d'une semelle, hocha du menton avec ostentation.

« J'ai une idée pour lui. Dachau.

— Êtes-vous sûr ?

— J'ai un protégé là-bas qui est aussi un savant très prometteur, dit Himmler. Le docteur Rascher. »

Le regard éteint d'Hitler s'insinua dans celui, pétrifié, d'« Harald ».

« Parfait, dit-il. Sigmund Rascher est un grand Allemand et un grand homme. Vous êtes faits pour vous entendre. »

« Harald » était trop effrayé pour émettre des réserves : on ne défie pas Jupiter. C'est ainsi qu'il se retrouva dans l'équipe médicale du camp de Dachau, après un détour à Poznań, en Pologne, le 4 octobre 1943. Himmler avait invité le Grand Héros allemand à parler, en vedette américaine, aux cadres SS devant lesquels il allait ensuite tenir une allocution qu'il qualifiait d'« importante ».

« Harald » fut si médiocre, dans cet exercice, que son discours, pourtant bref, devint vite inaudible. C'était une enfilade de citations sur le courage, de l'Antiquité au XXe siècle, et il fut écouté d'une oreille de plus en plus distraite par des SS qui dérogèrent, ce jour-là, à leur discipline habituelle, dans un bourdonnement de conversations personnelles.

Le sujet évoqué « ouvertement » par Himmler ce jour-là ne devrait jamais, insista-t-il, être évoqué « en public » : « Je veux parler de l'"évacuation" juive, de l'extermination du peuple juif. » Aucun des 80 millions d'Allemands, déclara-t-il, n'a connaissance de la tragédie que les SS endurent. Les exécutions à la chaîne, la coexistence avec les cadavres de Juifs : « C'est une page de gloire qui n'est jamais mentionnée et ne devra jamais l'être. »

Une page de gloire ? « Nous avons le droit moral de tuer ces gens, proclama Himmler, c'est notre devoir vis-à-vis du peuple. » Mais il n'était pas question que les SS s'enrichissent sur le dos des Juifs, fût-ce en les dépouillant d'une simple fourrure, d'un mark, d'une cigarette. Il ne fallait pas, « après avoir exterminé le bacille, devenir malade et mourir du même bacille ».

*

Liselotte était enceinte. Ce ne pouvait pas être d'« Harald ». Elle finit par lui raconter ce qui s'était passé après le dîner avec Hitler au Berghof, quand Martin Bormann s'était introduit dans sa chambre.

« Ces derniers temps, dit "Harald", tu avais pris des rondeurs qui te vont au demeurant fort bien. Cette ordure de Bormann est donc le père…

— Oui », sanglota-t-elle.

La conversation s'arrêta là et, peu après, ils firent pour la première fois la chosette. Dans les heures qui suivirent, « Harald » se sentit sale, nauséeux. C'était l'effet Bormann. Il comprit qu'il ne pourrait pas rester avec une femme qui portait l'enfant du factotum d'Hitler. Mais, comme tant d'hommes, il était trop lâche pour rompre.

Quelques jours plus tard, alors qu'il était à Berlin, « Harald » écrivit à Liselotte une lettre de rupture, assez invraisemblable mais troussée de telle sorte que la police ne puisse en faire un mauvais usage si elle tombait un jour entre ses mains :

Chère Liselotte, mon amour,

Je n'ai jamais osé te le dire mais je t'ai aimée au premier regard, quand nous avons été présentés par ton amoureux d'alors, à la sortie du lycée. Je me souviens avec précision de ta robe à fleurs : des myosotis bleus sur un fond crème. Tu portais aussi un chemisier blanc et des escarpins beurre frais. Peu après, nous avions bu un riesling de Franconie qui avait un goût de verveine et de fruits jaunes.

Depuis que je suis revenu à Munich, je ne sais plus qui je suis, je ne me supporte plus. Tu n'y es pour rien. Tout vient de moi. Pour me sauver, il faudrait que je réussisse à sortir de moi. J'ai trop d'idées noires et je me sens tellement misérable devant ta hauteur d'âme, ta tendresse, ta générosité, ton indulgence, tes sourires. Je ne veux pas gâcher ta vie après que la roue de l'Histoire a écrasé la mienne.

Tu mérites tellement mieux que moi.

Ton Harald.

# 42

## *Bienvenue à Dachau, son château, sa vieille ville*

DACHAU, 1943. Malgré la foule qui s'y pressait, il régnait dans le camp un silence de cimetière, troublé de temps à autre par un ronflement de moteur, un hurlement de gardien, un cri de terreur, le tout sur fond de brouillis murmurant.

Tels sont les effets de la mort qui passe : le temps s'arrête, les feuilles frissonnent, tout le monde rase les murs, de peur qu'elle ne vous remarque et ne vienne vous chercher. La même sidération s'observe chez les animaux, les jours de tuerie.

Le silence s'abat toujours une minute au moins sur le poulailler après qu'ont retenti les cris d'agonie poussés par le poulet du dimanche pendant la saignée. Puis, la stupeur retombée, les volailles battent des ailes et retournent à leurs occupations.

Premier camp de concentration nazi, ouvert dès 1933, en pleine Bavière, Dachau ressemblait de loin comme de près au lieu de culte d'une religion mortifère, avec ses prêtres, spectres habillés de noir, qui surveillaient des fantômes faméliques, démantibulés, les ouailles. C'était le sanctuaire de la terreur sauvage, sur fond d'assassinats, sévices, tortures, où les pécheurs étaient reclus dans des petites cellules sans fenêtre, jusqu'à l'invention du cachot à station debout (75 cm sur 80 au sol), supplice qui durait au moins trois jours et interdisait de s'allonger, de s'agenouiller.

Theodor Eicke, l'un des premiers commandants de Dachau, promu ensuite par Himmler « inspecteur des camps de concentration », y avait développé la pratique de la gymnastique punitive qui consistait à faire courir pendant des heures « la racaille juive » et à l'obliger à courir, ramper, rouler dans la boue, marcher à quatre pattes, traverser des taillis épineux, boire l'eau sale des flaques, sous les insultes et les coups des SS que ces exercices mettaient en joie.

Dans cet enfer, il y avait pourtant un endroit plein de bonne humeur : le Block numéro 3, où officiait le docteur Sigmund Rascher, un joyeux drille, couleuvre de QG, amateur de musique et de femmes, toujours en uniforme de capitaine de l'armée de l'air.

Trente-six ans, le front beethovénien, la calvitie naissante, le SS-Hauptsturmführer docteur Rascher était, disait-on, promis à un grand avenir scientifique. C'était une caricature de grimpion, cette sous-espèce qui réussit à monter au sommet de l'arbre social avant les autres ou à vous passer devant quand vous faites la queue chez les commerçants.

L'arrivisme mène loin quand on sait s'en affranchir mais on voyait bien, à son air buté, à son menton volontaire, que le docteur Rascher ne mettrait jamais un terme à sa course vers la gloire, le pouvoir ; pour preuve, il avait déjà beaucoup d'ennemis.

Après avoir renié son père soupçonné de sympathies

communistes et qu'il aurait lui-même fait déporter, le docteur Rascher s'était engagé dans le nazisme. Sa carrière avait connu une accélération fulgurante après qu'il eut jeté son dévolu sur une ancienne chanteuse, Karoline (« Nini ») Diehl, une belle blonde hommasse, de plusieurs années son aînée.

« Nini » était une grande amie d'Himmler, sans doute une ancienne maîtresse que le dignitaire nazi continuait à couvrir de cadeaux. Ce fut grâce à elle que le docteur Rascher devint rapidement l'un des chouchous du Reichsführer, son mentor, avec lequel il se disait en contact permanent et qui suivait de près ses travaux.

« Avez-vous trouvé Heinrich en forme ? demanda le docteur Rascher à “Harald”.

— Il semblait très fatigué.

— Il se ruine la santé pour la patrie. Nous autres, nazis, nous nous donnons un mal de chien pour redresser ce pays et personne ne nous en sait gré.

— Il ne faut pas vous laisser faire. »

Le conseil d'« Harald » sonnait faux.

« C'est une honte, insista-t-il. Les gens oublient tout ce que le nazisme a fait pour eux. Les aides sociales, la qualité des routes, la sécurité des personnes.

— Heinrich m'a parlé de vous. Il a de grandes ambitions pour vous. C'est un grand honneur d'accueillir dans mon service le Grand Héros allemand. »

Sigmund Rascher expliqua son futur travail à « Harald », lui donna une blouse blanche, le présenta au directeur de l'hôpital et l'emmena visiter les locaux.

« Grâce à nous, dit-il, la médecine fait des pas de géant : nous travaillons, non pas sur des rats et des souris mais sur des cobayes humains que nous prélevons directement dans le camp, à condition, bien sûr, qu'ils soient en bonne santé. »

Le docteur Rascher travaillait à la mise au point d'un médicament antihémorragique à base de dextrose, pectine de pomme, betterave sucrière. C'était l'un de ses assistants qui en détenait le brevet : Robert Feix, un déporté à moitié juif, chimiste de formation, qu'il tenait en haute estime et dont il réclamait la libération. Il était convaincu que sa découverte pourrait changer le cours de la guerre.

Pour la Wehrmacht, ce serait le remède miracle. Dans l'esprit de Rascher, le Polygal 10, tel était le nom du médicament, serait bientôt administré aux blessés de guerre pendant les combats, pour stopper les hémorragies mais aussi avant les batailles, à titre prophylactique, avec une durée d'action de quatre à six heures. Dans un premier temps, le comprimé serait réservé aux aviateurs et aux unités de choc avant d'entrer dans le paquetage de tous les soldats.

Qu'attendait-on pour le mettre en fabrication ? Les supérieurs directs de Rascher nourrissaient encore des doutes. Dans un courrier, Rudolf Brandt, le secrétaire d'Heinrich Himmler, agacé par ses pressions, le pria « de rester froidement objectif et de ne pas s'énerver parce que tout ne va pas aussi vite que ce qu'il s'était imaginé ». Le SS-Hauptsturmführer n'aimait pas l'idée de donner du temps au temps. « C'est comme ça qu'on le perd », disait-il.

*

Permettez à l'auteur de passer la main pendant quelques pages en portant à votre connaissance un document édifiant dont il a vérifié la véracité.

Pendant les mois où il travailla à Dachau comme assistant du docteur Rascher, « Harald » écrivit des carnets qu'il comptait faire passer, par ses filières habituelles, en Grande-Bretagne et aux États-Unis, pour faire connaître au monde la vérité sur les camps nazis. Des textes convenus, distanciés, qui semblaient avoir été écrits pour pouvoir passer la censure nazie, tant le soi-disant Grand Héros allemand s'échine à noyer ses informations les plus explosives dans les banalités, les digressions.

« Harald » fut arrêté avant de pouvoir les envoyer à qui de droit. Mais comme il les avait enterrés dans une boîte en fer au fond du jardin, l'auteur a pu les retrouver, sept décennies plus tard. En voici plusieurs extraits :

> Ce matin, je me suis rendu avec le docteur Rascher dans une dépendance du crématoire. Deux SS et un déporté au visage jaunasse nous y attendaient. Adossé au mur, les mains attachées derrière le dos, l'homme semblait dormir debout.
>
> À Dachau, les prisonniers n'ont guère d'énergie. La plupart du temps, ils meurent de privations, tandis que les autres vaquent à leurs occupations. Même quand il est encore apte au travail, l'âme du déporté a quitté depuis longtemps son pauvre corps.
>
> Rascher s'est approché de lui, a glissé dans sa bouche un comprimé de Polygal 10 avant de lui faire boire de l'eau. Le détenu a toussé, du liquide est sorti par ses trous de nez et puis il a dégluti comme l'a montré le tressaillement de sa pomme d'Adam.
>
> Il s'est assis par terre, le dos contre le mur. Rascher et moi sommes sortis. Nous avons bavardé pendant une quarantaine de minutes, le temps qu'agisse le Polygal 10,

en fumant des cigarettes avant de regagner la dépendance. L'Hauptsturmführer a fait un petit signe de tête aux SS et l'un des deux a sorti son pistolet, un Walther P38, de sa poche revolver, puis a tiré dans l'épaule du prisonnier qui, avec une expression de surprise et une sorte de grand hoquet, est tombé sur le sol en se cognant la tête.

Il n'a pas gémi, ne s'est pas débattu. Ses yeux étaient exorbités ; il avait l'air ahuri comme s'il acceptait son sort. Aucun mouvement de convulsion. Après s'être couché sur le sol, il est mort sereinement dans son sang au bout d'une vingtaine de minutes, le temps qu'il faut pour égorger une vache. Le Polygal 10 n'avait pas marché. « On ne tiendra pas compte de cette expérience », m'a dit le docteur Rascher quand nous sommes retournés au Block numéro 3.

[...]

Aujourd'hui, avec le docteur Rascher, je suis allé manger une friture de perches accompagnée de pommes de terre à la crème, aux oignons et aux fines herbes. C'était dans une brasserie de Dachau, au cœur de la vieille ville, dont les maisons bariolées semblent avoir été peintes par des mains d'enfants.

La présence du camp n'a rien enlevé à la beauté vive et riante de la vieille ville qui s'ébroue au-dessous d'un des plus beaux châteaux de la région. À l'heure du déjeuner, Sigmund aime bien s'asseoir à une terrasse de restaurant plutôt que de rester sur notre lieu de travail où l'ambiance trop pesante, oppressive, coupe toujours l'appétit, même quand la faim creuse le ventre.

C'est au demeurant le docteur Rascher qui m'a conseillé de ne pas dormir dans un logement de fonction du camp. Il m'a trouvé une location, la maison de

Karlsfeld, si près de mon bureau que je peux m'y rendre, selon les jours, à pied, à vélo, en voiture.

Quand les vents soufflent dans le mauvais sens, ce qui arrive assez souvent, je suis importuné par l'odeur que crachent les cheminées des fours du camp, une odeur de malheur, rôti, cendres, paille brûlée, cuir sale, mauvaise cuisine, graisse cuite, feu de forêt. Elle s'incruste partout, jusque dans mes habits lavés et repassés que ma femme de ménage range dans l'armoire de la chambre, jusque dans les serviettes avec lesquelles je m'essuie, après la douche.

Pendant le repas, Sigmund m'a dit qu'il approuvait la célèbre formule de Goebbels : « L'humour est juif. Il faut le bannir de la société. » Même les blagues antisémites ne sont pas drôles, a-t-il ajouté, après m'avoir demandé pourquoi les Juifs avaient de longs nez. « Parce que l'air est gratuit », a-t-il répondu sans rire.

Il m'a raconté qu'Himmler l'avait embauché pour établir « scientifiquement » le lien entre l'apparition du cancer et les engrais synthétiques, un travail qu'il a abandonné pour se consacrer à des expériences d'hypothermie en rapport avec la guerre en cours, toujours à la demande du Reichsführer, soucieux de sauver les vies de nos soldats, sur le front de l'Est.

Himmler est, comme tout homme sensible, horrifié par le nombre de morts chez les aviateurs tombés dans la mer. À sa demande et sous le contrôle de l'armée de l'air, Sigmund a multiplié les expériences, photographiées par « Nini », qui ont prouvé les bienfaits des bains chauds pour « retaper » les personnes gelées, ce qui constitue une avancée considérable dans le domaine de la médecine de guerre.

[...]

Dans un premier temps, Sigmund a sélectionné plusieurs dizaines de cobayes dans le cheptel des détenus du camp et les a revêtus de combinaisons d'aviateur avant de les immerger dans un bassin d'eau à une température se situant entre deux et douze degrés. Si on les y maintient, a-t-il établi, la mort intervient au bout de soixante-dix minutes.

Grâce aux électrodes qui permettent de suivre les changements physiologiques, Sigmund a montré que les muscles de ses cobayes s'engourdissent rapidement dans l'eau froide et qu'au bout de dix minutes, la température de leur corps tombant à trente degrés, ils éprouvent des troubles de conscience tandis que leur activité cardiaque se dérègle et qu'augmentent les risques d'hémorragie cérébrale.

Il a prouvé, découverte majeure, que leur température baisse plus vite encore quand sont refroidis le cou, la nuque, l'occiput. D'où la nécessité de reconfigurer les gilets de sauvetage pour qu'ils protègent la tête et la nuque des aviateurs de la Luftwaffe. Il a aussi mis en évidence les bienfaits des bains chauds qui permettent de sauver les aviateurs.

Himmler souhaitait que le docteur Rascher vérifie, après un refroidissement à trente degrés, les effets de la chaleur animale. Ont donc été disposées, sous trois couvertures, deux prostituées dans le lit de sujets réfrigérés qu'elles devaient prendre en sandwich en les serrant très fort contre elles. Les résultats n'ont pas été concluants, encore qu'il fût observé dans quatre cas qu'un coït pouvait réchauffer très vite le cobaye humain. Plusieurs photos coquines de « Nini » l'attestent.

[…]

Dans un deuxième temps, Sigmund s'est livré à des expériences d'hypothermie « sèche », c'est-à-dire sans eau, sur une centaine de cobayes humains du camp. Il les laissait dehors, attachés sur des brancards, par un froid glacial (moins six degrés), pendant quatorze heures. Leur température pouvait descendre jusqu'à vingt-cinq degrés. Souvent, sous les morsures du gel, les sujets hurlaient à mort mais tous sortaient vivants de l'épreuve dès lors qu'ils avaient droit, une fois au Block, à un bain chaud. Pour donner un caractère scientifique à son étude, le docteur dut cependant, comme après les tests précédents, euthanasier plusieurs survivants pour pratiquer des autopsies sur eux et identifier d'éventuelles lésions cérébrales ou cardiaques.

[...]

Il faisait un temps de rêve, un temps à quitter le camp, à écouter l'appel de la nature, à s'emplir de la tiédeur printanière qui réveillait tout jusqu'aux racines des arbres. Sigmund, « Nini » et moi avons décidé de piqueniquer au bord de mon lac, celui de Karlsfelder, sur une petite plage herbeuse. Au menu, charcuterie, fromages, pain de seigle, poulet froid à la moutarde de Bavière, ma favorite entre toutes, douce, sucrée, relevée par du jus de citron et du vinaigre de cidre.

Pendant une heure et demie, Sigmund nous a parlé d'Himmler, gouvernant féru d'histoire, de science, qui a permis aux camps de concentration de faire avancer la médecine à grands pas. Contrairement à ce qu'on aurait pu penser, par exemple, le Reichsführer était très préoccupé par l'excessif taux de mortalité dans les camps, qu'il attribuait à la mauvaise qualité de la nourriture donnée aux détenus.

Ainsi avait-il recommandé d'ajouter à leur alimentation quotidienne un oignon cru et des gousses d'ail qui, avec leurs vitamines et leurs sels minéraux, avaient jadis été mises à l'honneur au temps des pharaons pour augmenter l'énergie des esclaves chargés de construire les pyramides.

Ainsi Himmler avait-il également prescrit de ne pas éplucher la peau des pommes de terre ou d'ajouter un tiers des légumes en fin de cuisson afin que ni les uns ni les autres ne perdent leur valeur nutritive.

Grâce à Himmler, disait-il, Dachau était devenu un immense laboratoire de recherches, œuvrant pour le bien commun et donnant aux déportés les plus robustes, ceux qui n'avaient pas fini aux fours crématoires, l'occasion, par leur sacrifice, de servir la cause de l'humanité.

Avant de lancer un grand plan de repeuplement germanique dans les régions de l'URSS où frappait le paludisme, le Reichsführer avait chargé le docteur Claus Schilling, spécialiste mondial des maladies tropicales, ancien professeur de parasitologie à Berlin, de créer dans le camp une « station expérimentale de la malaria » pour mettre au point un vaccin.

Septuagénaire excentrique et acariâtre, pourvu d'un bouc et d'un nœud papillon, Claus Schilling avait inoculé la malaria à plus de mille sujets avec des injections de sang contaminé ou des piqûres de moustiques infectants, emprisonnés dans des cages fixées directement sur la peau des bras ou des jambes de ses cobayes humains. Il testait toutes sortes de médicaments pour éradiquer les parasites, notamment la quinine, l'aminophénazone. Nombreux furent les patients qui moururent. Parmi eux, beaucoup de prêtres polonais, supposés plus sains que les autres, et dont le médecin faisait grand usage.

Ce sont encore des prêtres polonais, une quarantaine, qui furent mis à contribution, m'a dit Sigmund, dans le cadre d'expériences sur l'efficacité des sulfamides. Du pus fut injecté dans leurs cuisses. Quand les phlegmons se développèrent, transformant leurs jambes en sacs purulents, le premier groupe, traité avec des sulfamides administrés par voie intraveineuse, prit peu à peu la voie de la guérison. L'état de l'autre groupe, condamné à avaler des comprimés prophylactiques toutes les cinq à dix minutes, ne cessa de se dégrader, jusqu'à la septicémie qui les emporta.

Il est difficile de faire plus plat. Qu'on veuille bien le lui pardonner, l'auteur ne s'est pas senti le cœur de réécrire les carnets d'« Harald ». Les souvenirs appartiennent aux survivants des camps. Les autres sont des imposteurs, des blasphémateurs, des journalistes.

Dans ses carnets, « Harald » évoque sa foi perdue :

« Depuis plusieurs semaines, je n'arrive plus à croire en Dieu. Je le cherche partout, dans le ciel, les fleurs, les oiseaux, les regards des femmes, mais je ne le trouve jamais. Il s'est absenté, et une intuition me dit qu'il ne reviendra plus. Je me demande si Satan n'a pas réussi à le tuer. » « Harald » parle aussi souvent de Novalis, un perroquet survolté, acheté à un général SS qui ne supportait plus son babil. En revanche, pas un mot sur Lila, la très jeune fille qu'il retrouverait par la suite tous les soirs dans sa maison au bord du lac de Karlsfelder. Il ne semble pas l'avoir déjà rencontrée.

Elle lui rendrait le sourire mais il le garderait à l'intérieur : à Dachau, il eût été obscène de le montrer.

# 43

## *Il faut que la nuit passe pour que vienne le jour*

DACHAU, 1944. Même boursouflés, certains visages incarnent la mort. Elle blanchit le teint, creuse les orbites, éteint le regard, dégage la dentition au point qu'un sourire plein de dents peut devenir une épreuve pour les autres.

Défaillir est le mot qui convient pour définir ce que ressentit « Harald » quand il vit Werner von Hohenorff, le chef de la Gestapo de Munich, accompagné de deux SS, entrer dans le Block numéro 3. Il était aussi pétrifié que la grenouille devant le serpent.

« Heil Hitler ! Pourriez-vous me conduire jusqu'à l'Hauptsturmführer docteur Rascher ? demanda Werner en le regardant fixement.

— Avez-vous rendez-vous ?

— Je ne travaille pas sur rendez-vous, plaisanta Hohenorff. Je convoque, j'incarcère, je torture avec une seule mission : faire éclater la vérité, même quand elle est dérangeante. »

Les sourcils de Werner von Hohenorff se dressèrent. Il s'approcha d'« Harald » en pointant son index.

« Il me semble qu'on se connaît...

— Je ne crois pas, assura “Harald”.

— N’avons-nous pas été à l’école ensemble ? »

« Harald » bafouilla, la tête baissée :

« Maintenant que vous me le dites... Ça me revient maintenant... oui... je suis Harald Gottsahl.

— Ah, oui, Harald, notre prétendu Grand Héros allemand, le petit salaud qui m’a volé l’amour de ma vie et ne me l’a jamais rendu.

— Désolé. L’amour ne regarde ni derrière ni devant : quand il se met en route, il écrabouille tout devant lui, vous le savez bien.

— Alors, comme ça, vous jouez au penseur et au poète ? De grâce, restez simple ! Comment va Elsa ?

— Pas de nouvelles. Ni d’elle ni d’Élie. Ils se sont exilés en France, je crois. »

Une émotion passa sur le visage d’Hohenorff.

« Elsa est la plus belle femme que j’ai serrée dans mes bras. Elle a bien cherché les ennuis.

— Que voulez-vous dire ?

— C’est de l’histoire ancienne. »

« Harald » conduisit le chef de la Gestapo jusqu’à la porte du bureau de son patron. Elle était ouverte et le docteur Rascher était assis au fond, en train de faire de la paperasse, l’une des principales activités des nazis qui prétendaient tout contrôler, la pensée des uns, la consommation de papier hygiénique des autres.

Le docteur Rascher se leva d’un bond.

« Heil Hitler ! Quel bon vent t’amène, Werner ?

— Un bébé volé, Sigmund. Oh, pardonne-moi, pire que ça : trois bébés volés. »

« Harald » était dans l’embrasure, légèrement en retrait. Le chef de la Gestapo se retourna.

« Nous, lui dit-il, il faudra qu'on se revoie. »

Sur quoi, il lui ferma la porte au nez et « Harald » alla se coucher sur le canapé de son bureau. Quand il se réveilla, il faisait nuit, et le docteur avait quitté le camp avec Hohenorff et ses SS.

Ce fut le début de la fin pour le docteur Rascher et sa compagne « Nini ». Pendant des mois, ils passèrent d'un service de police à l'autre avant d'être emprisonnés puis exécutés, l'année suivante, peu avant la victoire des Alliés, pour faire disparaître avec eux les lourds secrets dont ils étaient détenteurs.

Pour complaire à Himmler, obsédé par le repeuplement aryen, Rascher lui avait fait croire qu'à quarante-huit ans « Nini » était toujours en mesure d'enfanter. Mais la joie du Reichsführer se transforma en colère noire quand il apprit que le couple avait volé ou acheté les trois enfants qu'il présentait comme les siens.

Outre cette supercherie, le docteur Rascher se serait livré à toutes sortes de trafics sur les médicaments ou sur les peaux humaines qu'il recyclait, comme au temps de la Révolution française, en culottes, abat-jour, sacs à main, et vendait à ses collègues. Sauf pour Göring, la grande crapule nationale, Himmler honnissait l'enrichissement personnel, et pourchassait sans pitié, jusque dans les villages les plus reculés, les voleurs, les fripouilles, les carotteurs.

Quelques jours après l'arrestation du docteur Rascher, « Harald » fut emmené, menottes aux poignets, au siège de la Gestapo où il lui fallut attendre près de trois heures avant que Werner von Hohenorff daigne le recevoir.

Apparemment, le chef de la Gestapo ne cherchait qu'à lui soutirer des informations sur Rascher. Mais après lui avoir posé quelques questions, il fit prendre « Harald » en photo et décida de le maintenir en détention jusqu'au lendemain matin.

« Mais enfin, protesta "Harald", je suis quand même le Grand Héros national !

— Quand la nation est en danger, répondit Hohenorff, il n'y a pas de Grand Héros national qui tienne. »

*

Gustav Schmeltz rentra à la maison, avec sa tête des mauvais jours, le nez violacé, des plaques vineuses sur le visage. Il ne parla quasiment pas pendant le dîner qu'il avala avec un air buté, fuyant les regards de Lila.

Lorsque les deux femmes de sa vie, son épouse Zita et sa maîtresse Lila, commencèrent à débarrasser la table, le colonel Schmeltz sortit une bouteille de schnaps à la poire, et en but trois verres avant de déclarer d'une voix grasseyante :

« J'ai un joli pécule : je n'ai pas besoin de travailler pour vivre. Alors, j'ai pris la décision de mettre fin à mes fonctions à la Gestapo. Il y avait trop de pression au bureau, trop d'hystérie, et je n'ai plus l'âge de les supporter. Je ne m'entends plus du tout avec mon chef et j'ai des envies de sérénité, de potager. Le nazisme n'est pas mon truc.

— Je suis heureuse de te l'entendre dire ! s'exclama Zita. Quand pars-tu ? »

Le colonel toussa. Puis, en baissant la tête :

« J'ai donné ma démission cet après-midi. À partir de maintenant, je suis condamné à la plus grande prudence. »

Sans lever la tête, Schmeltz marmonna encore à l'intention de Lila :

« Pardonne-moi, mais il va falloir que tu partes. Tu es en danger ici et tu nous mets tous en danger. Ça me fend le cœur mais on ne peut plus te garder. »

Lila rougit. Gustav Schmeltz s'étrangla :

« Avant que je quitte le bureau, un collègue m'a questionné à ton sujet.

— Quel genre de questions ? bredouilla-t-elle.

— Qui tu étais… ce que tu faisais chez nous… depuis combien de temps tu vivais là… Façon déguisée de me faire comprendre que la police était au courant de ton existence. »

Zita se tapa le front.

« Si ça se trouve, la Gestapo est déjà en route. Pourquoi n'as-tu pas dit tout de suite que nous risquions d'avoir sa visite ?

— J'avais besoin de schnaps. Tu sais bien, il me faut toujours du schnaps pour dire les choses.

— Qu'est-ce qu'on va faire de la petite ? demanda Zita.

— J'ai trouvé une maison où elle sera très bien.

— Quel genre de maison ? bredouilla Lila.

— Une maison de tolérance pour riches dans le quartier du Lehel. C'est mon collègue qui m'en a parlé. Il y va souvent, il a des parts dans l'affaire. »

Lila commença à pleurer à petites larmes en reniflant doucement, moderato.

« Que se passera-t-il quand les tauliers découvriront que je suis juive ? balbutia-t-elle.

— Rien. Je l'ai dit au collègue, ça ne le dérange pas. D'autant que tu seras stérilisée avant d'être mise au tapin…

— Stérilisée ?

— C'est une toute petite opération, Lila, et c'est le prix de ta survie. Après, tu seras tranquille. Les nazis ne veulent pas d'enfants juifs, tu sais bien. »

Lila se mit à pleurer crescendo.

« Tu me fends le cœur, poursuivit Gustav dont les yeux rougissaient, mais on ne peut pas faire autrement. Sinon, nous mourrons tous. »

Tous les trois avaient la tête baissée : personne ne se regardait dans les yeux.

« Réfléchissons, il y a peut-être une autre solution, osa Zita en posant sa main sur l'épaule de la jeune fille dont les pleurs redoublèrent fortissimo.

— Je ne suis pas sûre du tout d'être faite pour ce métier », gémit Lila.

La jeune fille se moucha bruyamment. Elle avait une expression affolée, dévastée, de noyée.

« Sois grande, dit Gustav, l'œil humide. Serre les dents. Tu seras choyée, pomponnée, traitée comme une princesse. Ton certificat de stérilisation sera un passeport pour la vie.

— Et si je suis dénoncée ?

— C'est un petit établissement, discret, familial. Tu travailleras dans une dépendance, avec des horaires aménagés. Ce ne sera pas de l'abattage, j'en prends l'engagement.

— J'imagine qu'il n'y aura pas foule devant la porte d'une prostituée juive.

— Détrompe-toi. Elles sont très demandées, très appréciées, les grands chefs nazis en raffolent. Surtout quand, comme toi, elles sont délicieusement typées. Ils disent qu'elles ont quelque chose de plus, qu'elles se donnent davantage, qu'elles savent jouer sur tous les registres, l'extravagance, l'inventivité, la soumission. Contrairement à la légende, c'est une activité assez épanouissante, tu verras. Je sens que tu y seras heureuse. Sinon, je ne t'aurais jamais fait cette proposition.

— Quand dois-je partir ? balbutia-t-elle.

— Tout de suite. Une voiture t'attend. »

Zita aida Lila à faire sa valise. Gustav Schmeltz l'accompagna jusqu'à la voiture.

« Tu vas me manquer, dit-elle en sanglotant.

— Je viendrai te voir le plus souvent possible, ma chérie. Quand la guerre sera finie, nous irons vivre tous les trois en Floride, le paradis des oranges. Je monterai ma marque de jus de fruits. »

Lila prit la main du colonel et la serra très fort.

« Veux-tu dire que cette guerre s'arrêtera ?

— Oui, répondit Gustav. Hitler va la perdre. »

Le colonel Schmeltz se pencha et embrassa Lila. Ce fut un baiser fusionnel, furieux, quasi anthropophage qui dura au moins cinq minutes. Puis elle monta dans la voiture.

Lila n'avait pas circulé dans la ville depuis des mois mais elle la connaissait encore assez bien pour se rendre compte que le chauffeur, au lieu de prendre la direction du quartier du Lehel comme prévu, était en train de sortir de Munich.

« Vous n'allez plus à Lehel ? demanda-t-elle.

— Non. Le colonel Schmeltz ne fait plus partie de notre direction. Son successeur m'a donné de nouvelles instructions.

— Où me conduisez-vous ?

— À Dachau. »

Le chauffeur avait répondu sur un ton détaché. Était-ce une bourde ou avait-il voulu avertir sa passagère du danger qu'elle courait ? À plusieurs reprises, Gustav Schmeltz avait raconté à Lila ce qui se passait à Dachau, où il s'était souvent rendu pour le travail. La mort à petit feu. L'horreur industrielle.

Lila profita d'un ralentissement pour ouvrir la portière, sortir de la voiture et fuir dans la nuit noire, parmi les ronces, les orties. Elle tomba plusieurs fois avant de s'arrêter puis de s'endormir dans un taillis. Quand l'aube parut, une aube grise, elle marcha à l'aveuglette jusqu'au lac de Karlsfelder et se réfugia dans la forêt bordant la maison d'« Harald » qu'elle finirait par rencontrer un soir.

## 44

## *Les crocs du boucher*

MUNICH, 1944. Le jour où Werner von Hohenorff se présenta chez lui à six heures du matin avec une dizaine de SS, Karl Gottsahl ne parut pas surpris.

« La Gestapo », dit-il, laconique, à sa femme.

Le couple prenait son petit déjeuner quand les tambourinements commencèrent à la porte, avec l'impatience propre aux services de police qui détestent attendre sur le perron que l'on veuille bien les laisser entrer.

« Pardonne-moi, murmura Karl à Ingrid avant d'aller ouvrir.

— Qu'as-tu fait ?

— Je t'expliquerai. Ça devait arriver. »

Karl Gottsahl fut arrêté dans le cadre de l'enquête sur l'attentat à la bombe du 20 juillet 1944 auquel le Führer réussit, par miracle, à échapper, alors que, dans la Tanière du loup, il étudiait avec ses généraux des cartes d'état-major étalées sur une grande table en chêne.

Saint laïc et chevaleresque, l'auteur de l'attentat, le colonel Claus von Stauffenberg, avait sympathisé quelque temps avec le nazisme avant de devenir l'un de ces résistants allemands qu'Himmler, notamment, faisait tuer à la chaîne. Des conservateurs, des sociaux-démocrates, des communistes, des anarcho-syndicalistes, des chrétiens comme Bernhard Lichtenberg, chanoine de la cathédrale Sainte-Edwige de Berlin, qui refusait de donner les sacrements aux membres du parti national-socialiste et mourut sur la route de Dachau.

Blessé de guerre en Afrique du Nord, Claus von Stauffenberg était borgne, amputé de la main droite, de l'annulaire et de l'auriculaire de l'autre main. Il restait d'une beauté noble et sombre. Sur le front de l'Est, cet aristocrate bavarois, catholique fervent, avait été révolté par les méthodes des nazis contre les Juifs, les Slaves, tous les *untermenschen.* Il aimait mieux, comme il l'écrivit, être un traître à l'« histoire allemande » que « face à sa propre conscience ».

Si Hitler sortit quasi indemne de l'attentat, les tympans abîmés et beaucoup d'éclats dans les jambes, ce fut grâce au colonel Heinz Brandt : parce qu'elle la gênait, l'officier poussa derrière le pied en bois massif de la table la mallette dans laquelle se trouvait la bombe que le comte von Stauffenberg venait de déposer, non loin des pieds du Führer, avant de s'absenter sous prétexte de téléphoner.

L'attentat de la Tanière du loup a fait quatre morts, vingt blessés et de sérieux dégâts matériels, mais en épargnant le Führer protégé par un pied de table. Pas de chance, Claus von Stauffenberg, malhabile avec ce qui restait de ses mains, n'avait pas eu le temps d'amorcer la seconde bombe qu'il n'eut pas la présence d'esprit de laisser dans la salle de conférences, ce qui aurait décuplé la puissance de l'explosion. Dieu merci, il y eut malgré tout une justice immanente : Heinz Brandt, le sauveur involontaire d'Hitler, mourut des suites de l'attentat.

La Gestapo de Munich était convaincue que Karl Gottsahl avait trempé dans la conspiration. Ce n'était certes qu'un comparse, un troisième couteau, mais, avant l'attentat manqué, il avait été apparemment chargé de faire circuler des messages entre les uns et les autres, une manière pour les comploteurs de passer sous les radars des services de renseignement qui ne pouvaient pas s'intéresser à un homme d'affaires, géniteur du Grand Héros allemand, au-dessus de tout soupçon.

Karl Gottsahl avait ainsi été en contact régulier avec le général Ludwig Beck, une de ses vieilles relations, qui eût été président et chef des armées si le putsch avait réussi ; avec Carl Goerdeler, un conservateur prussien, antiraciste de la première heure, un Juste, ancien bourgmestre de Leipzig, qui, lui, eût été chancelier ; avec Julius Leber, un ami de vingt ans, par ailleurs proche de Stauffenberg, une figure de l'ancien parti social-démocrate qui, si le plan avait fonctionné, serait devenu ministre de l'Intérieur.

Quand ses collègues berlinois lui apprirent que Karl Gottsahl avait été reçu par Heinrich Himmler l'avant-veille de l'attentat, Werner von Hohenorff interrogea frénétiquement son prisonnier pendant vingt et une heures et eut recours à toutes sortes de tortures, la moins efficace n'étant pas celle de la baignoire qui permit de faire dire à l'accusé qu'il avait prévenu le Reichsführer Himmler de l'imminence de l'opération.

« Nous aurons besoin de vos compétences, aurait dit Gottsahl à Himmler. Mes amis veulent que vous sachiez qu'ils comptent sur vous pour rejoindre leur équipe après le coup d'État.

— Remerciez Ludwig de ma part, aurait répondu l'autre.

— Ludwig ?

— Oui : Ludwig Beck. »

Le Reichsführer Himmler bluffait-il ou était-il au courant de ce qui se tramait autour de Ludwig Beck ? Apparemment, le sphinx du Reich n'aurait rien fait pour empêcher la conspiration, alors qu'un coup d'État l'aurait débarrassé d'Hitler qui, à l'évidence, menait l'Allemagne à la ruine. En même temps, l'échec du complot ne pouvait que lui profiter et il lui profita : après l'attentat, il fut nommé chef de l'Ersatzheer, l'armée de réserve, avant d'étendre ses compétences à la justice militaire qui, l'année suivante, envoya plus de dix mille personnes à la mort.

Himmler trahirait Hitler, c'était dans ses gènes, mais plus tard, quand tout serait perdu.

L'honnêteté oblige l'auteur à reconnaître que rien, en dehors de ce témoignage, ne permet de certifier l'existence d'un double jeu d'Himmler. Une thèse défendue par « Harald » qui prétendait la tenir de Werner von Hohenorff en personne. Si elle n'est pas avérée, elle reste cependant crédible.

De tous les hiérarques du nazisme, Himmler était sans doute l'un des seuls qui fussent normaux. Immonde certes, machiavélique aussi, mais normal. Un parangon du conformisme, fût-il nazi, et d'une banalité ennuyeuse. Tous les autres dignitaires étaient soit des psychopathes (Goebbels, Heydrich), soit des fripouilles (Göring, Bormann), soit des demeurés (Hess, Rosenberg). Sans parler d'Hitler, gibier de psychiatres, rongé par la haine, voire la syphilis.

Même s'ils ne le montraient pas, les barons du Führer avaient, non sans raison, peur du Führer. Après l'attentat raté de la Tanière du loup, la répression fut féroce, aveugle, frappant des familles entières : cinq mille morts en tout. Plusieurs conjurés finirent, selon la méthode hitlérienne, pendus à un croc de boucher, pendant que des caméras filmaient leur agonie qu'Hitler visionnerait ensuite, selon la légende. Karl Gottsahl, lui, mourut d'une pneumonie, consécutive à la torture de la baignoire.

*

Avant de pousser son dernier soupir, Karl Gottsahl fut soumis à une dernière torture. Assis sur le bord de son lit de mort, Werner von Hohenorff lui tordit le nez à plusieurs reprises.

« Allez, vieux débris, dis-moi la vérité… Ça te soulagera… Tu as vu que j'étais capable de martyriser un moribond. Alors, ta femme et ta descendance, tu penses bien, elles risquent de morfler… »

Karl Gottsahl avait la tête ailleurs. Il pensait aux dernières paroles qu'il formulerait avant de passer l'arme à gauche. Il faut toujours partir sur une belle phrase. Il ne trouvait rien. Il finit par ânonner : « Je ne souffre pas mais je suis très fatigué, dépassé par les événements. Est-ce que ça sera ainsi jusqu'à ma mort ? »

Le chef de la Gestapo de Munich renouvela sa menace de faire subir d'atroces supplices à sa femme qu'il ferait pendre par le menton à un croc de boucher, à sa belle-fille, à ses petits-enfants qu'il donnerait à manger aux chiens, s'il ne lui disait pas ici et maintenant la vérité sur « Harald ».

« Ce prétendu "Harald" n'est pas ton fils, dit Werner. Quand je compare les photos d'avant et celles d'aujourd'hui, il crève les yeux qu'il ne s'agit pas de la même personne. Confirme-moi qu'il y a eu une substitution, que c'est bien Élie Weinberger qui a pris la place d'Harald et je te jure que je laisserai les tiens tranquilles, qu'ils mourront de leur belle mort. »

Karl Gottsahl ferma les yeux. Sa poitrine sifflait ; il avait de plus en plus de mal à respirer.

« Je suis sûr de ce que j'avance, reprit Werner von Hohenorff. Si tu as du mal à parler, hoche la tête et ça me suffira. »

Karl Gottsahl hocha vaguement la tête, puis la secoua. Le chef de la Gestapo lui caressa le front et descendit retrouver « Harald » dans sa cellule en sous-sol, qui sentait l'égout, la mort, le sang pourri.

« Il valait mieux pour toi que tu ne sois pas Harald, lui dit-il. Celui-là, je ne l'aurais pas raté, tu serais sorti de prison en petits morceaux. Ce connard a gâché ma vie. En revanche, je n'ai rien contre toi, Élie, à part que tu es un Juif, mon pauvre vieux.

— Qu'est-ce qui te permet de dire que je suis Élie ?

— Il suffit de regarder les photos et de les comparer. Vous ne vous ressembliez pas tant que ça, Harald et toi. Karl a reconnu la supercherie.

— Que vas-tu faire de moi maintenant ?

— Rien, Élie. Je vais appliquer la loi et te rendre à ton destin, c'est-à-dire à Dachau. Pourquoi souris-tu ?

— Il y a deux sortes de Juifs, dit-on : les pessimistes et les optimistes. Les pessimistes sont en exil, les optimistes dans les camps. »

Le visage d'Hohenorff resta de marbre. Il se frotta les mains comme s'il voulait les réchauffer.

« Avant qu'on se quitte, demanda Élie, peux-tu me dire ce qu'est devenue Elsa ? »

Le chef de la Gestapo feignit de réfléchir, puis murmura :

« Je peux te certifier qu'elle n'a pas eu le temps de souffrir.

— Où est-elle enterrée ?

— Je ne sais pas. On s'est disputés et je l'ai donnée aux cochons de mes parents.

— Vivante ?

— Je ne me souviens plus mais je me rappelle que c'étaient des porcs noirs avec une ceinture blanche, de toute beauté, des Angler Sattelschwein, c'est le nom de cette race que tu dois connaître. Des cochons qui ont bon esprit et font une bonne viande. Si tu veux des souvenirs d'Elsa, je t'apporterai des crottes. »

*

Un soir, Gustav Schmeltz rentra tard, en larmes, le nez coulant, le visage plus rougeoyant que d'habitude. Il alla directement dans les toilettes où il se pencha sur la cuvette et moucha chaque narine à tour de rôle.

« Tu as encore trop bu, s'indigna Zita.

— Je suis allé au bordel de Lehel, dit-il à Zita. Lila n'y était pas. Alors, je me suis renseigné auprès de mes anciens collègues : elle a finalement été envoyée… à… à… »

Le colonel éclata en sanglots.

« À Dachau dans un premier temps, finit-il par bredouiller. Ensuite, elle s'est évadée avant d'être reprise, puis déportée à Ravensbrück. Au bordel. Officiellement pour les Kapos non juifs, mais sans doute pour les SS aussi… »

Zita éclata à son tour en sanglots.

« Mais enfin, Lila est juive ! protesta-t-elle. Crois-tu vraiment qu'une Juive puisse travailler dans un bordel, même dans un camp de concentration ?

— Oui, si elle est stérilisée. Elle est tellement belle. »

Ils se rendirent dans la cuisine où ils s'assirent et se servirent chacun un grand verre de schnaps.

« Il faut que je te parle », marmonna Gustav.

Le colonel reprit son souffle, regarda intensément Zita, puis murmura doucement :

« Pendant des années, je t'ai trompée avec Lila. »

Zita haussa les épaules.

« Et alors ? Qu'est-ce que tu crois, Gustav ? J'étais au courant. Lila et moi, on se parlait. Nous n'avions pas de secrets l'une pour l'autre. »

Gustav se resservit du schnaps et demanda :

« T'a-t-elle dit que nous faisions l'amour régulièrement le soir quand tu t'étais endormie ?

— Elle me racontait tout, je te répète.

— Crois-tu qu'elle m'aimait ?

— Elle avait pour toi un mélange d'affection, de fidélité, de gratitude, beaucoup de gratitude. Elle était consciente des risques que nous avions pris pour elle, toi et moi. »

Après un dernier verre, ils se rendirent en valdinguant dans la chambre conjugale où ils firent l'amour tristement, comme des bêtes de réforme dans des stabulations d'abattoir.

Le lendemain, Gustav Schmeltz alla dans la forêt qui borde le lac Alpsee et se tira une balle dans la tête.

## 45

## *« Le massacre de Dachau »*

DACHAU, 1945. Médecin fantomatique des Juifs du camp, la peau sur les os, mangé par la vermine et en attente d'une exécution qui tomberait Dieu sait quand, Élie Weinberger avait le sentiment d'être plus mort que vivant, sans perdre pour autant le sourire stupide qui, par intermittence, éclairait son visage.

Plusieurs fils reliaient encore Élie à la vie : ses trois enfants, bien sûr, mais aussi Lila avec laquelle il avait, à Karlsfeld, tout près de là, au temps où il était médecin à Dachau, passé certains des plus beaux jours de sa vie. « Vous ne connaîtriez pas une certaine Lila ? » demandait-il à tout bout de champ. Il la cherchait sans cesse dans les yeux des déportés. Sans succès.

« La vie est un cauchemar dont la mort nous délivre », répétait-il, détournant la célèbre et superbe formule d'Hodjviri, poète persan du XIe siècle : « La vie est un rêve dont la mort nous réveille. » Avec son humour grinçant, le docteur Weinberger était devenu l'une des attractions du camp. Il se plaignait volontiers que la Bible ne fût d'aucune utilité à Dachau. « Mais comment ça ? s'indignait-on. — Il n'y a aucun humour dedans. Ne croyez-vous pas que ça nous aiderait un peu ? »

À un ancien banquier de Potsdam, Élie demanda un jour : « Sais-tu comment on dit : "Je vais t'enculer" en hébreu ? » Un clin d'œil, puis : « "Fais-moi confiance." » Une autre fois, il interrogea un jeune homme : « À quoi reconnaît-on une mère juive ? "Quand le fils va pisser la nuit et qu'il revient dans sa chambre, le lit est fait." »

Que l'on ne compte pas sur l'auteur pour raconter ici le quotidien des camps de la mort. C'est péché, on ne le dira jamais assez. Maudits soient les faussaires, plagiaires, romanciers sans vergogne, profanateurs de sépultures. Ils salissent tout ce qu'ils disent. Nous renverrons donc aux grands récits de survivants sublimes : *La Nuit* d'Elie Wiesel, *Si c'est un homme* de Primo Levi, *L'État SS* d'Eugen Kogon, *L'Espèce humaine* de Robert Antelme, *Aucun de nous ne reviendra* de Charlotte Delbo, *L'Univers concentrationnaire* de David Rousset, *Ravensbrück* de Germaine Tillion, *La Traversée de la nuit* de Geneviève de Gaulle-Anthonioz, *Être sans destin* d'Imre Kertész, *C'était ça, Dachau* de Stanislav Zámecník.

Élie Weinberger vécut ce qu'ils vécurent et que décrivent en détail leurs ouvrages. Hâtez-vous de les lire pendant qu'ils sont encore disponibles, chères lectrices, chers lecteurs. N'entendez-vous pas les camions des temps modernes qui arrivent en trombe, pleins de cette terre sous laquelle les livres des survivants seront bientôt ensevelis, à grandes pelletées, parce que la mémoire vieillit le genre humain qui n'aime rien mieux que se sentir neuf, comme si le monde avait été créé le matin même pour ses beaux yeux ?

*

À cette époque, les gardiens de Dachau semblaient débordés, noyés, sous les flots des cadavres en provenance de Buchenwald qui n'avait rien trouvé de mieux que d'envoyer un convoi de trente-neuf wagons contenant près de cinq mille déportés dont il ne restait que huit cents survivants.

Ça sentait un mélange de pourriture, d'ammoniac, de sucré, l'odeur de la chair humaine en décomposition. La puanteur était à son comble alors que le printemps battait son plein. Tout palpitait en même temps, les ventres, les herbes, les croupes, les feuilles. Ivres de bonheur, les premières mouches se régalaient en zézayant, puis pondaient leurs œufs, tandis que, tout juste de retour d'Afrique où ils avaient hiverné, les martinets noirs, pépiant tout leur soûl, les gobaient en effectuant des grands ronds dans le ciel.

Élie Weinberger était fasciné par les martinets qui, en dehors des périodes de reproduction, passent leur vie à voler sans jamais se poser et peuvent effectuer des pointes à 150 km/heure pour becqueter les mouches, les moustiques. L'une de ses principales activités à Dachau était de laisser ses yeux rêver avec les oiseaux dans l'azur.

« Dans ma prochaine vie, disait-il, je serai un martinet et j'habiterai très haut, au-dessus du monde. »

Le 26 avril 1945, alors qu'approchait le 3ᵉ bataillon du 157ᵉ régiment de la 45ᵉ division d'infanterie de la 7ᵉ armée des États-Unis, le gardien du camp, l'Obersturmbannführer Eduard Weiter, nazi en peau de lapin, avait détalé sans attendre, aussitôt remplacé par un de ses prédécesseurs qui, à son tour, s'était enfui pour laisser la place à un gringalet de vingt-trois ans.

Les soldats américains du 3e bataillon ont été accusés d'avoir fait justice eux-mêmes, le 29 avril suivant, quand ils prirent le contrôle du camp. Ils auraient bafoué les règles du droit international et violé la convention de Genève de 1929. Cette réaction générale fut la première manifestation du négationnisme. Comment les libérateurs de Dachau auraient-ils pu rester inertes devant le spectacle des cadavres aux visages grimaçants, empilés les uns sur les autres, coulant leur jus, devant la morgue ou près de l'infirmerie ? Est-il interdit d'être barbare avec la barbarie ?

Ancien GI, l'oncle de l'auteur, un certain Frédérick, avait fait la campagne d'Allemagne après avoir débarqué en Normandie, le 6 juin 1944. Encore indigné des décennies plus tard, il qualifiait de « crimes de guerre » les exécutions sommaires de SS effectués à Dachau par les soldats américains. Mais commet-on des crimes de guerre contre les criminels de guerre ? Et faut-il condamner les meurtres perpétrés par les survivants du camp qui, de leur côté, avaient profité du désordre pour subtiliser des armes et abattre leurs bourreaux ?

Les détenus du camp auraient tué entre vingt-cinq et cinquante nazis ; les soldats américains, entre trente-neuf et… cinq cent soixante. Le général Patton, alors gouverneur militaire de la Bavière, se hâta de classer l'affaire du « massacre de Dachau » et aucun homme du 3e bataillon ne fut déféré en cour martiale. Une bonne nouvelle pour Élie Weinberger. S'il y avait eu une enquête sérieuse sur les événements du 29 avril, il aurait sans doute été inquiété pour avoir tué au pistolet et à l'arme blanche pas moins de quatre gardiens SS.

Après quoi, le docteur Weinberger, grisé par le vent tiède qui soufflait, erra dans le camp en criant, la voix cassée, les poumons bronchiteux :

« Lila ! Lila ! Lila ! »

Mais personne ne lui répondit, sauf du côté des Blocks des prêtres, très précisément devant le baraquement 26 d'où s'élevait un murmure de prières. Une jeune femme maigre comme un clou se jeta en pleurant dans ses bras, enfouissant sa tête de mort sous son aisselle.

« Mon amour », dit-elle.

Mais ce n'était pas sa Lila.

*

Le 30 avril 1945, lendemain de la libération du camp de Dachau, le cauchemar était terminé.

Hitler, dans son bunker de Berlin, cerné par l'Armée rouge de Staline, se suicida d'une balle tirée en pleine tempe avec son pistolet personnel, un Walther PPK 7,65 millimètres. Sur les circonstances de sa mort, les versions varient.

D'outre-tombe, le schmock entendait bien continuer à propager la haine, comme l'atteste son testament politique, rédigé d'après des notes consignées par Martin Bormann : « Des siècles passeront, mais des ruines de nos villes et de nos monuments artistiques, la haine renaîtra contre le peuple responsable en dernière instance, auquel nous devons tout cela : la juiverie internationale et ses auxiliaires ! »

Consternantes sont les vaticinations des grands auteurs

qui font souvent le parallèle entre l'amour et la haine. L'amour remplit jusqu'à l'extase de la plénitude ; la haine vide, assèche, détruit. Douze ans de haine nazie n'avaient laissé que des décombres, des monceaux de cadavres, un peuple affamé et honteux, en quête de sens, de respect, qui ne savait plus à quoi se raccrocher, avec 8,7 millions de prisonniers de guerre. La situation était si tragique qu'à la Saint-Sylvestre 1946, à Cologne, le cardinal Frings autorisa, d'une certaine façon, le vol par les plus démunis des produits de première nécessité. Le III^e^ Reich avait tout brisé en même temps, les corps, les villes, les âmes, sans oublier, à titre posthume, de rétrécir les frontières.

« Finalement, disaient les humoristes, Hitler a fini par accoucher, mais d'une petite Allemagne. »

## 46

## *Requiem pour un couillon*

MUNICH, 1949. Élie Weinberger retrouva son perroquet : Dieu merci, la femme de ménage de Karlsfeld l'avait emporté chez elle sitôt après son arrestation. Au lieu de se réjouir de leurs retrouvailles, le cacatoès lui fit la tête pendant trois jours.

Heureux en Amérique, ses trois enfants ne se pressèrent pas pour franchir l'Atlantique et retrouver leur père. Arrivés au Havre, quatre ans après la fin de la guerre, par le paquebot *Île-de-France* sous la houlette d'Esther, la tante d'Elsa, vaillante comme jamais, ils débarquèrent, ronchons, à la gare de Munich.

Le docteur Weinberger les accueillit avec une émotion qui, à l'exception d'Aviva, la fille aînée, laissa de marbre sa progéniture. Quand il eut amené les enfants dans son appartement, près de la Marienplatz, au cœur de la vieille ville, les deux derniers instruisirent son procès.

« Pourquoi n'es-tu pas venu nous chercher au Havre ? marmotta le dernier, Cyrus, âgé de dix-sept ans, avec une expression d'enfant puni. Tu es quand même notre père, *sheet !*

— Ç'aurait été gentil, renchérit Katharina, la fille cadette, une peste. Tu n'as jamais fait d'efforts pour nous.

— Mais enfin, les enfants, arrêtez vos récriminations, protesta tante Esther. C'était vous qui ne vouliez pas venir ! »

Pour manifester sa désapprobation avec les autres enfants, Aviva saisit doucement le bras de son père.

« J'imagine tout ce que tu as vécu.

— C'est en pensant à toi, à vous, que j'ai trouvé la force de résister.

— Tu vois, insista Cyrus à l'intention de tante Esther, il est guéri, il aurait pu faire l'effort de venir nous chercher au bateau ! »

Cyrus et Katharina boudèrent leur père pendant au moins quinze jours. C'est un trait que les enfants partagent avec les chiens et, parfois, les chats. Quand vous disparaissez quelque temps de leur champ visuel, ils vous le font toujours payer.

Mais les enfants s'achètent. Élie se rabibocha avec les deux cadets en leur offrant, malgré les pénuries de l'après-guerre, des montres, habits, friandises. Sans oublier des bijoux pour les filles. Il ne réussit cependant pas à éteindre en eux la nostalgie de l'Amérique qui se manifestait notamment par leur insistance à parler anglais entre eux ou par leurs critiques incessantes contre le mode de vie munichois à l'heure des privations.

Acquise à son père, Aviva avait néanmoins, selon sa propre expression, sa vie et son avenir aux États-Unis. Sans parler de son fiancé, un Frankie-belle-gueule, un Juif new-yorkais, avec un beau sourire, les dents blanches, qui se destinait à une carrière d'homme d'affaires. Sans doute n'était-elle pas loin de penser ce que Cyrus répondit un jour à Élie qui lui demandait pourquoi il souhaitait tant repartir à New York :

« On ne veut pas rester en Europe parce qu'on a peur que ça recommence, les histoires avec les Juifs, les chasses aux nez crochus, les guerres débiles, les bombardements idiots. Avec tous les salopards qu'il compte, on n'a pas confiance dans ce continent, tu comprends. Toi, tu es beaucoup trop gentil, papa. Tu pardonnes tout.

— Je n'oublie rien.

— Allons, papa, tu es un enfant. Un vrai couillon. »

Ce qu'il y a de bien avec les enfants, songea-t-il, c'est qu'ils vous remettent toujours à votre place : à leurs yeux, vous êtes toujours coupable, même quand vous avez été persécuté pendant douze ans par l'un des régimes les plus sanglants que la terre ait portés.

Six semaines plus tard, Élie laissa les trois enfants repartir à New York avec tante Esther qui, grâce au chèque qu'il envoyait chaque mois, les éleva jusqu'à ce qu'ils aient tous atteint leur majorité. Elle mourut peu après que Katharina, la dernière, eut quitté la maison.

Plusieurs années passèrent puis, un jour, Aviva et son mari décidèrent de s'installer en Israël avec leurs deux enfants. Quand elle lui apprit la nouvelle, Élie pleura de joie et lui raconta une blague juive :

« Je suis venu vivre en Israël pour les enfants, dit l'un. Ils sont tellement heureux maintenant, je n'ai plus de problème avec eux.

— Vous habitez tous ensemble ? demande l'autre.

— Ah non. Ils sont restés à New York ! »

Au bout de la ligne, Aviva émit un petit rire de politesse.

*

Il avait suffi d'un seul mot, couillon, pour qu'Élie sorte enfin de son état d'apathie métaphysique. Comme un ver dans le fruit, ce terme rongea sa sérénité jusqu'au trognon et le conduisit, un après-midi, tremblant de haine, au château dont le comte von Hohenorff avait hérité à la mort de ses parents. Une pièce montée en pierres blanches non loin de Wurtzbourg, qui surplombait un lac et une vallée où sinuait une rivière chantante.

Élie se présenta comme une relation d'affaires, et un domestique tiré à quatre épingles le mena à l'écurie où le comte brossait son cheval. De prime abord, Werner von Hohenorff ne sembla pas reconnaître son visiteur qui, à cette époque, portait une barbe. Lui-même avait aussi beaucoup changé. Depuis la fin de la guerre, l'ancien chef de la Gestapo était devenu un autre homme, un « progressiste » intouchable, proche de l'Union soviétique, spécialiste de l'import-export avec les pays de l'Est. Il en imposait.

Le visage rouge brique, le menton bedonnant, la bouche en cul d'oie grasse, Hohenorff portait sur lui les stigmates de la dégénérescence qui affectent souvent les familles royales, des oreilles dissymétriques, des rougeurs intempestives, des bubelettes cramoisies. Il leva les sourcils.

« À qui ai-je l'honneur ? »

Après que le domestique se fut éclipsé, le docteur Weinberger tendit une main molle au comte.

« Tu ne me reconnais pas ? Le mari de feu Elsa... Je voulais te dire que je songe à toi tout le temps. Ça commence le matin, puis ça monte toute la journée... J'ai envie de te tuer, ça me donne des frissons de plaisir rien que d'y penser.

— Tu es frappadingue, Élie.

— Autant te prévenir tout de suite. Il est possible que je commence par toi, à moins que je ne me rabatte sur d'autres victimes, ta femme, tes enfants, ton cheval, tes chiens, tes cygnes, j'ai l'embarras du choix. »

Élie posa sa main sur l'épaule de Werner.

« Mille excuses mais, pour moi, c'est une question de survie.

— De quel droit peux-tu oser venir me menacer chez moi ? »

L'ancien chef de la Gestapo de Munich était révolté. Les salauds se croient toujours innocents et ne doutent jamais de rien. C'est ce qui les distingue du commun des mortels.

# ÉPILOGUE

MUNICH, 2019. Depuis quelques jours, Élie Weinberger vivait seul. Cinq mois après leurs retrouvailles, Lila était partie en observation à l'hôpital.

Quand j'entrai dans le bureau d'Élie Weinberger, le silence me parut si lourd, si spectral, que je le crus mort. L'homme le plus vieux du monde était assis sur son fauteuil roulant, un plaid sur les genoux, la tête en arrière, les yeux fermés, la bouche ouverte, laquelle marmonna sans qu'il changeât de position, alors que je m'approchais de lui :

« J'ai assez apprécié votre livre, monsieur Bradsock.

— C'est le vôtre, me rengorgeai-je.

— Non. C'est votre version de l'histoire, pas la mienne, même si vous avez repris une partie de mes notes et les premiers chapitres de l'ouvrage commencé par Elsa. Mais vous avez aussi beaucoup brodé.

— C'était ce que vous souhaitiez.

— Tout à fait. Je ne vous reproche rien. Mais il y a une chose qui m'a dérangé, permettez-moi de vous le dire. »

Élie Weinberger me fit signe de m'asseoir.

« Est-ce mon portrait d'Hitler qui vous a gêné ? demandai-je.

— Hitler est un con », s'égosilla le cacatoès dans sa cage.

L'homme le plus vieux du monde eut le geste de chasser une mouche.

« Ohé, Nietzsche, ne peux-tu pas te taire de temps en temps ? Je n'en peux plus, de ce perroquet. »

Il appuya sur un bip pour appeler sa gouvernante-infirmière et se tourna à nouveau vers moi.

« Sur Hitler, vous auriez pu insister davantage sur sa médiocrité, son impuissance en tout, en amour, peinture, psychologie, stratégie militaire. Sortez avec moi dans la rue et vous verrez qu'il y a plein d'Hitler partout. Des minus haineux qui en veulent à mort à leur femme, leur chien, leurs voisins qu'ils accusent d'avoir gâché leur vie alors qu'ils n'ont jamais été capables d'en avoir une.

— C'est cette banalité qui le rend terrifiant, murmurai-je, le buste courbé, dans la position de contrition du lèche-cul professionnel. Le mot *schmock* rend bien ce que vous venez de dire, ne trouvez-vous pas ? »

Élie hocha mollement la tête.

« C'est en effet une bonne trouvaille, qui n'est pas de vous, d'ailleurs, ni de moi, mais d'Elsa, ne l'oublions pas. Le propre d'un type comme Hitler est qu'on ne l'a pas vu arriver, de même qu'on n'a pas vu arriver non plus Staline ou Mao Zedong. On les a laissés faire, s'installer, assassiner avec doigté puis en masse. Ce sont les enfants de nos lâchetés.

— Vous n'avez pas été lâche, monsieur.

— Je n'ai pas eu le courage de nos grands résistants juifs et je m'en veux de n'avoir pas exploité, comme beaucoup des miens, la grande faille du schmock : son absence totale de dérision ou d'autodérision. La vanité et l'esprit de sérieux sont les deux mamelles des régimes totalitaires. »

Élie Weinberger agita l'index comme l'enseignant qui gourmande un élève.

« Si vous aviez travaillé un peu plus, monsieur Bradsock, vous auriez découvert qu'un jour je me suis enfin ressaisi et vous auriez parlé de la macabre découverte d'un garde forestier, en 1950, sous un tas de branchages : un tronc humain sans tête ni membres. L'affaire fit rapidement les gros titres de la *Süddeutsche Zeitung* qui feuilletonna dessus : la police avait établi un rapprochement entre ce cadavre qui n'était pas identifiable et la mystérieuse disparition, quelques mois auparavant, du comte von Hohenorff, imputée, selon les journaux, aux services américains ou soviétiques.

— Et c'est vous qui l'avez tué ?

— En tout cas, sa mort m'a fait un bien fou. »

Une main toqua à la porte qui s'entrouvrit sur le visage sévère de la gouvernante-infirmière à qui Élie montra le perroquet du doigt.

« Hildegarde, débarrassez-moi de lui, voulez-vous bien. »

Après qu'elle eut emmené le cacatoès, Élie murmura avec un sourire coquin :

« Je vous félicite pour Rashona. »

Je ne pus cacher ma surprise.

« Comment savez-vous, monsieur ? Notre histoire vient à peine de commencer.

— Regardez-vous un peu dans la glace : vous êtes transfiguré. Tels sont les effets de l'amour, le vrai, le grand, celui que n'a jamais connu Hitler. Chaque homme est fait pour une femme, une seule. J'ai connu ça avec Elsa et puis, quand celle-ci est morte, avec Lila : sans elles, ma vie n'aurait pas valu d'être vécue. Vous êtes fait pour Rashona, une originale, très cultivée, certes un peu grande mais drôlement bien gaulée. Ne la ratez pas, c'est tout ce que je vous souhaite. »

Son visage s'éclaira et il plaisanta :

« Essayez au moins d'être à la hauteur ! »

Après quoi, Élie Weinberger m'annonça à voix basse, avec une expression de conspirateur, comme si c'était un secret, alors qu'il m'en avait parlé à plusieurs reprises :

« Lila et moi, après avoir été heureux comme jamais ces derniers temps, allons maintenant mourir !

— Pourquoi mourir ? Quelle idée !

— Pour anticiper. Lila est condamnée par la médecine. Je la suivrai. Être mort m'indiffère, c'est de ne plus vivre qui me contrarie. Mais quand je réfléchis, je me dis que je n'ai pas intérêt à m'attarder en ce bas monde. Je n'ai pas envie d'être là quand déferlera sur nous la prochaine vague antisémite.

— Ça va vraiment recommencer ? demandai-je.

— Vous n'êtes pas assez juif pour être menacé, monsieur Bradsock. C'est la communauté juive que je plains… Le genre humain n'a pas trouvé d'autres boucs émissaires, et tout est en place pour la prochaine tentative d'extermination. Je ne sais pas d'où elle viendra mais elle viendra. N'entendez-vous pas la petite musique nazie qui monte des beaux salons, des bouches de métro, des mosquées salafistes, des coteries de bien-pensants ?

— N'exagérez-vous pas un peu ?

— La société devient de plus en plus intolérante et

l'État est trop pleutre pour la protéger contre elle-même. Pendant des siècles, la communauté juive a baissé la tête sous les coups qui pleuvaient sur elle et supplié ses bourreaux de bien vouloir lui pardonner les souffrances, les blessures qui lui étaient infligées. Maintenant qu'elle a redressé la tête, au moins en Israël, elle est toujours aussi honnie, peut-être même plus encore. À la fin, son grand tort aura été d'avoir survécu à tout. Quand quelqu'un vous a trahi une fois, dites-vous bien qu'il vous trahira sans cesse, jusqu'à votre mort, pour se prouver à lui-même qu'il avait raison. »

Élie Weinberger émit un rire essoufflé, à peine perceptible, qui dévoila des dents grises aux reflets jaunes.

« J'ai une devinette pour vous. Je suis ce que je ne suis pas. Car si j'étais ce que je suis, je ne serais pas ce que je suis. Qui suis-je ? »

Élie rit à nouveau, puis s'exclama : « Eh bien, je suis en train de suivre un corbillard, voyons ! »

Après un silence de mort, il reprit :

« À propos, ma dernière volonté est que le corbillard qui nous emmènera dans notre dernière demeure, Lila et moi, avance au rythme de morceaux de musique folklorique des Balkans. Que nous dansions dans nos cercueils en pleurant de joie ! »

Élie Weinberger semblait au comble du bonheur. Il savait que la vie est un roman dont on ne connaît que la fin. À nous de faire en sorte qu'elle soit gaie !

# PETITE BIBLIOTHÈQUE DU NAZISME

## *Sur la genèse :*

*Les Racines intellectuelles du IIIe Reich : la crise de l'idéologie allemande* par George L. Mosse, Calmann-Lévy, 2006.

*Les Origines du totalitarisme* par Hannah Arendt, Gallimard, collection « Quarto », 2002.

## *Sur Hitler :*

*Hitler* (2 tomes) par Joachim Fest, Gallimard, 1973.

*Adolf Hitler* (2 tomes) par Volker Ullrich, Gallimard, 2017.

*Considérations sur Hitler* par Sebastian Haffner, Perrin, 2014.

*Hitler* par Ian Kershaw, Flammarion, 2000.

*Au cœur du IIIe Reich* par Albert Speer, Fayard, 2011.

*Hitler* par François Delpla, Grasset, 1999.

*Hitler* par François Kersaudy, Perrin, 2011.

*À la droite d'Hitler* par Nicolaus von Below, Perrin, 2019.

## *Sur la politique d'extermination :*

*L'Allemagne nazie et les Juifs* (2 tomes) par Saul Friedländer, Seuil, 2008.

*La Destruction des Juifs d'Europe* (3 volumes) par Raul Hilberg, Gallimard, 2006.

*Einsatzgruppen* par Michaël Prazan, Seuil, 2010.

*Eichmann à Jérusalem. Rapport sur la banalité du mal* par Hannah Arendt, Gallimard, 1966.

*Auschwitz, enquête sur un complot nazi* par Florent Brayard, Seuil, 2012.

## *Sur l'Allemagne :*

*Histoire d'un Allemand : souvenirs (1914-1933)* par Sebastian Haffner, Actes Sud, 2002.

*Le IIIe Reich. Des origines à la chute* par William Shirer, Presses de la Cité, 1990.

*La Guerre allemande : portrait d'un peuple en guerre, 1939-1945* par Nicholas Stargardt, La Librairie Vuibert, 2017.

*La loi du sang* par Johann Chapoutot, Gallimard, 2014.

*Les Secrets du IIIe Reich* par François Kersaudy, Perrin, 2013.

*Une histoire du IIIe Reich* par François Delpla, Perrin, 2014.

AVANT-PROPOS 11

PROLOGUE 13

I

LE JOUR OÙ FUT SACRÉ
L'HOMME LE PLUS VIEUX DU MONDE

1. L'heure de gloire d'Élie Weinberger 25
2. L'odeur de cerf du docteur new-yorkais 35
3. L'amour est un roman qu'on n'écrit jamais soi-même 41
4. Un coup de foudre qui a duré soixante-dix ans 47
5. Les braises de l'attente 52
6. La demande en mariage 57
7. Élie et Lili sont dans un lit 61

II

COMME UNE BÊTE TAPIE DANS L'OMBRE

8. Les lumières de Nice 67

9. Ce pitre d'Houston Chamberlain 75
10. « Ce sera une guerre courte » 85
11. Le petit caporal 91
12. La légende du « coup de poignard dans le dos » 99
13. « L'amour est une répétition sans fin » 105

III

QUAND LA BÊTE SE RÉVEILLA

14. Comme une traînée de poudre 115
15. « L'émerveillée » 119
16. Le jour où le Juif errant commença son périple 124
17. Un chien nommé Adolf 133
18. Les pigeons sont des légumes 137
19. L'huile sur le feu 146
20. L'enfant qui avait deux pères 150

IV

COMME LE SAUT DE LA BÊTE
À LA GORGE DE SA PROIE

21. Lila, l'enfant du pétrin 157
22. Rien ne peut arrêter un fleuve en crue 161
23. Hitler et son complexe nasal 167
24. L'homme qui jouait avec les allumettes 176
25. Les délices de la villa « Sanssouci » 182

## V

## LA RÉSISTIBLE ASCENSION DE SCHMOCK I^er^, NOUVEAU CHANCELIER DU REICH

26. La montée du grand soir 195
27. Un Hitler en cache toujours un autre 205
28. La chasse aux Juifs a commencé 215
29. Le genou d'Elsa 225
30. Le menton de Magda Goebbels 231
31. Le dernier combat d'Elsa 242
32. Le jour où Elsa devint cul-de-jatte 248

## VI

## DANS LE VENTRE DE LA BÊTE

33. Comme un air d'Apocalypse 263
34. La Nuit de cristal, Saint-Barthélemy allemande 276
35. L'empire des cochons 284
36. « Un Hitler, il n'y en a même pas un par millénaire » 293
37. Quand le soleil ne se leva plus à l'est 307
38. La « prophétie » d'Hitler et le mouton pleureur 317
39. Le Grand Héros allemand 325

## VII

## L'APOCALYPSE SELON LE SCHMOCK

40. La substitution 335
41. La deuxième vie d'Élie 343

42. Bienvenue à Dachau, son château, sa vieille ville 351
43. Il faut que la nuit passe pour que vienne le jour 362
44. Les crocs du boucher 370
45. « Le massacre de Dachau » 378
46. Requiem pour un couillon 384

ÉPILOGUE 389

PETITE BIBLIOTHÈQUE DU NAZISME 397

*Œuvres de Franz-Olivier Giesbert (suite)*

*Aux Éditions Flammarion*

L'IMMORTEL, 22 BALLES POUR UN SEUL HOMME, 2007. Grand Prix littéraire de Provence.

LE LESSIVEUR, 2009.

M. LE PRÉSIDENT, 2011.

L'AMOUR EST ÉTERNEL TANT QU'IL DURE, 2014.

LA TRAGÉDIE DU PRÉSIDENT, 2017.

*Aux Éditions Albin Michel*

LE THÉÂTRE DES INCAPABLES, 2017.

*Aux Éditions du Cherche-Midi*

LE DICTIONNAIRE D'ANTI-CITATIONS, 2013.

*Aux Éditions J'ai Lu*

LE JOUR DE GLOIRE EST ARRIVÉ, avec Éric Jourdan, 2007.